사랑해
사랑해
사랑해

멜로가 체질 1

이병헌 · 김영영 대본집

멜로가 체질 1

1판 1쇄 발행 2022. 6. 22.
1판 5쇄 발행 2024. 2. 26.

지은이 이병헌 · 김영영

발행인 박강휘
편집 김민경 디자인 조은아 마케팅 김새로미 홍보 반재서
발행처 김영사
등록 1979년 5월 17일(제406-2003-036호)
주소 경기도 파주시 문발로 197(문발동) 우편번호 10881
전화 마케팅부 031)955-3100, 편집부 031)955-3200 | 팩스 031)955-3111

값은 뒤표지에 있습니다.
ISBN 978-89-349-4243-6 04810
978-89-349-4242-9 04810 (세트)

홈페이지 www.gimmyoung.com 블로그 blog.naver.com/gybook
인스타그램 instagram.com/gimmyoung 이메일 bestbook@gimmyoung.com

좋은 독자가 좋은 책을 만듭니다.
김영사는 독자 여러분의 의견에 항상 귀 기울이고 있습니다.

멜로가체질 1

이병헌·김영영 대본집

김영사

작가의 말

이병헌

십수 년 전. 그러니까 20대 후반으로 접어드는 그 어느 시간쯤? 작가라는 직업이 내 평생의 직업이 될지도 모른단 찝찝한 생각이 번뜩 난 이후 줄곧 그 타이틀을 거부하며 살아왔던 것 같은데, 거부는 하되, 또 어떤 글을 쓰고 있는 찝찝함이 십수 년째 이어지고 있다. 그보다 훨씬 전, 영화 시나리오를 습작하며 공모전에 쉼 없이 도전하던 시절, 누군가 내 직업을 물었고 난 작가라 하였다. 물어본 이는 내게 이렇게 말했다. "요즘 집에서 놀면 다 작가지 뭐."

그렇다. 트위터만 들여다봐도 쎈 작가(?)들 여럿 보였다. 난 그날 이후 나 스스로를 작가라 하지 않았다. 난 글로써 이룬 그 어떤 성과도 없었으며 아직까지도 순수 글 창작으로썬 이룬 게 없다.

'나 주제에 고귀한 그 영역을 훼손하지 말자.' 그 생각은 아직도 변함없다. 단 이야기를 영상화하는 사람으로서 스태프와 배우들에게 전달 가능한 글로써의 작업은 충분히 가능하다 여겨져, 곱게 포장해서 말해도 영상작가, 혹은 글 작업 가능한 연출가라고 스스로 생각한다. 대본집이 나온다니 다소 쑥스러운 부분이 없지 않아 구차한 변을 늘어놔 본다.

〈멜로가 체질〉은 그 십수 년 전부터 머릿속에 형태 없이 떠돌던 무엇이었다. 사람에 가까운 이야기를 하고 싶었다. 전쟁도 재난도 사람들에게 벌어지는 일이지만, 그보다 일상에 밀착된 무언가. 살상무기와 쓰나미를 버텨내는 인간이 아닌 매일매일 하루 일과 속에 무언가를 버텨내고 있는 사람들의 이야기. 일, 연애, 친구, 가족, 자극적이진 않지만 턱 밑에 괴고 살며 울고 웃는 그 모든 감정들. 어떤 모양새인지 정해지지 않은 상태로 그저 머릿속에 떠도는 단어나 문장들 혹은 감정들을 따다가 곳간에 곡식 채우듯 메모장을 채워갔다. 그렇게 십 년쯤 지나 그 막연하던 것이 형태를 갖출 수 있는 기회가 주어졌고, 그 시간은 고작 일 년 남짓이었다. 위에서 말한 스태프와 배우들에게 전달 가능한 글로써의 대본을 완성하는 데 십 년 치 메모장은 물론이거니와 십 년 치 영혼까지 털어 넣은 기분이 들었다. 힘들었단 말을 하고 있는 건데, 그만큼 글에 거친 부분이 있으니 감안해서 봐주길 당부하는 쫌스러움이기도 하다.

촬영고. 그러니까 서점이 아닌 촬영장에서 스태프와 배우들이 마지막으로 받아보는 최종고를 말한다. 일종의 현장용 명령어다. 영상화하기 위한 작업본 자체로 소개되는 게 솔직하다 여겨져 별도의 교정 작업 없이 촬영고 그대로를 내놓는다. 대사 중 파란색 부분은 촬영을 하던 중간에 추가로 쓴 씬들이다. 감독으로서 1회 70분 분량을 맞추지 못해 작가로서 추가 분량을 촬영 중간에 썼다. 분량상의 문제만은 아니었고, 전체 극의 리듬상, 감정상 혹은 단순 재미를 위한 아이디어가 떠올라 추가된 부분이 있다.

배우들과 스태프들, 만든이들 모두 말도 안 되게 좋은 사람들이었다. 더없이 즐거운 현장이었고, 감독인 나의 저질 체력 외에 그 어떤 방해요소도 없었다. 작업하는 내내 분명히 행복했다고 자신 있게 말할 수 있다. 그렇게 만든 작품은 보는 사람도 행복해질 거란 믿음을 가져 본다. 간혹 시즌 2를 달라는 목소리를 듣게 되는데 농담이랍시고 "시청률 먼저 주세요"라고 말한 적은 있지만 아주 농담만은 아니다.

오랫동안 인사하게 해준 모든 분들께 진심으로 감사하다.

작가, 연출 이병헌 드림.

작가의 말

김영영

2016년 여름 어느 날, 이병헌 감독님과 특별한 만남이 있었습니다.

과거 어느 봄, 함께 준비하던 드라마가 어그러졌던 이후, 다시는 볼 일이 없을 것 같이 헤어졌다가… 처음 같지 않게, 처음인 것처럼, 우린 다시 만나 새로운 드라마를 시작했습니다. 〈멜로가 체질〉이라는.

돌아보건대… 그땐 참 겁이 없었던 거 같습니다. 후회했습니다. 막상 시작하고 보니 제가 써왔던 그런 드라마와는 거리가 멀어서 많이 힘들었거든요. 해내지 못할지도 모른다는 생각이 점차 파도처럼 밀려왔고, 두려웠습니다. 〈멜로가 체질〉이란 작품이 저의 마지막 기회가 될까 봐. 살아가는 데 있어 내가 바라는 것들과 삶이 내게 주는 것들은 언제나 다르거든요. 그렇게 오랫동안 주저앉아 있었던 것 같습니다. 때론 길 잃은 아이처럼, 혹은 갈 곳이 없는 어른처럼.

그때마다 묵묵히 앞장서서 길을 보여주고, 따라갈 수 있을 만큼 넉넉하게 기다려주었던 이병헌 감독님, 김혜영 감독님. 너무 감사했습니다. 언제나 내 편이 되어주고, 힘이 되어주던 우리 보조 작가 지연이. 너무 고마웠어.

제가 곁에 없어도 항상 저를 축복해주고, 사랑해주는 저의 가족들. 사랑합니다.

아마 제 삶이 다하는 날까지 잊지 못할 거 같아요. 너무 힘들었고, 참으로 감사한 시간들이었습니다. 더불어 〈멜로가 체질〉을 함께해 준 모든 배우분들과 스태프들께도 진심으로 감사의 인사를 드립니다. 여러분이 있었기에 어느덧 방송을 하고, 이렇게 대본집이 나오게 되었으니까요. 정말 감사합니다.

그리고 마지막으로 〈멜로가 체질〉을 사랑해주신 시청자분들께 고개 숙여 진심으로 감사드립니다. 서른 살이 되어가는 누군가와 서른 살을 거쳐갔던, 혹은 서른 살을 거쳐가는 모든 이들에게 〈멜로가 체질〉이 작은 위안이 되길 바라며 글을 마칩니다.

2022년, 봄의 기로에서

김영영 드림.

일러두기

- 이 책은 이병헌, 김영영 작가의 드라마 대본 집필 형식을 최대한 따라 편집하였습니다.
- 파란색으로 표시된 대사 부분은 작가의 추가 집필 부분입니다.
- 드라마 대사는 글말이 아닌 입말임을 감안하여, 한글맞춤법과 다른 부분이라 해도 그 표현을 살렸습니다.
- 띄어쓰기와 말줄임표는 다양하게 표현되어 있습니다. 이는 대사 시 호흡의 양을 다양하게 하고자 한 작가의 의도를 반영한 것입니다.
- 쉼표, 느낌표, 마침표 등과 같은 구두점도 작가의 의도를 따랐습니다. 마침표가 없는 것 역시 작가의 의도입니다.
- 이 책은 작가의 최종 대본으로, 방송되지 않은 부분이 포함되어 있으며 욕설과 비속어를 포함하고 있습니다.

차례

기획의도

서른,

견디기 힘든 현실 속에서도 서른 살이기에 아직 꿈을 꾸는 그들.
일과 연애에 대한 고민을 친구들에게 털어놓고 위로받으며
한 걸음씩 성장하는 서른 살 그들의 판타지.

비록 현재 처한 상황이 녹록지 않을지라도!

이룬 것이 단 하나도 없을지라도!

그래도 꿋꿋하게 나아가는 대한민국의 모든 서른들에게
이 드라마를 바친다.

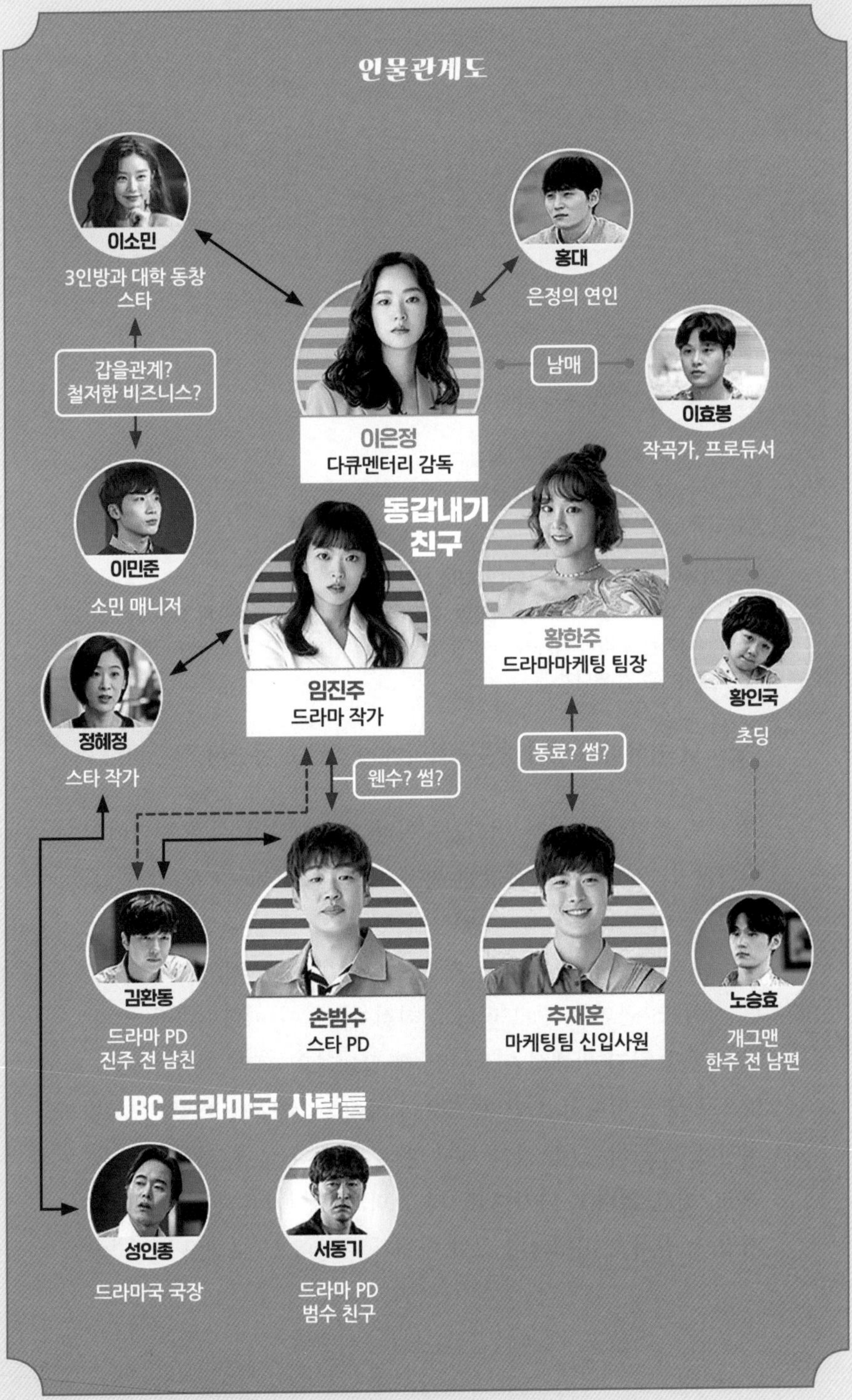
인물관계도
이소민
3인방과 대학 동창
스타
홍대
은정의 연인
갑을관계?
철저한 비즈니스?
남매
이효봉
작곡가, 프로듀서
이은정
다큐멘터리 감독
이민준
소민 매니저
동갑내기
친구
황한주
드라마마케팅 팀장
황인국
초딩
임진주
드라마 작가
정혜정
스타 작가
웬수? 썸?
동료? 썸?
김환동
드라마 PD
진주 전 남친
손범수
스타 PD
추재훈
마케팅팀 신입사원
노승효
개그맨
한주 전 남편
JBC 드라마국 사람들
성인종
드라마국 국장
서동기
드라마 PD
범수 친구

등장인물

임진주(천우희) • 신인 드라마 작가

#복잡_아주 복잡 #감정기복_활발함
#귀여니소설_덕후 #연애_노관심
#방송국_놈들 #진짜시룸

감정 기복이 지나치게 심한 신인 드라마 작가.
정상으로 보이고 싶어 발버둥 치지만, 결국 비정상의 범주에 속하게 되는 비운의 여인. 잘나가는 드라마 작가가 되어 사치할 그 순간만을 꿈꾼다! 가난한 사람은 사치 좀 좋아하면 안 되나?

"난·· 난 귀여니 소설이 순수문학이라 생각하고 자랐어."

'방으로 재빨리 도망가 버리는··'이라고 표현하면 쉬운 거잖아? 편하잖아? 사실·· 그렇게밖엔 써지질 않아요·· 뭐 쓸 수 있긴 있어요. 근데 못 써요. 쓸 수 있는데 못 써요. 그게 뭐냐면 제대로 쓰려면 엄청난 집중을 해야 하고, 그럼 기운이 금방 빠져요. 금방 지치죠. 근데 우린 드라마 작가잖아요? 이 어마어마한 양의 글 노동을 하기 위해선 비축이란 게 필요해요. 체력 비축. 그냥·· 방으로 슝— 이라고 쓰면 안 돼? 다 알아듣잖아? 난 이렇게 써야 써진다고, 글이. 그럼 작가 하지 말라고? 그건 싫어. 하지만 나가래요. 필요 없다고 나가래요. 저 스타 작가인지 늙은 작가인지, 저님이. 싫다고 버텼더니 그럼 자기가 나간대요. 그래서 현관 앞에 드러누웠죠.

"못 나가요! 못 가십니다! 가시려거든!
저를 즈려밟으세요! 사뿐히 즈려밟으세요!!"

사뿐. 즈려밟혔어요. 전 또 다시 백수가 되었답니다. 내가 좋아하는 건 사실… 사치. 명품. 그런 거요. 아, 가난한 사람은 사치 좀 좋아하면 안 되나요?

이은정(전여빈) • 다큐멘터리 감독

#그나마_이성적
#집주인 #졸부 #난_아직_열애_중

세 친구가 함께 살고 있는 집의 주인이자, 다큐멘터리 감독. 참고로 이 50평대 아파트는 대출도 끼지 않은 자가다. 젊은 나이에 이런 커다란 부를 축적할 수 있었던 것은 저예산으로 제작한 다큐멘터리가 성공했기 때문이다.
그때 기꺼이 인터뷰를 해주고, 투자까지 해주었던 청년사업가 홍대. 둘의 관계는 연인으로 발전했고 둘은 오래오래 행복하게 살았답니다?

"처음 알았어. 돈보다 설레는 건… 사랑이라고."

다큐멘터리 제작팀 조수로 들어갔어. 나름 사회적으로 덕망 있는 다큐멘터리 감독이었지. 그런데 면접 첫 인사가 "예쁘게 생겼네?"였어. 참자. 첫 질문은 "피부 관리 하나 봐?" 참자. 그러다 면접 첫 평가. "하긴. 어리니까 피부가 좋지"였어. 참자. 여자가 버티기 힘든 곳이라는 건 이미 알고 있었어. 마음의 준비는 하고 왔어. 버티자. 버티는 것이 이기는 것이다.

"오빠라고 해볼래?"

……버티는 게 이기는 것이 아니라 알려주는 게 이기는 거야.

"뭐 이 개새끼야?"

개새끼 밑에서 뭘 배워. 개 짖는 소리나 배우지. 배울 곳 찾지도 마. 없어. 바로 독립했어. 내가 나의 다큐멘터리를 만든다. 내 힘으로 한다. 근데 말이지. 남자 새끼들 죄다 견의 후손으로 보일 때 그때가 모순이야. 어떤 녀석이 좋아졌어. 친일파 후손들의 인터뷰를 기획했는데 당연히 다 거절 당했지. 근데 흔쾌히 허락해주는 녀석이 있는 거야. 나름 재벌 3세인데 작은 1인 식당을 운영하며 유유자적 살아가는 자유로운 영혼의 그 녀석. 이런저런 얘기도 해주고, 들어주는 그 녀석이 난 너무 좋았어. 뽀뽀가 절로 나왔어.

"먹다 말고 미안한데. 뽀뽀 좀 해도 돼?"
"먹어. 먹어. 내가 할게."

우린 영원할 것만 같았는데. 그런데 말이지. 어느 날 죽었어, 그 녀석이. 죽었어. 죽음은 그냥 와. 전조도 없이 예고도 없이 그냥 와. 그리고 남겨진 자는 죽음보다 아픈 고통을 견뎌야 하지. 난 자살 충동을 느꼈어. 근데 말이지. 그때, 그 녀석이 나타났어. 죽은 그 녀석. '아, 이건 환영이구나.' 죽지 말래. 죽지 말아달래. 그래서 안 죽기로 했어. 그 대신 난 부탁했어. 이렇게 날 매일 찾아와 달라고. 내 고민을 가지고 어떤 말이든 해달라고. 아무 말이나. 녀석은 역시 내 부탁을 들어줬고, 그렇게 난 보통 사람의 눈엔 허공을 바라보고 공기와 얘기를 나누는 사람이 되었지. 주변 사람들은 익숙해해. 그리고 그게 여러모로 낫다고 여기고 있어. 아, 이제 돈도 떨어져간다. 뭔가 일을 하긴 해야 하는데 의욕이란 게 쉽게 돌아오질 않네.

황한주(한지은) • 드라마 제작사 마케팅 PD

#워킹맘 #아들_때문에_버틴다 #전남편_망해라
#육아고_일이고 #뭐하나_쉬운_건_없더라

아홉 살 아들 인국을 혼자 키우는 이혼녀이자 워킹맘. 아무리 힘들어도, 가식으로 보일지라도 웃어야만 한다. 웃는 얼굴에 침 못 뱉는다고? 모르는 소리. 드라마 찍는 X들은 시시때때로 뱉더라. 그럴 때도 상큼하게 웃어 준다. 전 남편은 잘나가는 개그맨이 되어 수시로 TV에 나오고, 하나 있는 아들놈은 더럽게 키우기 힘든 요즘이다.

"난 침 뱉는 놈에게도 웃는 여자야."

"오호호호호호."
오늘도 웃어요. 가식으로 보여도 웃어야 해요. 저는 약자거든요. 드라마에 피피엘 한 번 넣으려면, 드라마 연출님한테 가서 이렇게 웃고 시작하는 게 좋아요. 아, 물론 대부분의 감독님들은 웃는 얼굴에 침 뱉으세요. 그런 거죠, 뭐.

"오호호호호호. 저기 사랑하는 배우님··
치킨 한 번만 드셔주시면 안 돼요?"

"치킨은 살쪄요. 치킨, 촬영, 둘 중에 뭐가 중요해요?"

난 치킨.
그리고 욕을 바가지로 먹었더니·· 아~ 오늘은 배불러서 밥을 안 먹어도 되겠어요.

오호호호호.

그래도 난 버팁니다. 난, 엄마니까. 우리 인국이 먹여 살려야 되니까! 초딩 2학년 우리 인국이. 왜 드라마 같은 데서 보면 아빠 없이 자란 철 일찍 든 아이가 일하고 들어온 엄마의 어깨를 도닥이며 위로하는, 그래서 힘을 얻는, 그런 거 많이 보셨죠?
오호호호‥ 그런 아이는 드라마에나 있어요~

"사줘!! 사줘!! 죽어도 사줘!! 터닝메카드 사줘!!!"

"터닝메카드를 종류별로 다 가질 셈이야?! 어떻게 그걸 다 갖니?!!
우린 넉넉하지 않아! 갖지 못하는 것에 익숙해져야 버틸 수 있다고!!
이 험난한 세상에! 고작 터닝메카드로 엄말 힘들게 해야겠어?!!
터닝메카드는 카드를 밟으면 로봇으로 변신하지만!
엄만 카드값을 내지 못하면 낙오자로 변신해!
그럼 널 키우지 못 한다고!! 우린 갖고 싶은 걸 다 갖고 살지 못 해!!"

"난 아빠가 없잖아!!!"

네. 결국 사줍니다. 어쩌겠어요. 아빠도 없는데 터닝메카드도 없으면 기죽는다는데‥ 아. 애 아빠요? 이혼했는데요. 개그맨이에요. 나를 웃기겠다고 아예 개그맨이 되어버린 좋은 놈, 이상한 놈, 나쁜 놈 혼자 다하는 멀티 플레이어. 세상 꼴 보기 싫은 인간인데‥ 아빠라고 찾기 시작하니‥ 괜히 서운하기도 하고. 차라리 죽었으면 좋겠는데 술, 담배도 안 하네요. 후… 네. 그래도 저는 버팁니다. 저는‥ 엄마니까요.

손범수(안재홍) • 드라마 스타 PD

#스타감독 #흥행보증수표 #드라마국_또라이 #결론: 다_갖춘_찌질이
안_해 #임진주작가랑_일_안_해!! #근데_자꾸_신경_쓰이잖아

섹시한 두뇌, 연출력까지 다 갖춘 방송가에서 성공 보증수표로 불리는 드라마 감독. 탄탄대로를 걷고 있던 어느 날, 범상치 않은 신인 작가 임진주를 만나게 되면서 꽃길인 줄만 알았던 앞날에 비포장도로가 펼쳐지기 시작하는데. 이 길, 왜 이렇게 덜덜거리는 거야?

"왜 입장 바꿔 생각해야 돼? 내 입장이 훨씬 좋은데."

정석. 정석만이 살길이야. 그래서 살아남았어. 여기서. 한 번도 실패한 적 없어. 근데 말이야. 언제부턴가. 아무런 재미를 느끼지 못하겠어. 찾아보니 성공한 드라마였지만 안티도 많아. '빻은 얘기' '빻은 연출' '새로운 거 하나도 없음'. 나 욕 많이 먹고 있었구나. 그때부터 글이 안 보이기, 아니 정확히 안 읽히기 시작했어. 저 노땅 작가들. 하나같이 똑같은 대사들을 생산, 아니 배설하고 있잖아. 아예 안 읽혀. 그러다 인스타에 빠졌지. 그건 읽혀. 그러다 우연히 임진주의 글을 봤어. 스타 작가라고 하는 저 배설자의 작업실에서 빈 책상 위 아무렇게나 던져진 프린트된 대본을 봤어. 어? 읽혀. 그래서 그냥 한 번 만나 봤어.

"임진주 작가님. 왜 글을 이렇게 쓰십니까?"

"안 해요!"

신인 작가라면 나한테 잘 보이고 싶을 텐데? 왜 이렇게 잘 안 하는데? 이러면 안 되는 건데? 이 여자 아주 조금이지만 정상이 아닌 것 같다. 까칠하기도 하고‥ 그냥 지나가려 했으나‥ 이 여자 글은 읽힌단 말이야. 심지어 재밌단 말이야.

秋재훈(공명) • 한주 직장 후배

#지켜주고_싶은_청순_연하남
#눈망울이_초롱초롱 #알고_보면_미스테리남

최근 한주 회사에 들어온 신입사원. 험난한 드라마 판에서 한주와 찰떡궁합으로 다양한 위기상황을 헤쳐나간다. 전쟁통에서도 어김없이 사랑은 피어난다고 했던가. 따뜻하고, 편안한 한주가 마음속에 커져가는데… 하지만 해맑은 얼굴 뒤에 감춰진 속사정은?

"선배님, 고마워요. 재밌게 일하게 해주셔서."

평범하게 자랐어요. 큰 욕심 없이. 친구들과 주먹다짐 한 번 해 본 적 없는 게 오히려 다르다면 다를까? 집이 시골인 탓에 고등학교 졸업 후 자취 생활을 해서인지 요리도 조금 하고. 대학 4년, 군대 2년, 취준 기간 없이 입사. 그리고 한 번의 이직. 큰문제 없는 그럭저럭한 인생이었죠. 그녀를 만나기 전까지. 첫 번째 직장에서 아르바이트를 하던 여학생과 사귀게 되었어요. 누가 봐도 아름다운 여자였죠. 너무 사랑했지만 사귄 지 두 달 만에 양다리였단 걸 알게 됐어요. 그래서 동거를 시작했습니다. 엥? 말이 좀 이상하죠? 그녀는 절 선택하고 싶다고 했고, 전 그녀를 다신 누구와도 나누기 싫어서 동거를 제안했습니다. 그녀는 고맙게도 제게로 와주었죠. 하지만.. 그녀는 남자가 참 많은 것 같네요.. 술도 좋아하고.. 취업 준비는 안 하고 저래도 될까? 잔소리라도 하는 날엔.. 술을 더 먹어요. 그리고 우네요. 그러더니 따귀를 때려요. 그래서요? 안아줬죠. 안고 있으면 세상 사랑스러워요. 하지만.. 그녀는 클럽을 참 좋아하는 것 같네요.. 나와 조금 더 있어주면 안 될까? 잔소리라도 하는 날엔.. 외박을 해요. 그리고 우네요. 그러더니 안겨요. 그날은 안아주기 싫어 피했어요. 그리고 헤어져 달라고 말했죠. 그날 저희 집 살림은.. 모두 부서졌습니다.

TV는 아직도 못 바꿨어요. 그래서요? 안아줬죠. 안고 있으면 세상 사랑스러워요. 그리고 두 번째 직장에서.. 한주 선배를 만났어요. 나와 함께 사는 그녀와 모든 게 반대예요. 따뜻하고.. 편안하고.. 지금 힘든 그 사람과 다르기 때문일까요? 요즘 저의 마음속엔 그녀보다.. 그녀가.. 더 커지려는 것 같아 두렵네요. 이 마음이.. 그 사람과 다를까 봐.. 조심하게 돼요.

| 진주 주변 인물 |

정혜정(백지원) • 노처녀 스타 작가

#예민보스

진주가 모시고 있는 스타 작가. 스타 작가의 면모에 걸맞게 보조 작가들에게 예민함을 내뿜고, 특히 진주를 눈엣가시처럼 여긴다. 손범수 감독과의 협업을 앞두고 미묘한 기싸움을 시작하려는 찰나, 전에 보지 못한 돌I를 직면하고 당황한 기색이 역력하다.

"대사 좋은데요? 이렇게 좋은데,

왜 대사가 안 써지신다고 엄살 부리세요?"

노처녀는 결혼보다 테러당할 확률이 더 높다지? 이젠 아예 결혼 확률은 제로고, 테러는 삶의 일부가 되었어. 영화 〈로맨틱 홀리데이〉에 나온 대산데, 그땐 이 대사가 와닿지 않았어. 난 노처녀가 아니었고, 대한민국은 나름 테러 안전국가였으니까. 근데 지금의 난.. 이제 이 대사를 이해하고 공감해야 하는 입장이야. 내 의지와 상관없이 이 사회가 제멋대로 규정한 범위 안에서 명확한 노처녀고, 대한민국은 더 이상 테러 안전국가가 아니니까. 그래서 말인데, 난 굉장히 예민해. 예민할 거야. 아무도 못 막아. 난 내 맘대로 앞으로 쭈욱 당당하게 예민할 거야! 내 말대로 해. 시키는 대로 해. 대꾸? 좋은 쪽으로도 하지 마. 그냥 내 말대로 내가 시키는 대로 하라고!!! 내 대사가 진부하다고?!!! 내 이름 없이 편성 받을 수 있어, 없어?!! 그게 진부한 거야? 아니 위대한 거지!! 존경해! 날 존경하라고!!!

진주 부(서상원) • 세탁소 사장님

진주의 기상천외한 행동에도 묵묵하게 딸을 지켜보고 응원해주는 따듯한 아버지.

진주 모(강애심) • 세탁소 사모님

뛰는 진주 위에 나는 엄마 있다?! 진주에게 맞불을 놓을 수 있는 몇 안 되는 인물. 진주 앞에서는 강하게 이야기하지만 뒤에서는 항상 딸 걱정뿐인 엄마.

임지영(백수희) • 진주의 하나뿐인 동생이자 경찰 공시생

평범치 않은 언니 덕분에 집에서는 상대적으로 성숙한 딸의 역할을 맡고 있다. 같은 공시생인 정환과 알콩달콩 연애 중.

사랑(윤설)

정혜정 작가의 보조 작가.

수희(김지연)

정혜정 작가의 보조 작가 중 막내.

미영(위신애)

정혜정 작가의 보조 작가. 보조 작가 중 가장 경력이 많다.

이효봉(윤지온) • 작곡가, 프로듀서

#감성적 #온순

진주 3인방과 함께 동거 중인 은정의 친동생. 서른 누나들의 수다 파티에서 절대 빠지지 않고 당당히 자신의 분량을 꿰차고 있다. 가끔 주크박스 역할도 한다. 집에서는 온순한 동생이지만, 밖에서는 매력적인 작곡가이자 프로듀서.

고등학교 때 알았어요. '아, 나. 남자 좋아하는구나.' 힘들었지만 받아들였죠. 가족에게도 숨기며 살았어요. 힘들었죠. 그래도 누나에겐 말하고 싶었어요. 감추고 사는 거 그거 참 고독하고 쓸쓸한 일이잖아요. 고백했어요. 나도 모르게 눈물이 한 바가지 쏟아졌어요. 누나는 날 와락 안아줬어요.

"이 새끼‥ 새끼라고 해도 되니?
이 새끼야‥ 왜 숨겼어! 왜! 28년이나!!"

"고등학교 때 알았으니까 10년 정도야."

"아무튼 새끼야!!! 이 바보… 근데 있잖아… 미안한데… 흑…
우리 둘만 알자. 응? 아직 대한민국은 말이야‥
성소수자로 살아가기 너무 힘든 곳이잖아‥ 교회 가서 동성애 반대한다고 연설 까는 정치인이 버젓이 표를 받고 있는 나라. 응?
누나 이해하지?
아직은 아니야. 우리 둘만. 응? 외롭게 하지 않을게. 우리 둘만 알자.
우리 둘만!"

이해하죠. 문제는‥ 저 어둠 뒤에‥ 언제부턴가 누나 친구들이 있었네요. 진주 누나. 한주 누나. 하하하.

"우리 넷! 우리 넷만 아는 거야!"

음… 한주 누나 아들 인국이도… 있네요…

"우리 다섯!! 우리 다섯만 아는 거야!!"

모르겠어요. 우리 다섯만 아는 건데… 뭔가… 세상이 다 아는 거 같아요.

홍대(한준우) • 은정의 남자친구

#은정의_든든한_조력자 #소울메이트

은정이 다큐멘터리를 기획하며 만난 나름 재벌 3세. 작은 식당을 운영하며 유유자적 살아가는 자유로운 영혼. 은정의 영화에 투자하고 둘은 연인 사이로 발전한다. 24시간 은정이 있는 곳이라면 항상 그녀와 붙어있는 스윗가이.

"이 다큐멘터리에… 투자하게 해주세요.
저도 조금은… 멋지고 싶어서요."

이은정이 말한 그 자기. 그 녀석입니다. 2년 전에 죽었습니다. 네, 없는 사람입죠. 이은정의 환상 속에만 있습니다. 로맨틱한 성격인데 영혼입니다. 잘생겼는데 영혼입니다. 그렇습니다.

이소민(이주빈) • 배우, 진주 3인방과 대학 동창

우주 대스타인 줄 알지만 하향세.
진주 3인방과 대학 동창으로, 이 셋을 왕따 시키고 마이웨이를 걸었다. 지금은 배우가 되어 매니저 민준과 티격태격하며 순탄치 않은 연예계 생활을 해나가는 중이다.

여배우라고 하면 왠지 까다롭고 도도하고 가식적인 미소 뒤에 탈세를 숨기고 살 것만 같지? 맞아 내가 그래. 분명 말하는데. 난

대학 때부터 꾸준하게 재수 없었어. 아니 니들이 몰랐던 영유아, 초딩고딩 시절, 모두 단 한 순간도 재수 없지 아니한 적이 없었어. 그래서 쌩깠더니 저것들도 쌩까네. 그러든지. 그리고 수년 동안 본 적도 없었어. 근데 은정이가 몇 년 만에 다큐 한답시고 캐스팅하러 찾아 왔네? 그래서 말했지.

"누구…?"

음.. 근데 말이야. 은정이 동생 효봉이. 잘 컸네. 더 예뻐졌어. 그래, 사실 나 저 인간 짝사랑했었어. 후후. 그래도 아직 내 사랑은 좌석이 많아. VIP석. 아. 그런데 이놈이 남자 놈을 좋아한다네? 그럼 내가 짝사랑하던 때도 그랬던 거야? 음. 그렇구나.

"야 이 새끼야!!! 더 좋은 사람이 되어 줄게!! 니가 날 싫어하는 거 보다! 니가 사내놈을 좋아하는 거! 그걸 용서 못 해!!"

아. 외로워..

이민준(김명준) • 소민의 매니저

고등학교 때 처음 만난 소민의 매니저가 되기 위해 일진의 왕좌에서 벗어나 지금까지 소민의 곁에 머물고 있다. 분명 동창인데.. 웬만한 갑을관계보다 더 더럽고 빡센 관계의 굴레를 벗어나지 못하고 있다. 하지만 묵묵하게 소민을 받아주는 츤데레.

소민이가 외로운 게 싫습니다. 연예인의 연예인이 되어 주고 싶은데.. 저는 그냥 배우 운전이나 해주는 뭐.. 매니저니까 그냥 맞춰주기나 하는데.. 소민이 성질이 더럽습니다. 어렸을 땐 안 그랬는데… 아 동창입니다. 동창인데.. 더럽고 치사해서 그만둘까 하다가.. 내가 아니면 저거 맞춰 줄 사람이 대한민국에 없을 것 같아서… 요즘 세상에 저러다 해코지 당할까 싶어 제가 참고 일합니다. 가끔.. 아니 자주 아무 말 안하고 있으면 소민이가 먼저 말을 걸어줍니다.

"너 왜 이렇게 날 귀찮게 해?"

아무 말도 안 했는데… 말 걸어달라는 겁니다. 뭐 계속 보니까 귀여운 면도 있습니다. 그렇게 참은 세월이 5년.. 저의 그 고생을 대표님께서 알아주신 걸까요? 드디어! 꿈에 그리던 본부장으로 승진 기회! 열심히 일한 보람이 있습니다. 근데… 그 대표님이.. 우리 회사 대표님이 아니네요. 타사에서 스카웃 제의가 들어왔습니다. 어찌하다 보니 그 사실을 소민이도 알게 됐고… 꺼지라네요. 정 없는…. 미쳤냐.. 내가 널 두고 가게. 평생 운전을 하고 말지.

아랑(류아벨) • 은정의 다큐 선배

은정이 제작 중인 다큐 〈여자 사람 배우〉의 제작자이기도 하다. 선배이기 이전에 은정의 아픔을 걱정하고 신경 써주는 멋진 언니.

병삼(이하늬) • 촬영감독

은정의 다큐 〈여자 사람 배우〉 촬영감독. 은정과 산전수전을 겪으면서 묵묵히 자신의 일을 해내는 은정의 조력자.

소 대표(박형수) • 소속사 대표

소민과 민준의 소속사 대표지만 둘의 등쌀에 가끔 자신이 갑의 자리가 맞는지 고개를 갸웃거리는 인물.

소진(김영아) • 엔터사 대표

한주와 재훈의 회사 흥미유발 엔터의 대표. 냉철하고 정확한 판단과 일 처리로 한주가 롤모델로 삼고 존경하는 인물. 차가울 것만 같은 인상과 달리 따뜻하고 여린 감성을 가지고 있다.

황인국(설우형) • 한주의 아들

뼈 때리는 돌직구 날리는 초딩. 한주와 전 남편 사이에서 태어난 아들. 전 남편의 흔적을 지우려고 성도 자신의 성인 황으로 붙였는데 어쩜 점점 지 아빠를 꼭 빼닮는지. 인생 2회차가 아닐까 의심이 될 정도로 뼈 때리는 멘트들을 던지지만 가끔 아빠를 그리워 하는 천상 아홉 살.

"이제 데려다 주지 않아도 돼. 나 이제 2학년이야.
후배들 보기 창피하다고."

"장난감 사달라고 떼쓰는 어린이 주제에…"

"남편도 없는 엄마 주제에."

노승효(이학주) • 한주의 전 남편이자 유명 개그맨

웃기는 남자를 좋아한다는 한주의 마음을 얻기 위해 무작정 개그 극단에 들어가고 한주와 결혼에 골인, 아들 인국이를 낳았다. 하지만 돌연 자신의 행복을 찾겠다며 누구보다 빠르게 한주를 떠난다.

성인종(정승길) • 제이비씨 드라마국 국장

제이비씨 드라마국을 이끌고 있는 국장이자 범수의 선배. 기성 PD답게 왕년의 시절을 추억하며 기성 작가인 정혜정 작가와 돈독한 관계(?)를 이어간다. 범수, 환동 등 무섭게 치고 올라오는 후배들을 보며 씁쓸한 마음을 비우기 위해 술친구를 찾지만, 전화할 사람이라곤 정혜정 작가뿐.

김환동(이유진) • 범수의 조감독, 진주의 구 남친

괜히 너무 예의 바름. 괜히 너무 논리적임. 진주와 7년을 사귀며 전쟁 같은 나날을 보냈다. 진주에게 잘해주고 싶어도 마음처럼 되지 않았고, 진심과는 다르게 표현하는 날도 많았다. 끝나지 않을 것 같던 이 지지부진한 고지전은 예상치 못한 타이밍에 종전을 선언하게 되고, 그로부터 몇 년 후 진주와 예상치 못한 자리에서 재회하게 되는데…

"너와 만나는 7년 중에 5년이 전쟁 같았어."

"그래도 2년은 행복했군.."

"2년은 군대."

진주와 7년을 만났습니다. 저는 가난했고, 적당히 소심했으며 미래가 불안한 취준생이라면 대개 그렇듯 자존감도 낮은 20대를 보냈습니다. 그리고 그 시간의 대부분을 한 여자와 보냈습니다. 잘해주고 싶어도 마음처럼 되지 않았죠. 그래서 우린 이렇게 많이 싸우는 걸까?라고 물어본 적이 있습니다.
그런데 왜 그녀는 항상 제 질문에 질문으로만 답할까요?

"니가 생각하는 이유는 뭔데?"

"논리가 맞는 게 문제야."

어려운데? 논리가 맞는 게 문제라니… 우린 대화를 한 게 아니라 방구를 뀐 걸까요? 그런 그녀를 조감독의 입장에서 작가님으로 맞이하게 됐습니다. 그땐 좀 미웠지만 이렇게 자기 꿈을 이루어가는 모습이 대견하기도 하고… 그래도 보고 있으면 기분이 좋네요.

동기(허준석) • 범수의 제이비씨 동기 PD

매사에 긍정적이고 밝은 성격으로 범수와 환상의 수다 티키타카를 선보인다. 영양사 다미에게 꾸준하게 별로인 모습을 보여주며 그녀의 마음을 사로잡기 위해 노력하는 불굴의 사랑꾼.

다미(이지민) • 제이비씨 구내식당 영양사

범수에 대한 6단 직진 고백으로 주변 사람들을 당황시킨다. 그러던 어느 날부터 꾸준히 별로인 동기의 모습이 눈에 들어오기 시작한다. 마음에 드는 사람의 식판에 계란 프라이를 무심하게 올려주는 것이 주특기.

| 그 외 인물들 |

하윤(미람) • 재훈과 동거 중인 여자친구

언제부터 서로 어긋났을까? 서로 달달했던 연애 초반과 달리 재훈에게 상처를 주고 용서를 구하고, 다시 애정을 갈구하고… 불꽃이 꺼져가는 심지 위에 위태롭게 서있는 인물.

문수(전신환) • 뮤직 프로듀서

효봉이 속한 플랜D 스튜디오의 프로듀서. 듬직하고 자상한 효봉의 애인.

승균(진석진)

플랜D 스튜디오의 베이스 세션.

상일(박상우)

플랜D 스튜디오의 기타 세션.

솔비(남영주)

플랜D 스튜디오의 키보드 세션. 범수의 전 여친.

상수(손석구) • CF 감독

두 얼굴을 가진 CF 감독. 촬영 현장에서는 막말 작렬에 안하무인이지만, 현장 밖에서는 반전의 모습을 가진 예측 불가 캐릭터.

용어정리

플래시백	화면과 화면 사이에 들어가는 순간적인 장면으로, 주로 과거의 중요한 기억으로 되돌아갈 때 쓰인다.
인서트	화면의 특정 동작이나 상황을 강조하기 위해 삽입한 화면으로 이 화면을 삽입함으로써 상황이 명확해지고 스토리가 강조되는 효과가 있다.
몽타주	따로따로 편집된 장면들을 짧게 끊어서 연결해 하나의 긴밀하고도 새로운 내용으로 만드는 편집 기법을 의미한다.
디졸브	앞의 장면이 사라지는 동안 새 장면이 페이드인 되는 형식이며, 짧은 시간의 경과나 가까운 장소의 이동을 나타내는 경우에 주로 쓰인다.
페이드인	화면이 차츰 밝아지는 효과.
페이드아웃	화면이 차츰 어두워지는 효과.
Cut to	하나의 씬이 끝나고 다음 씬으로 넘어가는 장면 전환 효과.
점프 컷	연속성이 없는 장면을 연결해 급격한 장면 전환 효과를 주고자 할 때 쓰인다.
(F)	전화기를 통해 들려오는 대사나 마음속으로 하는 이야기를 표현할 때 사용한다.
(E)	효과음을 뜻하며, 보통 등장인물은 보이지 않고 소리만 나는 경우에 사용한다.
(V.O)	대사를 입 밖으로 꺼내지 않고 속마음이나 현 기분 상태를 표현할 때 주로 쓰인다. 극 중 상대는 듣지 못하고 관객만 들을 수 있다.

작가의 Pick

1부

1. “근데… 사랑해, 하고 끝나면.. 그게 해피엔딩이야?
헤어져, 하고 끝나도.. 뒤를 생각하면 서로 구질구질한 꼴 안 보고
진즉 헤어져서 행복한 이야기입니다. 그것도 해피엔딩 아니야?”

2. “좋아. 난 사랑타령하는 드라마가 좋아. 실제로 할 일은 없으니까.”

“사랑하지 않겠다는 말은 사랑을 잘하고 싶다는 말과도 같지.
지긋지긋한 연애. 그 고단한 과정을 끝낸 후에 나오는 결심에
불과하고. 근데 그 결심은.. 별로 힘이 없어.”

13-2. “내 힘으로 내가 갈 길에 끝도 없이 꽃을 깔아놓을 거야.
그 길만 걸을 거야! 꽃길만 걸을 거야! 으하하하하~”

14. ‘(소리) 그래.. 꽃길은 사실 비포장도로야..’

‘(소리) 지금 느껴지는 재수 없음은 잘나가는 자 본연의 재수 없음인가, 잘나가지 못하는 내 시선이 만들어낸 가짜 재수 없음인가?’

15. “일단 니가 잘나가 봐. 그때도 재수 없으면 본연의 재수 없음이지.”

"이제 이리 저리 안치이고 있으면 뭔가 불안하지 않아?"
"어. 그게 무서운 게 무서워."

22. "그럼‥ 내 행복은?"
"한주야‥ 니 행복을 왜‥ 나한테 물어?"

38. '(소리) 은정이는 처음 알았다고 했어.
부와 명예의 가치가 사랑의 가치보다 한참 아래쪽에 있다는걸.
돈보다 설레는 건‥ 사랑이라고.'

45. '(소리) 특별히 문제 삼지 않은 채 익숙해져 버렸어.
그것 외에 모든 것이 전과 같았고 문제가 없었으니까.
더 정확히는 건드릴 용기가 없었던 걸 거야.
최대한의 안정이라 생각한 지점에서의 작은 변화는
소중한 것을 잃을 뻔했던 그 무력한 경험치가 있는 이들에겐
정말 무서운 것이었거든.'

2부

2. "후‥ 후‥ 진주야‥ 윗몸 일으키기가 있잖아‥"
"응?"
"윗몸 일으키기가 원래 세 개 하면 힘든 거였어?"
"세 개나 했어? 오‥ 머슬매니아."
"아‥ 배 나오는 게 젤 싫은데 복근 운동이 젤 싫어."
"세상엔 두 종류의 운동이 있다. 제일 싫은 운동과 원래 싫은 운동."

3. "난‥ 언니가 좀 이상하게 대단한 것 같아."
"이상하게 대단한 건 뭐야?"

"혼냈는데 안 쫄아."

"그치.. 나 왜 안 쫄지? 왜 저분을 무서워하지 않을까?
내가 막 겁 없이 사는 그런 성격도 아닌데."

"그게 뭐든.. 혼냈는데 안 쫄면, 혼내는 사람 입장에선
그게 되게 어색한 거거든."

"정말 꾸준히 하루도 빠짐없이 혼낸 사람을 어색하게 만들고 있어."

8. "어떤 맛인지 알겠어. 전쟁터 맛."

"와.. 주방 이거 못 쓰겠다 이제.. 이사 갈까?"

"하.. 어쩜 이래 구체적으로 사랑스러울까?"

16. "죄송하지만.. 뭔가 이 가슴이 폴짝폴짝 뛰지 않는달까."

"가슴은 콩닥콩닥 아니야?"

"폴짝폴짝이든 덩실덩실이든."

"가슴이 덩실덩실 뛴다고?"

"덩실덩실 뛴 적 없어요?"

"뭐.. 가끔 나풀나풀 뛰기도 하고.."

"귀엽네. 내가 드라마 판 선배로써 충고 하나 할게."

"아아아아아앙… 안 들어. 안 들어. 충고 싫어. 아아아앙~"

'(소리) 와.. 니가 이겼다.. 모질인데.. 닮고 싶어..'

26. "두 끼만 꾹 참고 먹으면 처리할 수 있을 것 같아."

"그래.. 두 끼 정도.. 그 정도만 지나가면 괜찮아질 거야."

35. "왜 몸이 단단해야 되는데!! 그래? 나도 단단해!! 머리통!!
머리통이 단단해!! 팔꿈치도 단단해!! 무르팍도 단단해!!!
그럼 됐지!!!! 마음은.. 안 단단해.. 그럼.. 별로야?"

36. "요즘 애들 참‥ 힘든 거 같아‥"
"애들 힘든 건 어른 탓인데‥ 우리 애들도‥
애들이 아닌 나이가 돼버렸네‥"

45. "나, 사랑 같은 거 안 해요."
"뭐 초딩들이 잘하는 말이라고는 하지만‥ 왜요?"
"없는 거니까."

46 "서른 되면 괜찮아져요."
"!!"
"나 그거 흥미롭던데. 가슴이 폴짝폴짝.
나랑 한번 해보는 거 어때요? 그거."

48. '(소리) 지금 이 순간. 이 사회가 인정하는 어른의 모습으로써
그에 걸맞는 대답을 해야겠다. 어설픔 없는 말투와
매끄럽게 정제된 어른의 단어로.'

"……얼마 줘요?"
"…‥아…."

3부

3. "왜 돌려서 까요? 돌면 시간 들지."
"시간 좀 들여요. 인간관계 원래 시간 좀 들이는 거 아닌가?
배려를 해야지, 상호 간에."
"배려해서 문제를 지적해주잖아?"
"그니까 돌려 까라고요."
"돌면 시간 든다니까?"

“하·· 그래요 감독님이 잘나가는 감독이고,
난 신인 작가인 건 알겠는데·· 입장 바꿔놓고 생각해 봐요··”
“아니 입장을 왜 바꿔? 내 입장이 훨씬 좋은데.
난 그 말 너무 웃기더라?”

7. “와·· 연기 되네. 좋아요. 구걸 한 번 합시다. 좋은 말도 좀 해줘요.
그럼 못 이기는 척 할게요. 칭찬은 고래도 춤추게 한다잖아요.”
“고래 춤추는 건 봐서 뭐해·· 알았어요.
음·· 인상적이네요.”
“? 한 거예요?”
“네. 인상적이세요.”

9. “나·· 말은 막 해도 일은 막 안 해요. 난 택배 받는 것도 너무 좋아하고. 식당에서 메뉴판 보는 것도 너무 좋아하는데.
그거랑은 비교도 안 될 정도로 이 일이 좋아요.
무엇보다 소중한 이 일을·· 작가님과 하고 싶다는 거예요.
막 아니고. 잘. 나 한번·· 믿어 봐요.”

14. “지난 사랑의 기억 앞에서 냉정해지지 못하는 건 창피한 게 아니야.
고된 시간을 견뎌낸 자랑스러운 당신의 권리지.”
“그래·· 다 자기 입장이라는 게 있지·· 있지만··
우리 나이에 안 한다는 말·· 더 신중히 해야 되는 거 아닌가··
기회라는 게 그렇잖아? 주름이 다 뺏어가.
나이 먹을수록 잘 안 오잖아, 기회. 이 사회가 그래요.”
“그러고 보니까 안 하겠다는 말·· 나 해본 기억이 멀어.
그게 뭐라구 그런 말도 못 하구·· 왠지 슬프지만··
내가 안 한다고 하면 자기가 하겠다는 애들이
뒤에 백만 명이 서있어.”

18. "당연한 거 하는 게 얼마나 어려운 건데.
난 요즘 사람들 보면 그냥 정확한 사람이 착한 사람 같아요."

34. "하.. 치킨을 좋아하는 거예요, 맥주를 좋아하는 거예요?"
"굳이 우열을 가리지 맙시다. 둘 다 신성한 것인데.
여기 생맥 한 잔 더요! 왜 안 마셔요?"
"끊었어요. 실수 없이 살고 싶어서."
"다시 마셔요. 끊긴 일러. 젊은 사람이."

36. "그.. 소민이.. 똑똑한 사람입니다."
"아…"
"관심사가 다르고 생각하는 방식이 다를 뿐이죠."

37. "결국.. 사랑이 없다고 믿는 게 아니라.. 있다는 걸 알아서..
괴로운 사람 같네요.."

"세상에 가벼운 고백은 없고, 내가 싫다고 해서
상대방 마음에 대해 책임이 없는 건 아니에요.
어쨌든 그 마음이 움직인 이유는 당신이니까."

4부

13. "아니야. 생각 많이 했어. 윗사람 보고 배우는 것도 한계가 있지. 아랫사람들이 트렌드를 바꾸잖아. 요즘 것들이라 불리는 그들의 그런 반응들이 머물러 있던 내 시야를 확장시켜 주는 것 같아서 오히려 설레기까지 하던데?"

"아니야. 생각 많이 하게 하네. 아랫것들이 트렌드를 바꿔봤자, 지들끼리 트렌드지. 천박하고 경박하고. 쌍박이네. 박자가 딱딱 맞아. 2, 30대가 문화소비주축이란 말도 옛말 된 지 오래고, 왜 아랫것들 쌍박스런 수준을 우리가 맞춰줘야 돼? 아랫것들은 그냥 최저임금 쥐어주고 잡일이나 시키는 게 답이야."

27. "미운 상태에서 헤어졌으니 당연히 미운 거고. 다시 만날 생각이 없으니 그게 헤어진 거고."

30. "….사람들 사는 게.. 싸우려고 사나… 매일 싸우고 사는 거 굳이 또 이래. 전철에선 어깨로 싸우고.. 출근해서는 입으로 싸우고.. 인터넷에선 손으로 싸우고.. 지구가 배틀 장이야.."

'(V.O) 사랑했을 땐 왜 굳이 싸움이라는 방식을 택했을까? 일상 탓인가? 싸울 준비가 되어 있는 일상에서.. 관성처럼 굳이..'

34. "내가 좋아하는 남자들은.. 왜 다 싸움을 못할까.."
"제가.. 좋아하는 남자 쪽에.. 속하나요..?"

36. "화가 나도! 당장 미워도. 미안하다고 사과하지 않아도.. 그 말 들어야 속이 시원해지면 그건 사랑하는 거 아니야. 예뻐 보이고 싶어 여자는. 미안해, 용서해 줘, 다신 안 그럴게, 이런 말 하고 있으면 예뻐 보이지 않는단 말이야! 니 눈엔 그것도 예쁘다고 말하지 마. 그 말이 사실이 아닌 것만 같아 무서워한다고! 뭐하러 좋아하는 사람 무섭게 해? 그런 거야.. 그런 거라고.. 제발 모르지 좀 마.. 헤어질 거 아니면!"

44. "…사랑은 변하는데 사실이 변하질 않네. 겁나 아퍼.
사랑하는 사람을 만났다는 건 어마어마한 기회거든.
기회를 놓치면 어때요? 당연히 아프지. 뼈가 저리다고.

이런 걸로.. 사람 놀리기나 하고..”

5부

8. ‘(V.O) 다툼이 헤어짐은 아니란 것을 서로 암묵적으로 믿게 된 어느 시기. 우린 그 믿음에 안심하게 되고, 아이러니하게도 그 안심 안에서 이미 알고 있던 서로의 다름을 처음과는 다르게, 용인하지 않았다. 그렇게 다툼은 반복되어가고 더욱 치열해졌다. 아니.. 치사해졌다.’

21. “힘들면 나를 찾게끔 해야 하는데.. 술을 찾게 했네요..”

“바보 같은 질문 같지만.. 사랑하는 사람이 힘들 때..
안아주는 것만으로 힘이 되지 않는다면.. 뭘 할 수 있을까요?”

22. “아 바로 말하고 비난을 쏟아부어야지. 대신, 그 옆에 있던 남자새끼도 같이. 세상이 상년 옆에 있던 상놈은 잘 안 봐요.
상놈은 원래 상놈이었으니까 세상에 널린 게 상놈이니까.
어쩌다 상년 하나 보면 상년이 대단한 상년처럼 느껴지고,
그게 뭔 자랑이라고 상놈은 상년만 열나게 상년이라 욕하고..”

23. “와.. 부럽다..”
“뭐가요?”
“누가 봐도 유치한데. 그런 유치한 짓을 이렇게 거리낌 없이
하며 살아갈 수 있다는 게.. 그 자신감. 와우..
나도 빨리 성공해서 유치하게 살고 싶다.
난 성공하면 사람 확 변할 거야. 유치하고 건방지게.”

30-3. "마음가짐. 난 강하다. 몸을 단련했다기보다
나를 믿을 수 있게끔 마음을 단련시킨 거죠."

36. "쉽진 않겠지만 그래서 엄청 재밌을 거예요.
모험이 다 그렇지. 잘해 봐요 우리."

39. '(V.O) 헤어지는 이유가 한 가지일 수는 없지.
한 가지 이유로 사랑했던 건 아닐 거 아냐…'

40. "어쨌든 사랑은 자동차 소모품 같은 거야.
소모가 덜 됐으면 굴러가고. 다 됐으면 안 굴러가고."

6부

6. "모험하는 사람은 섹시해."
"음… 섹시라면 좀 욕심이 난다."

11. "조울증인 줄 알았는데… 정상이네…"
"조증이 오면 울증을 찾아가고 울증이 오면 조증을 찾아가고…"
"찾아가는 게 아니라 피해가는 거지. 정상이라… 힘들겠다…"

17. "신데렐라가 꼭 여자일 필요는 없죠."

39. "그러다 지면? 신을 이기면 신이 되겠지만. 지면?"
"죽는 거죠 뭐."
"그니까. 불안하지."
"뭐. 죽어도 16부까지 다 써놓고 죽으라는 말이 하고 싶은 거죠?"
"정 들었어요."

"…?"

"정 들었다고."

48. "음… 가만히 있긴 했는데‥ 음‥ 난 봤지."

"뭘 봐?"

"응?"

"대본?"

"그냥‥"

"…응?"

7부

11. '(V.O) 고백‥ 냉랭하던 사람이 대뜸 따뜻해져도, 달달하던 사람이 불쑥 밍밍해져도‥ 고백이 뒤따르면 이상할 게 없는 것.

그래‥ 어떻게 써도 이상할 거 없는 거야. 판타지라도 상관없어.

쓰자. 고백하자!'

'(V.O) 현실이든 판타지든‥ 고백이 참 어려운 거네.

이게 뭐라고 젠장‥'

16. "가서 무조건 해. 그리고 인정받아. 그러고 나서 너한테 떨어지는 훨씬 더 많은 선택지를 받아. 그렇게 자리 잡는 거야.

알아들어?"

"조감독으로서 제 의무 또한‥"

"넌 내 작품 조감독이 아니라 제이비씨 감독으로 들어온 거야.

니가 뭔데 니 멋대로 기회를 날려? 그게 더 직무유기라고."

"……."

"제발‥ 사회생활 이렇게 꾸밈없이 하지 좀 말자.
그럼 그냥 꾸밈없는 호구 되는 거야."

25. "괜찮아. 사랑했던 사람은‥
평생 신경 쓰이는 사람으로 남는 거니까‥"
"그래요?"
"그럼요. 잘되도 싫고 안되도 싫고, 내가 아는 사람이랑 잘되는 건 조온나 싫고."

26. "하는 사람이 뜨거우면 되지. 단어가 뭐 중요한가."
"인상적이에요."

47. "응? 뭔 좋아하는 소리‥?"
"음‥ 아니에요."
"응?"
"아니에요. 그냥. 작가님 냉면 먹는 소리요. 후루룩 후루룩."
"…평양냉면스럽게… 싱겁긴‥"
"하하. 드세요."

"근데‥ 그거 뭐‥ 고백을 꼭 해야 되나?"

8부

8. "외로운데 여길 왜 와?"
"외로울 때 더 외로운 사람 보면 덜 외로워져."

30. "일을 배우면서 무서움으로 느껴졌던 대표님의 정확함이‥

그 정확함이 결국 나를 강하게 만들어 주는 거구나… 배웠죠."

50-1. "사랑을 시작하기 전에 들춰서 보이는 건 사랑하는 마음인데 시작하고 난 후에 들춰서 보이는 건 미워하는 마음 아닌가?"

53-1. "너 나랑 헤어지고 싶어서 이러니?"
"헤어지고 싶다면 헤어져줄래?"

'은정이는 처음 알았다고 했어.
부와 명예의 가치가 사랑의 가치보다
한참 아래쪽에 있다는걸.
돈보다 설레는 건… 사랑이라고.'

_ 진주의 말 중

·1부·

1

1. 은정의 집 / 밤.

인서트

드라마의 한 장면.

슬프도록 아름다운 눈으로 서로를 마주 보고 선 여주와 남주.

"난 당신을 사랑하는 마음밖에 가진 게 없어.

그리고 내 인생은 빛이 없지."

"당신 인생이 앞으로 어두운 먹구름이어도 난 당신 사랑해요."

영원할 것인 마냥 사랑의 감정을 분출하며 끌어안는 두 사람.

엔딩.

진주 (소리) 먹구름 사랑하는 거 가능해?

50평대 아파트 거실.

세 여자, 소파 테이블에 모여 앉아 맥주를 마시고 있다.

효봉이 맥주를 나른다.

한주　얼마나 '먹'인데?

진주　해가 없어.

은정　계속 없어?

진주　없어. 주구장창 먹이야. 그냥 먹이야.

한주　해를 너무 못 보면.. 우울증 걸리는데..

은정　면역력 떨어지고 비타민 결핍에 픽픽 쓰러지고.

진주　그치, 항우울제나 종합비타민으로 버티는 것도 일이 년이지.

한주　사랑의 힘으로 어떻게 안 될까..

은정　인간이 나약한데 인간이 하는 사랑이 얼마나 힘이 있을까?

진주　그치? 저 사랑.. 왠지 파국으로 끝날 것 같지 않아?

한주　이거 새드엔딩이네.. 시한부 사랑..

효봉　아 왜 아름답게 끝난 얘기에 굳이 그 후 이야기를 만들어서 망칠라 그럴까?

진주　그래. 그래서 드라마에 엔딩이 있나 보다. 딱 여기까지가 좋지. 근데… 사랑해, 하고 끝나면.. 그게 해피엔딩이야? 헤어져, 하고 끝나도.. 뒤를 생각하면 서로 구질구질한 꼴 안 보고 진즉 헤어져서 행복한 이야기입니다. 그것도 해피엔딩 아니야?

한주　어쩜 그렇게 어둡니.. 현실이 어떻든 드라마라도 사랑해~ 하고 끝나는 게 좋아. 예쁘게.

진주　그럼 한방에 몰아서 하는 게 어떨까?

은정　그래 그럼. 사랑해.

진주　사랑해.

한주　사랑해.

효봉 ……사랑해.

진주 한 번만 해? 몇 번 더 해, 이왕 하는 거.

기계적으로 '사랑해'를 쏟아내는 네 사람. 디졸브.

인서트

수많은 사람들의 "사랑해" 세리머니.

진주 (V.O) 사랑. 사랑. 그놈에 사랑타령!

2. 은정의 집 거실 / 밤.

불만 가득한 진주의 표정이 흐뭇한 미소로 바뀐다.

진주 좋아. 난 사랑타령하는 드라마가 좋아.
실제로 할 일은 없으니까.

IP TV로 드라마를 고르고 있는

효봉 사랑하지 않겠다는 말은 사랑을 잘하고 싶다는 말과도 같지. 지긋지긋한 연애. 그 고단한 과정을 끝낸 후에 나오는 결심에 불과하고. 근데 그 결심은… 별로 힘이 없어.

한주 요즘 초딩들이 잘하는 말이야. 사랑 안 해.

은정 그래도 진주의 이별 후는 꽤 의미 있는 방향으로 흘러갔지. 헤어지고 나서부터 열심히 썼잖아.

3. 과거 몽타주.

– 카페. 낮.

누군가를 감정 없이 쳐다보고 있는 진주.

그 누군가는 진주의 구 남친 환동.

그의 지친 눈빛이 진주를 붙잡고 있다.

진주 헤어져.

환동 …이유는?

진주 싫어서.

환동 싫은 이유를 묻는 거야. 자세히 말해줄래?

진주 싫은 이유를 뭘 자세히 씩이나 말해? 돌아보기도 싫은 걸 왜 자세히 씩이나 들여다봐? 질척거리지 말고 말끔하게 헤어지자. 응?

환동 (화를 누르며) …말끔? 말끔?!

진주 (소리) '질척'이라는 단어가 아니라 '말끔'이라는 단어에 반응하다니.. 그 순간에도 그게 싫더라. 정말 다 싫어서 헤어졌는데..

뒤도 안 돌아보고 나가버리는 환동.

– 다른 날. 실내포차. 밤.

술병이 잔뜩 놓인 포차 테이블 앞에 앉아있는 진주.

소주 한 잔 넘기면 서러운 눈물이 한 줄…

이내 비 오듯 쏟아져 내리고 마는 눈물‥

– 다른 날. 카페. 낮.

다시 멀쩡한 얼굴로. 정확히는 다소 화가 난 얼굴의 진주.

진주　　니가 먼저 술 처먹고 전화했잖아. 너 같은 거 생각도 안 하고 있었는데 어쩌다 나도 그 타이밍에 술이 취해 있던 것뿐이고.

환동　　야‥ 니가 먼저 모텔 가자고 했잖아.

진주　　뭐? (말이 안 나오는) 내가 먼저…?!! 양아치니?!
내가 멀쩡히 걸어가는데 니가 우두커니 서서 어? 저거 모텔이다. 테마모텔이네? 어떤 주제를 갖고 있을까?라고 했어 안 했어?! 난 그냥 주제에 접근해보자 했을 뿐이고!!

환동　　(인상 쓰고 보다가 헛웃음이 샌다)

진주　　엄머? 웃어?

환동　　내가 잘못했어.

– 다른 날. 실내포차. 밤.

술병이 잔뜩 놓인 포차 테이블 앞에 앉아 통화로 전쟁 중인 진주.

진주 너 누구랑 있냐 지금? 여자 소리 나네?
뭐? 취한 척하지 또? 야!! (끊긴 듯) 엄머…
(소주 원샷) 내가 아주 미친 짓을 주간 행사처럼 하고 있다.
절대 안 만나. 이 새끼 절대. 끝. 아 이제 미련도 없어.
아 없다고!
(갑자기 짜증에 북받쳐 미친 듯) 아아아아아악!!!!!

– 다른 날. 카페. 낮.

진주의 더욱 격해진 비명이 이어진다. 눈물 범벅.

진주 헤어지자고? 헤어지자고? 니가 뭔데?!! 니가 뭔데?!!
니가 뭔데 나한테 헤어지재!!! 니 입에서 어떻게 그딴 말이 나와!!!

– 다른 날. 환동의 집 앞. 밤.

지친 눈‥ 한참을 눈치 살피다 이제 포기하고 싶은‥
그때의 감정‥

진주 몇 날 며칠‥ 하루에도 수십 번 지금 문자하면 불편하지 않을까‥ 지금 밥 먹자고 하면 또 짜증 내지 않을까‥
7년을 만난 사람한테‥ 그런 눈치를 보고‥

환동 넌 지금도‥ 니 얘기만 하는구나‥

– 다른 날. 카페. 낮.

수척해졌지만 애써 덤덤한 표정을 짓고 있는 진주‥

슬쩍 엷은 미소까지‥

진주 그저께 밤에 내 친구가 너 봤대. 모텔에서.

– 다른 날. 거리. 낮.

아무렇지 않은 표정의 진주.

진주 (소리) 뭐 아무렇지 않았어.

천천히 걷는데‥

순간 밀려오는 북받침에 눈물이 흐르기 시작한다.

4. 현재 / 은정의 집 거실 / 밤.

은정 사흘 밤낮을 울어 놓고‥

한주 사흘 밤낮 울고 하루 이틀 괜찮다가 다시 사흘 밤낮 울고‥

진주 내가 그랬어? 드라마 보고 운 거 아닌가? 왜 그때 한창 응답하라 했었잖아?

은정 주 2회 하는 거 보고 주 5회를 울 만큼 슬픈 드라마였나?

진주 재방송 맨날 했어.

효봉 여자의 눈물이 멈출 때쯤 남자의 피눈물이 시작되지. 누나가 이긴 거야.

진주 승패를 논할 가치도 없어, 애기 때 애기 가지고 뭐…

다 그런 과정을 거친 후에 좋은 친구를 만나는 거 아니겠어?

5. 시내 거리 / 낮.

정처 없이 복잡한 시내를 걷는 진주의 모습.

애써 마음을 추스르고 눈물을 겨우 삼키던 그때··

진주의 눈에 뭔가가 들어온다. 진주의 시선을 보면.

명품 매장 안에 전시된 명품 가방.

진주 (소리) 이상하지··? 평생 관심도 없었던, 아니 관심을 갖기엔 너무 먼 세상에 있던 저것이··

능청맞지만 빛과 같은 속도로 내 마음속에 불쑥 들어와서는·· 속삭이더라.

가방 (소리) 당신도 속았군요?

진주 ····?

가방 (소리) 당신은 이별의 상처에 아파하고 있는 게 아니에요. 사랑 자체가 상처랍니다. 상처는 사랑이 시작되는 동시에 생기죠. 그리고 이별하며 사그라집니다.

상처가 났던 자리의 딱지를 만지작만지작··

만지고 놀던 딱지가 떨어져 버리자 허전함을 느끼고 있는 것뿐이에요.

진주 (소리) 시작할 때·· 상처가 날 때·· 아프지 않았는데요··?

가방 (소리) 그러니까 속은 거죠. 사랑·· 그것은 눈에 보이는 것인가요? 영원한 것인가요?

진주 (소리) 아··· 니죠··

가방 (소리) 눈에 보이는 것을 믿으세요. 영원한 것을 믿으세요. 사랑. 한낱 사기꾼. 그 허물 따위에 속지 말고·· 나를·· 가지세요.

6. 혜정의 작업실 / 낮.

40대 중년 스타 작가 혜정.

까다로운 눈빛으로 마주 앉은 진주와 자소서, 포트폴리오 등을 번갈아 보고 있다.

혜정 너 얼마 전에 헤어졌니?

진주 (놀라운) 일 년 넘었는데·· 얼마 전이라고 해야 되는 건지··

혜정 남자 끊고 글만 썼니?

진주 (더 놀라운) 점도 보세요?

혜정 글을 보지. 글 보면 알아. 차였지?

진주 그건 아닌데요.

혜정 깨끗이 잊었고.

진주 그건 맞고요.

혜정 어떻게 잊을 수 있었지?

진주 뜻하는 바가 있어서.

혜정 뜻하는 바?

7. **은행 / 낮.**

예금 창구 앞에서 적금 통장을 펼쳐보는 진주.

얼마 되지 않는 금액이지만 앞선 다짐에 흔들림 없는 표정.

진주 (소리) 확인해야만 했어요. 그때 그 가방이 내게 속삭였던 말이 사실인지 확인을 해봐야겠다고 마음먹은 거죠.

번호표 순서가 오면 창구로 가 앉는다.

진주 (통장 내밀며) 일반 통장으로 옮겨주세요.

직원 음·· 지금 해지하시면··

진주 모든 내용을 인지하고 있습니다. 어차피 얼마 되지도 않는 돈. 이자율 득실 따위··

진주 (소리) 어찌나 의지가 강했는지 도둑질도 했어요.

8. **진주의 본가 / 낮.**

서른 평 남짓한 평범한 가정집.

주방에서 나물을 다듬고 있는 진주 모와 진주 부.

그저 평화롭고 고요한 한때.

부스스한 낯으로 자기 방에서 나오는 진주의 여동생 지영 (현재 26세 경찰 공무원 준비).

지영 엄마. 내가 500원짜리로 가득 채워놓은 저금통 알지? 평생을 모은 내 전 재산. 그 녀석이 늘 있던 곳에 있지 아니하고, 어느 곳에서도 그 모습을 드러내지 않고 있어. 혹시 오랜만에 집에 들렀나 사라신 언니가 이 사건과 관련이 있을까?

진주 모 ..잊어라.

그저 덤덤히 고개를 주억거리며 방으로 들어가는 지영.

진주 (소리) 우리 동생..

9. 은행 / 낮.

창구 직원에게 큼직한 돼지 저금통을 들이미는

진주 (소리) 경찰 공무원 준비하고 있어요, 저 같은 사람 잡아 처넣겠다고.

10. 명품점 / 낮.

거울 앞. 진주에게 말을 건네던 그 가방을 사뿐히 쥐어 명치 앞으로 들어 보이는 진주.

진주 (소리) 그리고.. 모든 것은... 사실이었습니다.

11. **진주의 자취방 / 밤.**

고시원보다 조금 넓은 평수의 낡은 자취방.

작은 책상에 노트북을 올려놓고 열심히 자판을 두드리고 있는 진주의 모습.

진주 (소리) 저는 그 관계 맺음을 계기로 저 자신을 돌아보게 되었고, 내 꿈을 다시 돌아보게 되었습니다. 그것이 얼마나 소중한 것인지. 그리고 그 꿈이‥ 내게 진정한 삶의 가치를 일깨워준‥ 저렇듯 훌륭한 친구들을‥

한쪽 작은 선반 위에 올려져 있는 명품 가방으로 서서히 다가가는 카메라.

진주 (소리) 더욱 많이 소개시켜 줄 것이란 걸. 인지하게 된 거죠. 열심히 글만 썼습니다.

인서트

높다랗게 보이는 혜정의 작업실.

12. **혜정의 작업실 / 낮.**

나름 진지하게 진주의 말을 듣고 있던 혜정.

잠깐의 생각을 정리한 후.

혜정 합격.

진주 (설마…) 네?

혜정 깨달은 바와 목표하는 바가 어그러져 동떨어진 느낌이 없고,

갑자기 일어나 자기 책상 뒤 서랍을 열어 보여주는 혜정.
그 안엔 수십 개의 명품 가방이 진열되어 있다.
그 광경을 보곤 사뭇 진지하고 의젓해지는 진주의 표정.

혜정 내가 여전히 도달하려 애쓰고 있는 그 목적지와도 닮은 바가 있어. (다시 앉아서) 호기심이 생기네.

진주 (의지의 두 눈)

혜정 아직 글은 부족하지만 절대 내 앞에서 나대지 말고.
복종해. 니 말이 맞는 경우는 내 앞에서 없고,
니 글이 더 좋은 경우도 내 앞에선 없어.
내 앞에서 몸을 낮춰. 할 수 있겠어?

진주 대 정혜정 작가님의 작품에 누가 되는 일 따위
결단코 벌어지지 않을 것입니다.

혜정 좋아. 내일부터 출근해.

진주 (벌떡 일어나 인사하며) 감사합니다! 감사합니다!! 열심히 하겠습니다!!

13. 거리 / 낮.

꺄아아아아~~~ 기쁨의 환호를 내지르며 달려가는 진주.

진주　(소리) 무려 정혜정. 정혜정 작가의 보조라고! 오호호호호!
내 인생의 전방위적 개조와 혁신은 구 남친 떨쳐버리기에서 시작된 거야. 일종의 적폐청산이랄까?
아~ 드디어 꽃길이로다~~

13-1. (인서트) 진주의 본가 / 밤.

13-2. 진주의 본가 / 밤.

가족들과 치맥 파티를 벌이고 있는 진주.
새 저금통을 지영에게 밀어주며

진주　오백 원 넣어놨어. 다시 시작하자.
지영　내 언젠가는 잡아 처넣는다. 너.

엄마와 아빠에게 치킨 다리를 하나씩 건네주는 진주.

진주　어머니 아버지. 이제 다리만 잡수세요.
진주 부　우린 퍽퍽살 좋아해.
진주　평생 양보한 거 다 알아.
진주 부　아니야. 진짜 퍽퍽살 좋아해.
진주 모　그냥 먹어.
진주 부　응.

진주 모 그래서 그 작가가 되게 유명한 사람이란 거지?

진주 응.

진주 모 뭐 했는데?

진주 열혈사자, 나만 닥터 이사부, 탁구 왕 김제빵.. 등등.

진주 모 (진주 부에게) 알아?

진주 부 응.

진주 모 (지영에게) 알아?

지영 응.

진주 모 나도 알아. 유명하네. 맞네. 건배~

잔을 부딪치는 진주의 가족들.

진주 크~ 존경받는 사람이 될 거야. 큰 사람이 될 거야.
내 힘으로 내가 갈 길에 끝도 없이 꽃을 깔아놓을 거야.
그 길만 걸을 거야! 꽃길만 걸을 거야! 으하하하하~

14. 혜정의 작업실 / 낮.

퀭— 전 씬의 활기찬 모습과 전혀 상반되는 다크서클 풍성한 진주의 얼굴. 상태가 크게 다르지 않은 다른 보조 작가 미영, 사랑, 수희와 거실 테이블에 모여 앉아 글을 쓰고 있다.

진주 (소리) 그래.. 꽃길은 사실 비포장도로야..

할 수 있다·· 할 수 있다·· 할 수 있는데··· 죽을 수도 있다.

딩동—

벨소리가 들리고 미영이 좀비처럼 일어나 현관으로 향한다. 문이 열리고 등장하는 손범수. 예쁜 나이 서른다섯 훈남의 미소가 퀭한 여자들의 피곤함과 대치된다.

진주 (소리) 버티자·· 그래·· 시청률 무패행진의 스타 감독도 있지 않은가··

14-1. 제이비씨 드라마국 / 낮.

시사 토크 프로그램 인터뷰 중인 범수.

사회자 28세에 제이비씨 입사.

범수 만 26세.

사회자 30세에 드라마 감독 데뷔.

범수 만 28세.

사회자 첫 드라마에서 시청률 15프로 돌파.

범수 16프로.

사회자 이후 연출한 네 작품 모두 흥행 성공.

범수 대성공.

사회자 5연타석 홈런이 이게 이전에 있었나요?

범수 중간에 하나는 2루타 정도. 추석 특집극은 뭐.. 볼 넷 출루 정도.

사회자 하하. 네. 오늘의 사람, 오늘은 이렇듯 실패 없이 부침 없이 거침없이 쉬지 않고 드라마를 생산해내고 계신 제이비씨의 손범수 감독님. 모셨습니다!

자신의 방에서 나온 혜정이 범수에게 대충 손 인사를 건넨다.

혜정 왔어요? 우리 작업실 처음이죠?

범수 뭐.. 처음인데 처음 같지 않죠. 작업실 다 거기서 거기니까.

혜정 (슬쩍 기분 나쁜)

범수 (기운을 눈치채고) 아, 거기서 거기가 아닌 작가님이 있는 게 중요하죠.

혜정 (웃음을 되찾고 보조 작가들에게) 다들 인사해. 손범수 감독님 알지?

다들 (기계적) 안녕하세요.

혜정 너네 영광으로 알고 일 열심히 해야 돼.

진주 (소리) 그래 제발 열심히만 하면 안 될까? 죽기 전까지 하지 말고.

다들 (기계적) 영광입니다.

혜정 진주는 퇴근해라.

진주 (기계적) …네.

기계적으로 일어나 가방을 챙기는 진주.

범수　(작업실 둘러보며) 오~ 직원 복지가 좋네요? 퇴근을 벌써 해요?

진주　(기계적) 네. 출근을 어제 했거든요. 벌써 퇴근하겠습니다. 그럼 이만.

꾸벅 인사하고 범수 옆을 지나쳐 가려는 그 찰나.
노트북 선에 다리가 걸려 급 만세를 부르는 진주. 꺄아악—
때마침 진주의 옆을 지나가던 범수를 덮칠 기세.
고속. 순간의 풍경에 두 눈이 번쩍 뜨이는 혜정과 보조 작가들.
진주, 본능적으로 범수의 옷깃을 잡아채려는 그 순간,
범수, 본능적으로 몸을 피해버린다. 휙—
그대로 바닥에 엎어지는 진주. 쿵—
죽었어도 과하지 않은 소리.. 정지화면인가..
아무도 움직이지 않고 잠시의 정적..
쓰레기나 주운 것 마냥 툴툴 털고 일어나는 진주.

범수　하.. 다칠 뻔했어요.

진주, 나? 하고 자신을 가리키면.
범수, 나. 하고 자신을 가리키며 천진하게 쪼갠다.
진주, 새로운 유형의 10새끼다 싶은 감정이 슬쩍 드러나고.

범수, 재미있다는 듯 하하하. 웃는 그 모습에서

진주　(소리) 지금 느껴지는 재수 없음은 잘나가는 자 본연의 재수 없음인가, 잘나가지 못하는 내 시선이 만들어낸 가짜 재수 없음인가?

15.　은정의 집 / 밤.

다시 1씬의 장면. 구겨진 맥주 캔이 조금 늘어난..

은정　일단 니가 잘나가 봐. 그때도 재수 없으면 본연의 재수 없음이지.

한주　아.. 재수 없고 싶다.. 이리 치이고 저리 치이는 삶이여..

진주　이제 이리저리 안치이고 있으면 뭔가 불안하지 않아?

한주　어. 그게 무서운 게 무서워. 그렇게 치이다 퇴근길에 털레털레 걸으면 또 당당하게 걸어야 치한이 덜 붙는다고 힘없이 걷지도 말라네.

은정　(발끈) 누가 그래?

한주　뉴스가.

은정　아니 내가 피곤해서 힘없이 걷고 싶다는데 왜 내 걸음걸이를 치한한테 맞춰? 미친 거 아니야?

못나가는 것도 억울한데 치한까지 배려하고 살아야 돼?

진주　잘나가는 게 왜 지랄이야. 놀리냐?

소파에 앉아있던 홍대와 눈이 마주치는 은정.
미소를 주고받는.

한주　빨리 재벌 돼서 운전기사 고용해야겠다. 걸음걸이 신경 안 쓰게.

진주　그래. 비행기 회항시키고 소리 지르고 그런 것만 하지 마.

은정　아~ 우리 한주 한땐 자알 나갔었는데.

한주　자알 나갔었지~

그때 작은방 문을 퍽 차고 나오는 아홉 살 인생 인국.

인국　(화장실로 향하며) 초딩 자잖아·· 애 키우는 집에서 맨날 술이나 먹고·· 떠들고·· 층간 소음이 없으면 뭐 하냐고 거실 소음 때문에 못 살겠는데.

효봉　미안. 우리가 잘못했네.

화장실로 들어가는 인국.
그런 녀석을 물끄러미 쳐다보는 세 여자와 두 남자.
이내 오줌 싸는 소리··

은정　(한주의 어깨에 손을 올리고) 미안. 잘 나갔었지가 아니라, 넌 잘나가고 있어. 재 쫌 있으면 돈도 벌어오겠어.

16. 과거 / 명원대학교 캠퍼스 / 낮.

진주 (소리) 대학 시절 한주는 공부도 잘하고 인기도 많은 아이였지. 굳이 웃지 않아도 수줍음이 엿보이는 이 소녀의 귀여운 미소는 너무나 사랑스러운 것이었어. 그뿐이던가?

캠퍼스 일각.
남자 학생과 배드민턴을 치며 환하게 웃고 있는 한주.
그녀와 배드민턴을 치기 위해 줄을 서있는 남학생들.

진주 (소리) 배드민턴 치자고 꼬셔도,

— 다른 날. 캠퍼스 커피숍.
남자 학생들과 커피를 마시며 재밌는 수다를 떨고 있는 한주.

진주 (소리) 커피 한잔하자고 불러도,

— 다른 날. 캠퍼스 내 호숫가.
남학생과 호수 주변을 걷는 한주.

진주 (소리) 호수 한 바퀴 걷자고 꼬셔도.
한주는 한 번도 그래 안 된다는 말이 없었지.

꽃송이가~ 꽃송이가~ 그 꽃 한 송이가~
버스커버스커의 노래가 흐르기 시작하고 함께 걷는 남자 학생이 꽃송이 날리는 그곳에서 숨겨 두었던 꽃 한 송이를 꺼내 한주에게 건네는데, 한주는 친절하게 웃으며
그 꽃이 자신 앞에 멈춰 서기도 전
남자의 손목을 부드럽게 돌려 원래 숨겨 두었던
그 남자의 품 속으로 넣어준다.

진주 (소리) 하지만 한주는 알아주는 철벽녀였어.
상대 남자의 고백을 받아 바로 접어 넣는 기술은
마치 부드러움으로 강함을 제압하는 무당파 태극권의 그 것과도 같았지.
한주는 공부가 더 좋았고, 여자친구들이 더 좋았거든.

– 다른 날. 캠퍼스 일각.
대학 시절 은정에게 팔짱을 끼고 어깨에 머리까지 기대어 걸어가고 있는 한주의 모습. 그 모습을 시기의 눈빛으로 노려보는 남학생들.
은정과 한주의 뒤로 소민이 심심한 얼굴로 따르고 있다.

17. 과거 / 명원대학교 캠퍼스 내 도서관 / 낮.
공부하는 학생들로 빈자리가 없는 독서실.
열심히 공부를 하고 있는 한주의 모습.

진주 (소리) 그러던 어느 날.
그러던 어느 날은 언제나 예고 없이 찾아와.

한주의 앞으로 다가서는 한 남자.
한주가 볼 때까지 가만히 그녀를 내려다본다.
이내 기운을 느끼고 그 남자를 올려다보게 되는 한주. 멀쩡한 허우대. 복학생 중에서도 좀 늙은 편.
약간 유행이 지난 패션. 나름 개성이 느껴지는 엔틱한 장신구들과 가방. 무심한 눈빛에 깃든 고독함이 사뭇 아비정전의 아비와 같은… 노승효(현재 38세).

승효 뭐 좋아해요?

공격적이라곤 할 수 없지만 그야말로 다짜고짜…
조용한 도서관에서 볼륨을 줄이지 않고 자기 목소리를 그대로 내는 승효.
그가 조금 당황스러운 한주.

한주 무슨…
승효 좋아하는 거 뭐냐고요.
한주 누구세요?
승효 (주머니에서 운전면허증을 꺼내 픽 던지며)
한주 (어쩌라고…)
승효 그냥 뭐 좋아하는지… 정확히는 어떤 남자 좋아하는지 한

마디만 해주면 바로 갈게요.

한주　…·이러지 않는 남자요.

바로 돌아서 가는 승효.

Cut To

다른 날. 역시 같은 자리에서 공부 중인 한주에게 다가오는 승효.

승효　이러지 않는 방법을 계속 생각해 봤는데, 와~ 없던데? 방법이.

한주　……웃긴 남자요.

바로 돌아서 가는 승효.

Cut To

같은 자리. 공부하고 있는 한주의 앞에 툭 연극표 한 장을 던져 놓는 승효.

한주　??

승효　개그 극단에 들어갔어요. 한번 보러 오세요.
아, 나는 아직 출연은 못 하는데 그냥 보러 와요.

돌아서 가는 승효.

– 다음 날.

승효 왜 안 왔어요?

한수 재미·· 없을 것 같아서···

승효 (다시 티켓 한 장 툭) 이번엔 나 출연하니까 와요. (돌아서는)

한주 저기··

승효 (다시 돌아보면) ?

한주 너무 일방적이시고·· 그래서·· 불쾌·· (착한 나머지 조심스러운) 까진 아니더라도·· 불편해요. 공부는 안 해요? 무슨 과에요?

승효 나 여기 학생 아닌데? 공부 못해요.

한주 ·····?? 그럼 어떻게··?

승효 그냥 길 가다 보고 따라온 건데?

한주 ·······

그냥 쿨하게 던지고 돌아서 갈 길 가는 승효.

18. 과거 / 명원대학교 캠퍼스 일각 / 낮.

은정과 나란히 벤치에 앉아 떠먹는 요구르트를 먹고 있는 한주.

은정 야 그 새끼 번호 줘 봐. 완전 변태 새끼네.

한주 번호 없지. 그냥 그러고 갔다니까.

은정　안 되겠다. 신고하자.

한주　아니. 내가 불편하다고 하니까 또 안 온다니까.

은정　변태 새끼가 지금도 너 보고 있을 수도 있어.

한주　뭔가.. 느낌이 그런 사람 같진 않아.

은정　(한주를 살펴보며) 뭐야? 뭐지? 지금 이거..
그 새끼 궁금해하는 표정이야?

한주　에이~ 무슨…

19.　소극장 / 낮.

승효가 단역으로 출연 중인 개그 공연이 한창이다.
자지러지게 웃는 관객들 사이 조심스럽게 웃음을 참고 있는 한주의 모습이 보인다.

20.　극장 뒤편 골목 / 밤.

한주가 고개를 빠끔히 내밀고 무언가를 훔쳐보고 있다.
극단 선배들에게 심하게 혼나고 있는 승효의 모습.

21.　대학로 거리 / 밤.

밤이 늦어 한적해진 대학로 길을 나란히 걷고 있는 한주와 승효. 어색하기도 불편하기도 한 한주와 달리 승효는 별 감흥이 없다. 말을 먼저 하지 않는 승효가 더 신경 쓰이는

한주, 할 말을 찾다가

한주 …뭐 잘못하면 그렇게 혼나요?

승효 혼난 거 아닌데?

한주 아니라고요?

승효 고민 들어준 건데?

한주 아… 선배들이… 고민을 되게 윽박지르면서 털어놓네요. 무슨 고민이 그렇게 격하대요?

승효 아 얼마 전에 웬 경험도 전혀 없는 놈이 생뚱맞게 찾아와서 한 번만 시켜달라고 그렇게 졸라대가지고 뭐 하나 시켜줬더니 연기를 드럽게 못하나 봐요.

한주 연기를 드럽게 못하는 게…

승효 네. 저요.

잠시 걸음을 멈추고 신기하다는 듯 승효를 쳐다보는 한주. 그녀의 멈춤에 맞춰 서서 덤덤하게 한주를 바라보는 승효.

한주 원래 꿈이 개그맨이에요?

승효 아뇨. 그런 걸 왜 해요. 맨날 저딴 실없는 고민 들어줘야 하는걸.

한주 ·······(희한한 놈···)

승효 원래 꿈은 그냥 세계를 떠돌다가 죽을 때 되면 제일 싫었던 곳으로 돌아가서 죽는 거였죠.

한주 좋았던 곳이 아니고… 싫었던 곳…?

승효 좋았던 건 좋았던 기억만으로 충분해요. 가장 미련 없는 곳에서 죽는 게 행복할 거 같아요. 근데.. 내 맘에 들어온 어떤 여자가 웃기는 거 좋아한대서.
그 여자 웃기다가 죽고 싶어졌어요.

한주 ……(똘아이 놈…)

승효 아니에요? 아니면 나 당장 저거 관두고.

한주 아니요. 그건 사실이에요.

승효 그럼 열심히 하고.

한주 저기요.

승효 네.

한주 그럼… 웃겨 봐요.

멀리 보이는 마주 선 두 사람의 모습에서..

진주 (소리) 여기서요? 라는 말도 없었지. 남자는 그대로 웃기기 시작했고. 한주는 밤새 웃었어.

웃기 시작하는 한주의 모습이 보인다.

진주 (소리) 아 밤새 웃기만 한 건 아니구나. 그날…

갓난아이의 울음소리 선행.

22. 한주의 신혼집 / 밤.

14평 규모의 초라한 신혼살림. 식탁에 대차게 우는 아이를 안고 힘겹게 달래고 있는 한주.

아이 엄마의 노곤함이 그대로 묻어난 얼굴.

진주 (소리) 두 사람은 콘돔의 피임율이 고작 85퍼센트에 불과하단 사실을 알게 됐어. 하지만 15퍼센트의 피해자라 생각진 않기로 했지. 결국 이듬해 출산을 하고 결혼도 했어. 그리고.. 이혼까지.

화면 넓어지면 멀뚱히 한주를 보고 마주 앉아있는 승효의 모습이 드러난다.

진주 (소리) 모든 게 부족한 녀석이었지만 당당히 이혼을 요구했지.

한주 …? 행복해지기 위해서.. 이혼을 하자고?

승효 (별일 아닌 듯) 응. 생각해 보니까 난 술 담배도 많이 해서 오래 살 것 같지도 않은데 이건 내가 원하는 삶이 아니야.

한주 …술 담배를 끊고.. 오래 살아보는 쪽은 어떨까..?

승효 지옥에선 오래 살고 싶지 않아. 이미 어느 정도는 지옥이지만 그래도 나온 김에 살아야 하니까, 어느 정도는.. 행복하고 싶어.

한주 그럼.. 내 행복은?

승효　　한주야·· 니 행복을 왜·· 나한테 물어?

23.　　골목 어딘가 / 낮.

노력하지 않는 듯. 하지만 속도는 누구보다 빠르게 도망가고 있는 승효.

낫을 들고 승효를 맹추격하고 있는 분노의 은정.

진주　　(소리) 은정이는 인생을 포기해서라도 녀석을 잡아 죽이려 했지만. 이런 것들의 특징 중에 하나가 또 잘 잡히지도 않아요.

승효, 달리면서 카메라를 보며 인터뷰하듯 말한다.

승효　　매일 두 시간씩 달립니다. 싸움을 못하니까 언제 어떤 상황에서도 도망갈 준비가 되어 있어야죠! 아하하하하.

CF 화면으로 장면전환.

24.　　TV 화면 / 한주의 신혼집 / 낮.

화면 속 승효가 병맛 느낌의 러닝화 CF 속에서 머저리같이 웃고 있다. 수유기로 모유를 짜며 화면을 보고 있던 한주. TV를 끄려는데 아이 울음소리가 들리자 방으로 뛰어 들어간다.

진주 (소리) 얼마 지나지 않아 병맛이라는 시대의 흐름을 빠르게 흡수한 병맛 개그 코너가 인기를 얻으며 CF까지 진출했더랬지.. 뭐 흡수랄 것도 아니고 원래 그놈 자체가 병맛이었으니까. 육아의 고단함은 남겨진 자의 몫이었어.
아.. 생활고도..

Cut To

좁은 거실에서 옹기종기 모여 앉은 세 여자.
인국의 기저귀를 갈고 있는 한주.
여전히 한숨 섞어 한주를 바라보고 있는 은정.
한주가 모아놓은 모유의 맛을 찔끔 보는 진주.

진주 음.. 적극적으로 맛없군.
어서 커서 이모랑 맥주 마시자 우리 노..
한주 노인국 아니야. 이제 황인국이야. 내 성으로 바꿨어.
혼인신고도 안 했었는데 뭐.

너무나 사랑스럽게 인국의 배에 볼을 부비며 웃는 한주.

진주 아 맞네. 잘했네. 애 이름이 노인국인 건 좀 그렇지.
노인을 위한 나라도 아니고..
한주 우리 황인국 혼란스럽게 해서 미안해. 엄마가 더 잘할게.

우우우웅~~

은정　얼씨구. 아주 행복이 가득한 집구석데스네.

한주　행복하지. 우리 인국이 봐라. 안 행복할 틈이 있겠어?

은정　야 힘들면서 웃지만 말고 욕도 좀 하고 그래. 할 놈 있잖아, 욕.

한주　욕할 틈도 없어. 당장 분유통도 비었는데‥

은정/진주　…

한주　나 방통대로 편입하고 일을 좀 해야 될 것 같은데‥ 어디 없나?

25.　흥미유발 엔터 / 낮.

드라마 제작 겸 마케팅 회사 흥미유발 엔터 내부.

십수 명의 직원들이 각자의 자리에서 업무 중이다.

복도에서 다다다다 — 누군가 달려오는 소리가 들리고,

이내 헐레벌떡 뛰어들어오는 신참 한주.

한주　(꾸벅 인사하며 바삐) 안 늦었습니다. 안 늦었습니다.

(아 이 말이 왜 나오지?) 반가웠습니다.

(절레절레) 아니 좋은 아침입니다.

정신없이 자리로 향할 때 자신의 방에서 나오는 여자 팀장 이소진(현 38세).

한주　(90도 인사) 안 늦었습니다. 아니‥

90도 인사 후 한주의 얼굴이 올라오기가 무섭게 코앞으로 다가가는

소진　아슬아슬하지 마. 지각 엇비슷하게도 하지 마.

한주　네 알고 있습니다.

소진　애 딸린 거 조금도 티 내지 말라고.
(냄새 맡으며) 분유 냄새도 내지 마.

한주　네 알고 있습니다.

소진　피피엘 물건 가지고 현장으로 지금 바로 가.

한주　혼자요?

소진　먼저 가. 알지? 어떻게 하는지?

한주　네 알고 있습니다!

26.　폐공장 드라마 현장 / 낮.

탕ㅡ 탕ㅡ탕ㅡ

거친 남자 주인공이 일대 백 총격전을 벌이고 있다.

죽어가던 악당이 사건을 해결하고 개쩔게 뒤돌아가던 주인공을 쏜다. 탕ㅡ

죽는 그 순간까지도 비장한 눈빛을 잃지 않는 주인공.

철푸덕ㅡ

바닥에 쓰러지고‥ 차마 감지도 못한 눈‥

모니터 앞에서 자신이 만든 미장센에 감격하며 빠져들고 있는 감독…
화면.. 머리에서 흐르는 붉은 피가 번지며.. 흙바닥을 적시는….데…
마침 바닥에 있던 젤리포.. 도.. 적신다..

감독 컷… 야 이 개새끼!! 이 오뉴월 보리싹만도 못한 년아
이 썅년아! 너 이리와 일루 와! 일루 와 이 개시발!! (삐처리)

미친 감독 앞으로 오긴 왔으나..
난생처음 들어보는 험악한 욕에 시력과 청력을 잃은 듯 보이는 한주.

감독 치우라고 했잖아.. 내가 아까 집어던졌잖아.. 그치?
한주 그렇게.. 기억하고 있습니다.
감독 와 기특하네. 기억도 하고.
한주 이게 그.. 피피엘 꼭 들어가야 하는 건데.. 전에 안 넣어주셔서.. 마지막 씬인데..
감독 그치.. 응. 그래.
근데 주인공이 열라게 총 쏘는 와중에 젤리포 먹었나 봐?
한주 그.. 저희 팀장님이 말씀하시길.. 그니까.. 전에 이 공장이 폐업하기 전에 일하던 인부가.. 먹다가 떨어트렸다, 뭐 그런 설정으로다가..
감독 아 목공소 직원이 일하다가 젤리포를 떨어트렸는데 아주

가지런하고도 깨끗하게 주인공이 죽을 자리까지 미리 알고 퇴직하기 전에 딱 거기다 떨어트려 놨다. 뭐 그런 거구나?

한주 네 사실입니다.

화면 멀어지고 어마어마해서 도무지 한마디도 나갈 수 없는 욕.. 삐— 삐— 삐— 삐—

한주를 죽이려는 감독 말리며 한주를 대피시키려는 스태프들. 한데 그 와중에 스태프들을 뿌리치고 애써 감독 앞에 서는 한주.

감독도 약간 당황.

한주 (울 듯 말 듯. 하지만 그녀답지 않은 엄마의 결연함) 감독님. 욕하시는 중에 죄송하지만.. 저희 아이가 아까부터 아프다고.. 연락이 왔는데.. 팀장님은 안 오시고.. 그래서 제가 지금 좀..

다시 화면 멀어지고 어마어마해서 도무지 한마디도 나갈 수 없는 욕... 삐— 삐— 삐— 삐—

27. 버스 정류장 / 밤.

버스에서 다급히 내려 미친 듯이 뛰어가는 한주.

28. **소아과 안 / 밤.**

화가 잔뜩 난 어린이집 직원에게 잠든 두 살배기 인국이를 건네받고 고개 숙여 사과하는 한주.

29. **한주의 신혼집 앞 골목길 / 밤.**

이미 잠든 아이를 얼레며 걸어가는 한주의 모습이 쓸쓸하고 힘겨워 보인다.

30. **한주의 신혼집 / 밤.**

어둡게 깔린 조명. 시끄럽게 떠드는 TV 소리.

식탁에 홀로 앉아 소주잔을 채우고 있는 한주.

TV 예능 토크쇼에 출연한 승효가 자신이 개그맨이 된 사연을 말하고 있다. 그의 말에 놀라는 출연진들.

MC 아니 정말?! 사랑하는 사람이 웃기는 남자 좋아한다고 해서 바로 개그 극단에 들어갔다고요?! 말도 안 돼.

승효 진짠데. 그냥 갔어요. 무턱대고. 나 그 여자 웃겨야 된다고. 가르쳐달라고.

선배 진짜에요. 얘 그냥 막 들어와서 시켜달라고 며칠을 졸랐어요.

MC 와아~~~ 사랑꾼이네요!!

으하하하 그 흔한 예능 프로그램의 웃음소리…
TV 내용을 듣고 있는 것 같진 않지만 쓸쓸히 소주를 비우다 자기도 모르는 새 흘러내리는 눈물 한 줄을 닦아내는 한주. 손에 묻은 눈물을 보다가… 그만… 엉엉 아이처럼 울기 시작하는데.. 그와 같이 터지는 인국의 울음소리.
아이와 한주의 울음소리가 어두운 집을 가득 메운다.

31. **은정의 집 / 밤.**
구겨진 맥주 캔이 조금 더 늘어난 테이블.

은정 그때 그 새끼를 죽였어야 했는데..
홍대 그럼 날 못 만났지.
은정 …….

웃고 있는 홍대를 바라보는 은정.
아무 말 없이.. 미안하다는 듯 웃어 보이곤

은정 그러네. 미안.

그런 은정을 눈치 보듯 바라보는 진주와 한주와 효봉.
진주와 한주의 시선으로 홍대를 보면..
자리엔 아무도 보이지 않는다.

32. 과거 / 방송국 다큐멘터리 제작팀 / 낮.

수많은 자료들이 책상 위에 높게 쌓인 사무실.

모든 것이 어수선한 분위기. 그 안에 멘붕을 버티며 업무 중인 은정.

진주 (소리) 어렸을 때부터 다큐멘터리를 좋아했던 은정이는 단 한 번도 꿈이 바뀐 적이 없었지. 나름 굴지의 다큐멘터리 제작팀에 입사했지만…

카아악~ 퉤!! 쓰레기통에 침을 뱉는 은정의 옆 남자직원.

진주 (소리) 그곳의 상사들은 폭력을 종교로 삼은 놈들 같았고, 회사는 표준 근로 기준의 존재조차 모르는 곳이었어.

선배1 야, 하루 종일 자료 조사하는 거 너무 힘들지?

은정 (병신이 또 뭔 소리 하려고…)

선배1 힘든데 가서 커피도 좀 타고 그래라. 쫙 돌리고. 믹스로.

새삼스레 일어나 탕비실로 향하는 은정.

Cut To

50대 남자 부장에게 대판 깨지고 있는 은정.

부장 야 이 미친 새끼야! 내가 편집 순서만 맞춰 놓으라고 했지? 니가 뭔데 이 새끼야 니 맘대로 걷어내고 말고야 이 건방진 새끼야!!

이후로도 이어지는 부장의 막말··
더럽게 침 튀기는 부장의 모습이 고속화면으로 보이고.
덤덤히 그것을 받아들이고 있는 은정의 얼굴에서··

진주 (소리) 정말이지 힘겨웠지만··· 뭐··

은정 (소리. 성자의 어머니 마리아와 같은 음성)
참을게·· 너 새끼들도 한낱 가엾은 노동자일 뿐이고.
주둥이로 똥 싸는 것밖에 제대로 할 줄 아는 게 없는 새끼들일 뿐이니까.

진주 (소리) 하고 버텼어.

한참 욕설을 내뿜던 부장, 이제 좀 성에 차는지 숨을 고르고.

부장 (아무 일도 없었던 듯 방으로 들어가며) 오늘 회식이다.

푹·· 꺼지는 직원들·· 사이 손을 번쩍 드는 은정.

은정 저 오늘 약속 있는데요.

사무실 잠시 정적·· 모두의 시선이 은정에게 꽂힌 채로··
잘못 들은 것인가··

은정　(미친 짓이었군··) 뭐·· 일종의 농담이랄까·· 죄송합니다.

다시 원래의 사무실로 돌아가고···

33. 삼겹살집 / 밤.

건배!!! 뭔 해병대 전우회 같은 쓸데없이 크기만 한 단합 소리. 술 마실 생각 1도 없는 은정. 잔을 내려놓는데.

부장　저 새끼 뭐야? 야 너 왜 안 마셔?

은정　····건강하려고요. 장수·· 뭐 그런 거 하려고··

순간 또 정적···

선배1　(읊조리듯) 미친새끼가···

부장　아 됐어. 됐다.

너 그럼 술 안 먹고 있다가 나 운전해주면 되겠다. 좋지?

은정　(씨발새끼가···)

부장　저 봐 좋아할 줄 알았어.

선배1　히야~ 그런 게 있었네요! 제가 부장님 이런 걸 존경합니다!!

와아아아!! 좋다고 건배하며 술 마시는 녀석들··

진주 (소리) 버티는 게 이기는 거다. 생각하며 또 버텼어. 하지만··

34. 부장의 집 앞 / 밤.

아파트 단지. 입구에 부장의 차가 선다.

운전석에 표정 없는 은정. 조수석에 얼굴만 빨갛고 멀쩡한 부장. 내리지 않고 가만히 은정을 보는 부장.

더러운 낌새를 느끼고 참아낼 마음의 준비를 하는 은정.

부장 은정아.

은정 네 다 왔는데요.

부장 ··········(분명히 취하지 않은 멀쩡한 눈으로 가만히 보기만)

은정 (뭐 이 개새끼야···)

부장 ····너. 나한테··

은정 네.

부장 오빠라고 해볼래?

잠시 또 정적··· 친절하게 변해서 더 더러워 보이는 부장의 얼굴·· 별 표정 변화 없이 그런 부장을 바라보는 은정··

그 더러운 정적을 깨는

은정 (낮은 음색 강력한 어투) 뭐 이 개새끼야?

표정 싹 바뀌는 부장, 겁이 나는지 잠시 궁싯거리다

차에서 내리려고 할 때, 급출발하는 은정.

무섭게 화단으로 달려가는 차량. 쾅— 화단 나무를 들이받은 차량에서 겁에 질려 튕겨 나오는 부장. 도망. 은정이 급할 것도 없이 내린 후 두꺼운 나뭇가지를 집어 들고 부장에게 달려들면, 미친 듯이 소리 지르며 도망가는 부장.

34-1. 거리 / 낮.

높은 건물들 사이. 공인중개업자와 건물에서 나오는 은정.

업자 여기가 위아래 옆 다 사무실이라 사람들도 깔끔하고. 대로변 안쪽이라 소음도 적고.

은정 이런 건 얼마에요?

업자 보증금 2천에 월 450.

은정 (가만히 보다가) …거짓말.

업자 에?

34-2. 거리 / 낮.

낮은 건물들 사이. 공인중개업자와 건물에서 나오는 은정.

업자 여기가 주변 시세보다 한참 낮게 나온 거예요, 하자도 없고.

은정 이런 건 얼마에요?

업자 천에 백오십.

은정 (가만히 보다가) … 거짓말.

업자 후… 아니 사무실 구하시면서 천에 백오십이 쎄요?
아니 그냥 원하는 가격을 말하세요.

35. 허름한 창고 / 낮.

오래된 주택가. 왜 저런 곳에 저런 게 있지 싶은 가건물.
정확히는 가.. 창고? 컨테이너 크기의 가건물.
그 창고의 작은 문 앞에 '시로 픽처스'라 쓰인 작은 간판.
그 창고 안에서 책상 컴퓨터 등 집기들을 정리하고 있는 은정, 진주, 한주.

은정 나의 다큐를 만들 거야. 성공한다. 이은정. 내 시작은 비록 미약하였으나 내 나중은 심히..

진주 소멸될 것이니.. 이것마저도 없어질 거야.

은정 너도 그렇게 생각해?

한주 아니 난.. 걱정은 좀 되는데.. 음… 파이팅!!

그때 쿵- 하는 소리에 돌아보면, 화장실 문을 열던 진주가 바닥에 쓰러져 먼지를 일으키고 있는.
문짝의 손잡이만 들고 우두커니 서있다. 할 말이 없는 은정과 한주.

진주 오픈형 화장실. 중국식인 거지. 아직도 중국엔 이렇게 오픈형 화장실 많은 거 알지? 야, 그래도 천장은 있잖아. 좋네.

그때 쾅— 하고 천장이 무너져 내리는 화장실.

진주 ……너네 비 오는 날 우산 들고 똥 싸 봤어? 난 해봤어.

한주 으음~ 운치 있겠다~

36. 홍대의 카페 / 낮.

많이 지친 듯 보이는 은정. 별 기대 없이 어느 누군가와 마주 앉아있다. 그 어느 누구는 홍대.
뭔가 호기심이 가득하고도 친절함을 잃지 않는.

홍대 와·· 친일파 인터뷰. 너무 재밌네요.

은정 네. 다들 그렇게 시작하죠. (홍대 앞에 물 잔을 자기 쪽으로 치우며) 그 말을 시작으로 물을 얼굴에 뿌린다거나. (테이블을 양손으로 잡으며) 테이블을 엎어버린다거나··

홍대 와아·· 친일파와 그의 후손을 찾아가 인터뷰하고, 친일 행적을 소개하며 부의 축적 과정을 좇는다. (웃으며) 좋다.

은정 홍대 씨도·· 고졸에 어린 나이로 이런 큰 카페를 운영한다는 거·· 집안의 원조일 테고. 뭐 일단 편견을 가지고 짐작하는 거예요. 아니면 아니라고 말씀해주시면··

홍대 맞아요. 근데. 그 집안의 재산은 그게 맞는데 이 카페는 아니에요. 저 고등학교 자퇴하고 집 나와서 검정고시 패스했고, 동대문에서 몸으로 때우며 장사 시작해 여기까지 왔는데요.

은정 ….

홍대 진짜에요. 하하. 진짠데? 뭐… 우리 부모님의 나쁜 성품이 싫어서 집을 나온 거긴 하지만 어쨌든 명실상부 친일파의 후손으로서 적극 협조하겠습니다. 제가 도울 일이 되게 많을 것 같은데요?

은정 음… 굉장히… 생각지 못한 일이 벌어지니까 바로 받아치질 못하겠네.

홍대 멋있어요, 은정 씨. 전 사회적인 문제에 크게 관심을 두고 살진 못했지만 은정 씨 같은 사람이 멋지다는 건 알아요. 도울게요. 대신 나도 사업하는 사람이니까. 조건이 있습니다.

은정 …들어볼까요?

홍대 이 다큐멘터리에… 투자하게 해주세요.

은정 음… 이 망하고도 남을 프로젝트에… 투자요? 투자의 사전적 의미를 알고 계십니까?

홍대 알죠. 그걸로 돈 버는 사람인데…

은정 그걸로 돈 버는 사람이… 왜 뻔히 잃을 투자를…

홍대 저도 조금은… 멋지고 싶어서요.

천진하게 웃음 짓는 홍대가 의아하기도… 멋있기도… 한 은정.

36-1. 홍대의 카페 / 낮.

다른 날. 같은 자리에 웬 50대 남자가 앉아있다.
맞은편에 홍대가 앉아있다. 그 옆에 은정이 앉아있다.
굉장히 어색하다.

홍대 (은정에게 소개) 인사드리세요, 저희 외삼촌. 유일하게 연락하는 분인데. 어마어마한 친일파세요.

삼촌 ……

은정 ……아.. 안녕하십니까…

홍대 (외삼촌에게) 저희가 질문지를 뽑아놨거든요. 여기 보시면 돼요. 저희 집안도 저희 집안이지만.. 여기 외삼촌 집안이 진짜에요. 을사오적의 적통.

삼촌 저기.. 홍대야..

36-2. 고급 주택가 앞.

앞에 주차된 홍대의 차 안. 조수석에 은정이 누군가를 기다리고 있다. 홍대가 어느 큰 주택 안에서 나온다. 의연하게. 의연한데.. 발을 약간 전다. 그리고 차에 올라타 시동을 건다. 얼굴이 흠뻑 젖어있다. 의연하다. 은정이 손수건으로 얼굴을 닦아준다.

은정 괜찮아요?

홍대 괜찮아요.

은정 발은 왜 절어요?

홍대 아니.. 맞으면 죽을 거 같은 걸 막 던져서.. 피하다가 발목이 접질렸는데.. 괜찮아요.

재밌는 홍대. 출발하는 차.

36-3. 다른 고급 주택 앞.

앞에 주차된 홍대의 차에 기대 서있는 은정.

하릴없이 홍대를 기다리는데..

커다란 문을 박차고 홍대가 문을 열고 나온다.

발을 절면서도 의연하게.

홍대 안 된대. 안 된대. 갑시다.

뒤에서 빗자루 같은 것이 날아든다. 뛰기 시작하는 홍대.

홍대 출발! 출발!!!

은정, 익숙한 듯 운전석 뒤 차 문을 열어놓고 운전석에 올라타 시동을 건다. 색계의 양조위처럼 차에 뛰어오르는 홍대. 차가 급히 출발하고. 집안에서 검은 양복 사내들 네댓 명이 우르르 뛰어나와 차를 쫓는다.

36-4. 홍대의 카페 / 낮.

홍대와 은정이 나란히 서있다. 앞에 펼쳐진 무언가를 보고 있는데.. 화면 넓어지면. 2, 30대 젊은 남녀들 열댓 명이 테이블을 모아놓고 앉아있다. 이들은 다들 좀 있어 보이는 비주얼이다.

홍대 여기. 친일파의 후손들을 모아봤어요. 친구도 있고, 친구에 친구도 있고. 그 친구의 친척도 있고. (어느 한 녀석에게) 야, 너 마약 끊었지? 끊어라.
(은정에게) 얘기 좀 섞어보면 다들 또 괜찮아요. 그냥 좀 버릇 좀 없고 그냥 좀 막살고. 근데 머리는 좋아요. 미운 짓도 똑똑해야 잘하거든.
인사하세요.

어색하게 있다가 하하.. 웃음 짓는 은정.

36-5. 한강 공원 해 질 녘.

벤치에 앉아 강을 바라보며 맥주를 마시고 있는 홍대와 은정. 생각이 깊은 홍대를 물끄러미 바라보는 은정.

홍대 왜 그렇게 봐요?

은정 그냥.. 뭐.. 다큐.. 지분 좀 더 드릴까 해서요.

홍대 (은정을 바라 보며) 뭔.. 지분 더 주겠다는 표정이 이렇게 설레요?

은정 원래 돈은 설레는 거잖아요.

홍대 그쵸.. 근데.. 돈보다 설레는 게 하나 있어요.

은정 뭐요?

홍대 있어요. 그린 게. 우리 잘해 봐요.

은정 으.. 잘 될까요?

37. 극장 / 낮.

박스오피스 '내겐 너무 **친**절한 **일**본' 매진.. 매진.. 매진..

진주 (소리) 인생 뭐 있어? 매진되면.. 다음 타임 보면 되지.
1억으로 제작된 은정이의 다큐는 300만 관객의 선택을 받았고. 그야말로 억만장자가 된 거야.

박스오피스를 멀뚱히 올려다보고 있는 은정, 진주, 한주.

은정 이거는 또.. 뭔 일이냐 이게..?

진주 …언니 이제 그만 가시죠. 여긴 먼지가 너무 많아요.
이 미세한 것들..

은정을 에스코트하는 진주.

진주 어머, 언니 잠시만요! (한주에게) 얘, 저 위험한 거 치워, 당장!

한주 어머어머, 저 천박한 것이 언니 가시는 길을..

은정이 가는 길에 떨어진 팝콘을 잽싸게 치워버리는 한주.

진주　언니의 고귀한 신발 밑창에 팝콘 끼는 거 전 싫어요.
뻥튀기로 부풀린 옥수수 따위… 조심.. 조심..

그렇게 은정을 에스코트하며 걸어가는 진주와 한주.

38.　은정의 집 / 밤.

진주　(소리) 은정이는 처음 알았다고 했어. 부와 명예의 가치가 사랑의 가치보다 한참 아래쪽에 있다는걸.
돈보다 설레는 건.. 사랑이라고.

벌컥 현관문이 열리고 격렬하게 키스하며 들어오는 은정과 홍대. 그 흔한 난리 법석.. 침대까지 부술 거 다 부수고 가는 애정씬이 만들어지는데..
거실에 다다라 멀뚱히 TV 보고 있는 효봉이 드러나고. 은정이 홍대에게 매달린 상태에서 정적…

효봉　(이제 대수롭지도 않은 듯) 알아. 뭘 하려는 건지 나도 영화나 드라마 봐서 알아. 목적지가 침대인 거. 다행히 내가 알아. 근데 동생이 있잖아. 둘이 있을 때 그러는 건 15세로 끊을 수 있는데, 내가 있을 때 그러는 건 19세 빼박이야.

매달린 상태로 방으로 향하는 둘.

효봉　　괜히 번거로운 일 만들지 말자.

39.　　은정의 방 / 아침.

아침 햇살에 눈이 부셔 찡그린 얼굴로 눈을 뜨는 은정.

옆에 누워 눈 뜨기를 기다린 홍대.

행복하게 바라보는 두 사람.. 입을 맞추는 홍대.

홍대　　자는 중에도 몇 번 했어.

은정　　뽀뽀했어?

홍대　　응.

은정　　입 벌리고 자는데?

홍대　　그래서 했어.

은정　　어쩐지 꿈이 야하더라.

홍대　　그래? 말해줘. 꿈.

은정　　보여줄게.

입을 맞추며 홍대를 끌어안는 은정.

그들의 모습 부감에서 서서히 카메라 멀어지며.

진주　　(소리) 아낌없는 마음엔 총량의 제한이 있는 걸까…

화면 멀어지며 병원 침대에 누워 마주 보고 있는
두 사람의 모습으로 장면전환.

40. **홍대의 병실 / 밤.**

병색이 완연한 홍대. 삭발인 채 비니를 쓰고 있고,
애쓴 미소로 슬픔을 감추고는 있지만··
여전히 그를 사랑하는 눈빛으로 그를 바라보고 있는 은정.
짠— 하고 비니를 벗어 보이며 웃는 홍대.

은정 와아·· 에인션트 원 같다.

홍대 ··닥터스트레인지? 틸다스윈튼?

은정 (웃으며 끄덕)

홍대 아·· 원펀맨이라고 생각했는데··

농담을 주고받으며 킬킬거리는 두 사람에게서
화면 멀어지면··

41. **은정의 집 / 낮.**

아무렇지 않게 식사를 하는 은정과 효봉.
효봉은 누나가 신경 쓰이지만 최대한 조심하고 있다.

진주 (소리) 언제나 누구보다 강한 은정이었으니까··

꿋꿋이 버텨주는 은정이에게 모두 고마웠어.
애쓰는 기색이긴 했지만 조금씩 웃기도 했지..

Cut To

은정, 진주, 한주, 효봉이 모여 앉아 가벼운 수다와 함께 맥주를 마시고 있다. 가벼운 농담.. 가벼운 웃음..

Cut To

어두운 밤.. 어두운 거실.. 천천히 방에서 나와.. 욕실로 향하는 은정..

진주 (소리) 괜찮아졌다고… 생각했는데..

Cut To

다시 아침.. 눈 부비며 방에서 나와 욕실로 향하는 효봉.. 그리고 욕실 문을 열었을 때…

효봉 누나!!!!!

미친 듯이 절규하며 욕실로 뛰어 들어가는 효봉.

42. 은정의 병실 / 낮.

창 쪽으로 몸을 돌리고 누워있는 은정. 팔목엔 붕대..

은정의 뒷모습을 가만히 보고 있던 진주와 한주..

한주 미안해… 미안해…

한없이 슬픈 눈물이 주룩주룩 흘러내리는 진주와 한주..
엉엉..

43. 은정의 집 / 낮.

소파에 앉아 시리얼을 먹고 있는 은정.
난민기금 광고를 보며 감정 없는 웃음을 짓고 있는..
출근길에 그런 누나가 신경 쓰이는 효봉.

44. 은정의 집 복도 / 낮.

엘리베이터 앞에서 통화 중인 효봉.

효봉 아니.. 누나가 웃긴 웃었는데.. 문제는..
그게 명확하게 웃음이 나면 안 되는 거 보면서 웃잖아..
내가 지금 출근은 해야겠고..

45. 은정의 집 / 낮.

은정, 낮잠을 자다 누군가 들어오는 소리에 부스스 목을 빼고 보면, 진주가 제집 들어오듯 자연스레 들어와 주방으로 향한다.

진주 응, 자~ 자~ 나 배고파서 라면 먹게. 먹을래?

은정 아니..

- 다른 날.

샤워를 하고 나오는 은정, 눈앞에 펼쳐진 예상 못 한 광경에 갸우뚱. 일곱 살 인국의 장난감이 거실에 널브러져 있고, 한창 놀던 인국이 은정에게 달려와 안긴다. 현관에서 바리바리 짐 싸 들고 들어오는 한주를 보고 멍..

한주 나 휴가. 여기서 보내려고. 황인국! 너 이제 무거워! 내려와!

진주와 한주의 세간이 늘어나는 몽타주.
보따리 한 짐을 싸 들고 들어오는 진주.
한주와 가위바위보를 하며 방을 정하는 한주와 진주.
거실에서 진주의 노트북을 봐주고 있는 효봉.
기타를 메고 효봉에게 교습 받는 한주.
점점 늘어나는 세간들..
그 모습들이 은정의 무덤덤한 시선으로 흐르고..

진주 (소리) 은정을 보살핀다는 명목하에 이렇게 세 여자 인간과 두 남자 인간의 동거가 시작됐고..

– 다른 날.

모여 앉아 저녁을 먹고 있는 세 여자 사람과 한 어른 남자 인간. 그리고 거실에서 뛰어놀고 있는 한 꼬마 남자 인간.

은정 난 니들의 검은 속내를 알아. 동거의 진정한 목적.
(진주를 보며) 월세 절감. (한주를 보며) 육아 분담.
(효봉을 보며) 가사노동 분담.

아무 말 없이, 아니 아무 말도 듣지 않은 사람들처럼 그저 밥을 먹는 셋. 아무 말 없이, 아니 아무 말도 듣지 않은 셋.

한주 황인국!! 밤에 뛰지 말랬지! 이제 씻어! 빨리!

아무 말 없이, 아니 아무 말도 듣지 않은 인국.

은정 맞네. (역시 침묵의 식사가 이어지고…) 맞아.

열심히 먹는 네 사람의 모습.

진주 (소리) 이유야 어쨌든 이와 같은 동거에 모두가 만족했지. 은정이는 갈수록 좋아졌고, 그렇게 큰 탈 없이 흘러가는 평범한 시간의 소중함도 깨달았으니까. 아주 약간의 문제라면··

- 다른 날.

주방 정리를 하고 있는 진주,
거실의 장난감을 치우고 있는 한주,
베란다에서 재활용 쓰레기를 들고 나오는 효봉.
순간 소파에 앉아있던 은정의 질문에 잠시 멈칫.

은정 (TV 속에 소개되는 관광지를 보며) 저기 우리 언제 갔었지?

은정이를 가만히 살필 뿐 아무도 대답하지 않을 때··

홍대 간 적 없는데?
은정 나 왜 간 거 같지?
홍대 자긴 갔을 수 있지 나랑 안 간 거지.
은정 아하.
홍대 하·· 기억력 진짜·· 영화 개봉 전날 뒤숭숭하다고 그냥 훌쩍 갔었잖아. 나랑.
은정 아니 그럼 그렇다고 말을 하면 되지 왜 사람 테스트를 해?
홍대 아 몰라 사랑해.

화면 멀어지면, 홍대는 보이지 않는다.
그런 은정을 두고 그저 묵묵히 하던 일하는 진주와 한주, 효봉.

진주 (소리) 특별히 문제 삼지 않은 채 익숙해져 버렸어. 그것 외에 모든 것이 전과 같았고 문제가 없었으니까. 더 정확히는 건드릴 용기가 없었던 걸 거야. 최대한의 안정이라 생각한 지점에서의 작은 변화는 소중한 것을 잃을 뻔했던 그 무력한 경험치가 있는 이들에겐 정말 무서운 것이었거든.

아주 일상적인 그들의 모습에서..

46. **몽타주** / D N.

여의도 전경이 펼쳐지고..

그 아래 아주 일상적인 풍경들이 흐른다..

삼삼오오 모여 식당에 들어가거나..

커피를 마시거나.. 여러 사람들..

은정 (소리) 사는 게 그런 건가.. 좋았던 시간의 기억 약간을 가지고 힘들 수밖에 없는 대부분의 시간을 버티는 것. 조금 비관적이긴 하지만 혹독하네..

한주 (소리) 혹독하다.. 그건 부정할 수 없지만. 좋은 시간 약간을 만들고 있는 지금이 난 너무 좋아. 이렇게 너네랑 수다 떠는 거. 그것만으로도 참 좋아.

진주 (소리) 이제 겨우 서른인데 감성 타고 지난 시간 돌아보지 말자. 귀찮어. 마흔 살 돼서 돌아볼래.

47. 은정의 집 / 밤.

첫 씬에서 보다 많이 널브러진 술병들‥
각자의 위치에서 각자의 개성에 맞춰 뻗어 있는
세 여자 인간.

진주 좀 그래도 되잖아? 과거를 돌아보지 말고 미래를 걱정하지 말고, 우리 당장의 위기에 집중하자.

한주 어떤 위기?

진주 라면이 먹고 싶어.

한주 아‥ 씨‥ 안 해. 안 먹어!

진주 진심?

한주 (내적 갈등과 짜증의 혼재) 아… 어떻게 그런 생각을 해? 이 시간에 꺼낼 말이야 그게?

주방에서 이미 라면 봉지를 뜯고 있는 은정.

진주 들어가. 버틸 자신 없으면.

한주 세 개만 끓여! 밥은 없지?

진주 있어. 찬밥.

한주 어머‥ 세상에‥

주방으로 모여드는 세 여자의 아주 일상적인 모습에서…

라면 끓이는 과정 디테일하게…

진주 (소리) 밤에 먹어야 건강한 라면이 나오는 그날을 기다리며.. 그냥.. 그 정도의 설렘을 느끼고 이 정도의 위기에 몇 번쯤은 져도 무관한, 행복한 인생이 되길..
별거 아닌 어느 밤, 라면을 먹으며 생각해본다.

라면을 후~ 하고 불면 뿌옇게 김이 서리는 카메라.

"귀엽네. 내가 드라마 판 선배로써
충고 하나 할게."

"아아아아아앙… 안 들어. 안 들어.
충고 싫어. 아아아앙~"

'와… 니가 이겼다… 모질인데… 닮고 싶어…'

_ 혜정과 범수 그리고 진주의 말 중

· 2부 ·

2

희붐한 새벽빛이 거실로 드리운다. 주방 한쪽에 있는 수납장 밑에 체중계로 서서히 다가가는 카메라.
순간 누군가의 핸드폰 알람 음이 시끄럽게 울리면 카메라 멈춘다.
페이드아웃.

1. 은정의 집 / 아침.

시리얼을 먹는 은정. 과일을 먹는 진주. 구첩반상 한 끼 제대로 먹는 한주. 어쨌든 한 식탁에 앉아있는 세 친구.
인국은 입에 있는 밥을 하루 종일 씹으며 산만하게 돌아다니다가 한 소리 듣는다.

한주　황인국! 빨리 삼켜! 학교 안 가?
인국　안 가면 좋고.
한주　후… 야! 너 이제 2학년이야!
너 정말 커서 뭐 될라 그러니?!

인국 (문득 우두커니 서서 한주를 바라보다) ‥3학년.

한주 아오‥ 저게 어떻게 내 뱃속에서 나왔지‥?

진주 줘 패.

그때 눈을 부비며 욕실에서 나온 효봉이가 자연스런 동선으로 인국을 잡아 안는다. 별 저항도 하지 않은 채 축 늘어져 한주 앞에 잡혀가는 인국. 일상.

효봉 우리가 너 땜에 아침형 인간이 된 거 알지?
참 존재감 있어. 어린이란‥

은정 밥 먹어.

효봉 (냉장고 두유 꺼내며) 안 먹어. 인국이 학교 가면 더 잘래.

한주 (인국에게 밥 떠주며) 아 해.

인국 (주저앉아서는 절레절레)

한주 아 왜 또!

스읍— 한주의 뱃살을 꼬집으며 쪼개는 인국.
당황한 한주, 배에 힘을 줘보지만‥

인국 엄마처럼 되기 싫어.

세 친구 …….

다시 씨익— 쪼개며 방으로 도망가는 인국.
벙찐 세 친구.

한주　나‥ 다이어트‥ 한다‥

진주　… 고기나 치우고 말해 이년아. 아침부터 고기 굽는 년아.

한주　아침에 먹어도 살쪄?

은정　서녁에도 먹잖아.

어느 순간… 세 여자는‥

자신의 배를 쓰다듬고 있는 자신의 모습을 발견하게 된다.

2.　은정의 집 거실 / 낮.

마른 빨래를 개켜 그대로 백팩에 집어넣고 있는 진주.

요가 매트를 깔고 TV 속 부위별 살 빼기 운동을 따라 하고 있는 은정.

진주　빌어먹을 하루 종일 앉아있으니까 배가 안 나와?

은정　후‥ 후‥ 진주야‥ 윗몸 일으키기가 있잖아‥

진주　응?

은정　윗몸 일으키기가 원래 세 개 하면 힘든 거였어?

진주　세 개나 했어? 오‥ 머슬매니아.

은정　아‥ 배 나오는 게 젤 싫은데 복근 운동이 젤 싫어.

진주　세상엔 두 종류의 운동이 있다.

제일 싫은 운동과 원래 싫은 운동.

은정　후… (뱃살을 만지며) 나도 일을 시작해야겠어‥

진주　동어 반복 1년째.

은정　그치.. 아.. 일도 살도.. 뭐가 이렇게 맘 같지가 않니..

진주　맘 같이 살 수 있으면 내가 지금 일하러 들어갈 짐 싸고 있겠니?

은정　야 출퇴근 시간 보장해 달라 그래. 너넨 왜 안 싸우니?

진주　우린 노동자의 권리를 요구할 수 없어. 노동자가 아니니까.

은정　노동자가 아니면?

3.　혜정의 작업실 / 낮.

혜정　자영업자.

좀비처럼 책상에 앉아있는 보조 작가 넷.
시크한 사랑, 삐쩍 마른 수희, 듬직한 미영 그리고 진주.
그들의 책상 옆에 굳이 서서 혼자만의 커피타임을 즐기는 혜정.

진주　자영업자도 노동잔데요.

혜정　사장 노동자지. 일하는 만큼 벌 수 있는 기회가 열려 있잖아? 자영업자에게 노력은 있어도 노동은 없어.

진주　일하는 만큼 버나요?

혜정　꿈에 가까워지는 게 버는 거지. 잠깐. 너 혹시 지금 말대꾸한 거지? 나 그렇게 들렸는데?

진주　아니요. 그럴 리가요. 장단을 맞춰 드린 거죠. 존경하니까요.

혜정은 진주의 깐족대는 듯한 태도가 맘에 들지 않는다.

혜정 진주. 너 말이 너무 많아. 어쩔 땐 나보다 더 많이 하는 거 같아. 다물어. 다물고 있어. 난 보조 때 작가님 입 모양만 보고 있었어. 다 닮으려고.
어떤 말을 하는지 다 새겨듣고 고이 간직했어. 그게 다 이렇게 피가 되고 살이 된 거야.

진주 저는 헌혈도 꾸준히 하고 살은 좀 빼려고…

혜정 야!!

진주 죄송합니다.

혜정 야 넌 말하는 것만큼 글을 좀 써봐. 왜 안 해도 될 말을 해서 기분 드럽게 만드니? 쾌변하고 상쾌한 아침에?

진주 점심인데요.

혜정 너 나가! 나가!!!

진주 죄송합니다. 안 그럴게요.

저걸 어떻게 죽일까 째려보다가 씩씩거리며 방으로 들어가는 혜정. 몸을 낮추고 있던 보조 작가들이 태평한 진주를 본다.

미영 난… 언니가 좀 이상하게 대단한 것 같아.

진주 이상하게 대단한 건 뭐야?

미영 계속 대꾸를 하는 건 이상하고, 작가님이 소리 질러도 꿈적 안 하는 건 대단해.

수희 혼냈는데 안 쫄아.

진주 그치.. 나 왜 안 쫄지? 왜 저분을 무서워하지 않을까? 내가 막 겁 없이 사는 그런 성격도 아닌데.

사랑 그게 뭐든.. 혼냈는데 안 쫄면, 혼내는 사람 입장에선 그게 되게 어색한 거거든.

미영 정말 꾸준히 하루도 빠짐없이 혼낸 사람을 어색하게 만들고 있어.

진주 내가 좀 변태적인 건가..

미영 (마카롱을 꺼내 나눠주며) 일단 먹자. 당분이라도 채워야지.

진주 (기계적으로 입에 넣으며) 음.. 내가 살찌는 이유가 있었구나..

미영 이렇게 살면서 살도 없으면 죽어.

진주 그치. 맞지. 음~ 달아. 좋아.

그때 신경질적으로 문을 박차고 나오는 혜정.
다시 반사적으로 몸을 낮추는 보조 작가들.

혜정 야! 너 운전 좀 해.

진주 여기서 야는 저를 지목하신 건가요..?

혜정 여기 운전면허 있는 애가 너밖에 더 있어?!

진주 (마카롱 집어 들고 일어서며) 내가 이러려고 면허를 땄나, 자괴감 들어..

혜정 너 말하지 마!! 말하지 마!!

4. 흥미유발 엔터 / 낮.

소진이 사무실을 가로질러 걸어간다.
당당함이 묻어나는 걸음.
직원들은 길을 비켜주거나 일어나 허리를 숙임으로써 존경의 표시를 한다. 한주와 통화 중이다.

소진 내일까지 촬영이라며?

한주 (소리) 네. 오늘 낮 분량 다 못 찍을 것 같다고, 오늘 분량을 내일로 몇 개 넘겼어요.

소진 밤새 찍고 내일 낮까지?

한주 (소리) 네. 스태프들 협의가 돼서요.

5. 드라마 세트장1 / 낮.

스태프들과 손 인사를 나누고, 가방에 간식거리를 나눠주며 전화 통화 중인 한주.

소진 치킨 먹는 장면은?

한주 그게 내일로 넘어가서 내일 딜리버리하면 될 거 같아서요.

소진 치킨 박스는··

한주 올리브유가 크게 적힌 곳이 보이게끔 배치하겠습니다.

소진 오케이. 신인 감독이라고 만만하게 보면 안 돼.
개 알아주는 고답이야.

한주, 멈칫 서서 멀리 모니터에 앉은 감독을 살펴본다.

한주 네·· 그래도 우리 주연 배우가 아이돌이니까 다행이죠.
말 잘 들을 것 같아요.

멀리 감독에게 90도 인사를 하는 풋풋한 여자 아이돌 주니가 보인다.

6. 흥미유발 엔터 / 낮.

소진 아, 우리 신입사원 들어왔다. 너한테 붙일 거니까 잘 가르치고. 내일 촬영장으로 보낼 거야.

한주 (소리) 네 알겠습니다.

소진, 자신의 사무실로 들어가며 신입사원을 부른다.

소진 신입. 방으로 들어와.

묵직하고 느리지만 패기 있는 신입의 목소리가 들린다.

재훈 (소리) 넵!

소진이 들어간 사무실 문엔 'CEO 이소진'이란 팻말이 보인다.

7. 은정의 집 거실 / 낮.

커튼 사이로 오후의 따사로운 햇살.

소파에 평화롭게 누워 책을 읽고 있는 은정.

창가 카우치에 반쯤 누워 그런 은정을 지그시 바라보고 있는 홍대. 아무 전조도 없이. 갑자기.

뭔가 떠오른 얼굴로 책을 덮는 은정.

은정 요리 어때?

홍대 응?

은정 이렇게 계속 아무것도 안 할 순 없어.
요리. 요리를 해보는 거야.

홍대 요리? 백 선생? 냉부?

은정 응. 요리 연구가들 보면 뭔가 정갈하고도 한국적인··
아 한식 요리 전문가로 해야겠다. (몸을 일으키며 주방으로)
아 우선 내가 해봐야겠어.

홍대 (말리고 싶다) 내가 알고 있는 넌 우유에 시리얼 마는 것 외에 주방에서 할 줄 아는 게 아무것도 없어.

은정 그러니까 재밌는 거지.

8. 은정의 집 주방 / 낮.

나름 그럴싸해 보이는 한식 요리들. 잡채 불고기 등.
4단 도시락통에 정갈하게 담고 있는 은정.
기특하다는 듯 그런 은정을 보고 있는 홍대의 시선이 주방 쪽으로 옮겨가면, 주방이 아주 그냥 개판. 전쟁터.

은정 우리 효봉이 갖다 줘야지~ 먹어볼래?
홍대 어떤 맛인지 알겠어. 전쟁터 맛.
은정 (그제야 뒤를 돌아보는.. 그 전쟁터..) 와.. 주방 이거 못 쓰겠다 이제.. 이사 갈까?

장난스럽게 웃는 은정이 그래도 사랑스러운.

홍대 하.. 어쩜 이래 구체적으로 사랑스러울까?

9. 플랜D 스튜디오 / 낮.

녹음 부스 안. 반주에 허밍으로 녹음을 하고 있는 효봉.
부스 밖. 부드러운 인상의 메인 프로듀서 전조문수(35세 남), 효봉의 허밍에 가볍게 그루브.
뒤쪽 소파에 뮤지션 승균, 상일, 솔비가 너부러져 나름 평화로운 한때. 허밍이지만 수준급 보컬 실력의 효봉.
음악이 마무리되자 스튜디오 문 앞에서 기다리고 있던 은정이 손을 흔든다.

누나를 보고 웃으며 손 흔드는 효봉.

은정　효봉이가 노래를 해요?

문수　아니, 배우가 주제곡 직접 부른다고 해서 급하게 데모 뜨는 중. 웹드라마.

은정　아~

효봉　(부스에서 나오며) 어쩐 일이야?

은정, 웃으며 도시락 바구니를 들어 보인다.
모두 은정을 보며 웃고 있지만 정지 화면 같다.
모두에게 이것은 생각해보기 힘든 그림이다.

효봉　뭐야? 도시락 폭탄이야?

은정　점심시간이잖아.

문수　오와.. 요리를 했어요? 은정 씨가? 괜찮아요?

솔비　우리 것도 있어 보이네?

은정　넉넉해.

와~ 하고 달려드는 작곡 팀. 뭔가 불안한 효봉.

Cut To

먹음직스럽게 펼쳐진 은정의 음식들.
감탄하는 문수와 작곡 팀. 뿌듯한 은정.
누가 먼저랄 것도 없이 젓가락을 들고 잘 먹겠습니다~~!!

제일 먼저 맛있게 한 입 넣었던 승균이 티슈를 뽑아 퉤—
뱉고 그냥 나가버린다.
모두가 음식에 놀라워하는 표정.
찡그리기도 어색해 환하게 웃음 짓는…

상일 도시락 폭탄 맞네. 이런 건 일왕의 생일날 가져가셔야지…

솔비 도시락 폭탄은 원래 자결용이고, 사실은 물통 폭탄을 던진 거거든. 자 우리가 물을 먹을 테니…

문수 어허. 그냥 먹어.

효봉 근데 이거 잡채 같은데? 아닌가?

은정 명칭이 뭐가 중요해… 그냥 씹어.

효봉 잡챈데 비린 맛이 나.

은정 응 간장인 줄 알고 멸치 액젓을 넣었어.

효봉 아~ 많이 넣었네.

솔비 와우… 그런데도 버리지 않고 완성을 해버렸어.

상일 추진력. 뚝심. 정치를 하시지 왜 요리를…

문수 야. 다들 왜 그러니… 먹을 만하구만. 먹을 수 있어요 은정 씨. 더한 일도 하고 살았는데 뭐.

함께 웃으며 어쨌든 먹는 효봉과 문수.
처음부터 끝까지 일관되게 웃고 있는

은정 다 먹어요 그럼.

문수 …네?

은정　남기면 죽는다.

조용히.. 어쨌든 먹는 작곡 팀..

은정　아까 나간 새끼 잡아 와.
잡히면 처 맞으면서 먹는 거야.

갑자기 들어와서 젓가락을 드는 승균.

10. 플랜D 건물 복도 / 낮.

다시 의욕이 사라지고 표정이 없는 은정..
위로하듯 그녀의 옆에서 함께 걸어주고 있는 홍대.

은정　뭐.. 내가 요리를 한다는 건 아니었고..
그 세계를 보여주려면 내가 잘 알아야 하니까..
홍대　맞아. 니가 요리를 잘할 필요까지는 없어.
은정　그냥 하고 싶은 말을 해. 괜찮아.
홍대　그래도 돼? …쟤들은 맛을 몰라.
살도 안 찌는 미개인들.

조금 기분 좋아지는 은정.
보조개 드러나는 미소 지으며 엘리베이터 버튼을 누르려는데, 문이 열리며 공간을 압도하는 아우라를 내뿜으며 소민이 내린다. 매니저 민준의 에스코트를 받고 있다.
소민을 알아본 은정이 무심결에 아는 척을 할 뻔했으나‥ 무심하게 은정을 스쳐 지나가는 찰나, 선글라스 안으로 은정을 힐끔 훑고 지나는 눈빛이 보인다.
민준에게 밀려 몇 발짝 물러서게 되는 은정. 다소 불쾌한.
엘리베이터 문이 닫힐 때쯤 한 20대 초반의 여성이 올라타고, 대수롭지 않게 여기겠다는 듯 시선을 접고 엘리베이터를 타는 은정.

11. 플랜D 건물 엘리베이터 안 / 낮.

대수롭지 않게 여기려고 했으나‥ 기분은 별로인

은정 나랑 눈 마주쳤는데? 쌩까네?
홍대 쌩깠어? 용감하네.

앞에 있던 20대 초반의 여성은 고민이 많다.
아주 어설픈 모양새로 3분의 1쯤 뒤돌아 은정에게 인사를 한다. 이 액션이 맞는 건지 몰라 그 액션이 심히 소심하다.

은정 얼굴 좀 달라졌는데? 살을 뺀 건가 턱을 깎은 건가‥

20대 여성‥ 턱 깎았나 보다‥ 자신의 턱을 만지는 떨리는 손길‥ 불안한 눈빛‥

홍대 그래서 못 알아볼 줄 알았나 보다.

은정 (순간 표정 싸한) 누가 더 예뻐?

홍대 1초도 고민 안 하고 너.

여성 (질문인가….) 언니..요..

여성, 하지 않아도 될 대답을 하고 불안한 눈빛으로 돌아본다. 은정이는 뿌듯하게 웃고 있다.

그 뿌듯함이.. 무섭다.

12. 플랜D 스튜디오 / 낮.

선글라스를 벗으며 들어오는 소민 일행.

다소 가식적이지만 나름 친절한 소민, 효봉을 비롯한 팀원들에게 성의껏 인사한다.

소민 안녕하세요~ 안녕하세요~

솔비 (커피를 건네며) 오실 줄 알고 커피.

소민 어머 고마워요.

문수 어서 오세요. 누추합니다. 하하.

소민 누추 안 해요. 사람이 인테리언데? 언제 봐도 프로방스한 스타일. 프로듀서님은 옷 어디서 사요?

문수 그냥.. 뭐.. 하하.

소민 왠지 프랑스 남부 어딘가를 여행하던 도중 단조롭고 소박한 어느 작은 상점에서 구입한 것 같은 느낌이랄까?

효봉　　동대문에서 산 거 아니야?

소리에 돌아보면 소민을 보며 웃고 서있는 효봉.
그런 효봉을 알아보고 반가운 표정을 짓는 소민.

문수　　아니, 남대문.
효봉　　누나 나 기억해요?
소민　　와.. 여기 있는 건 알고 있었어.
문수　　아는 사이?
효봉　　우리 누나의.. 음.. 아직 친구죠? 아, 방금 누나 나갔는데?
소민　　응. 인사했어. 이게 얼마 만이지? 너 고등학교 때니까..
효봉　　8, 9년 정도?

소민은 잘 큰 효봉이가 맘에 드는 눈치다.

소민　　그땐 참 재밌고 귀여웠는데. 이제 멋있기까지 하네?
효봉　　돈도 벌어요. 결혼도 안 했고.
문수　　(재미있다는 듯 웃으며) 자~ 우리 데모가 아직 정리 안 돼서요. 효봉이가 한 번 해줘야겠다.

Cut To

녹음 부스 안에 효봉. 전주가 시작되고..
효봉의 감미로운 목소리가 스튜디오 안에 퍼진다.
녹음 부스 밖 소민을 바라보며 전하는 감정.

가사가 없지만 고스란히 느껴진다.
사랑하는 사람에게 전하는 애틋함. 소민은 점점.. 그런 효봉에게 빠져든다.

13. 제이비씨 앞 / 낮.

주차를 마치고, 짐짓 점잖게 뒷짐을 지고 혜정의 뒤를 따라가는 진주.
지나는 사람들 하나하나를 아랫것들 보듯 쓸어본다.

진주 (소리) 내 비록 드라마 작가라는 원대한 꿈을 안고 운전기사나 하고 있는 형편이지만.. 작가로서의 자아를 버리진 않는단 말이지. 방송국, 봐라. 관찰하고 뜯어 볼 인간 군상들이 얼마나 많은가..

소품들을 바리바리 들고 스타렉스로 뛰어가는 20대 초반의 여성.

진주 (소리) 예능팀 막내 작가로군. 아무리 바빠도 메인 작가 뒷담화 깔 시간은 보장해 줘야 돼.

방송국 입구. 퀭한 얼굴로 쪼그려 앉아 핸드폰 보고 있는 20대 중반의 남성.

진주 (소리) 극한직업. 연예인 매니저. 매니지먼트 노조가 생기는 그날까지 파이팅.

14. 제이비씨 안 / 낮.

재잘재잘 떠들며 지나가는 50대 아줌마 무리.

진주 (소리) 하이고·· 콘서트 7080 보러 온 언니들. 일찍도 오셨네. 살아보니 최백호 오빠만큼 나한테 맞는 사람이 없지요?

많은 사람들이 지나는 중 손들어 인사하며 다가오는 범수.

진주 (소리) 허나·· 오늘의 집중 탐구 대상은··

혜정 출근을 잘 하시나 보네?

범수 구내식당 밥이 맛있어서요. 가요, 밥 먹게.
아, 진주 씨~ 살쪘나 봐요?

진주 (소리) 보아라·· 나이스하면서도 진중한 태도로 상대방의 폐부를 단번에 쑤시고 들어오는 유연한 드립.

진주 아 뭐 살. 찔 때 있고 빠질 때 있고. 시즌이 있어요.

범수 (자상하게) 아 지금은 비시즌이구나.

뱉은 말의 내용과 사뭇 어울리지 않는 살인미소를 던지고 안내하는 범수.

진주 (소리) 보아라‥ 순진한 미소로 위장한 계획된 조롱.
보통 놈이 아니야.

15. 제이비씨 구내식당 / 낮.

직원들로 북적이는 구내식당.
이 멋진 메뉴를 보란 듯이 안내하는 범수.

혜정 음. 맛있는 냄새.

범수 맛은 그 이상이고 맛도 맛인데 구성이 진짜 좋아요.
우리 영양사가 실력파거든. 저기.

범수가 가리키는 곳을 보면 영양사 다미(20대 중반)가 제육볶음을 뒤섞고 있다. 진주의 시선엔 예쁜 다미와 다른 쪽에 조금 못생긴 영양사 보조, 두 명이 보인다.

범수 음. 오늘 유독 못생겼네. 가서 놀려야지~

진주 (소리) 여봐 여봐. 저러고 사는 인간이야.

진주의 예상을 벗어난 경로.
예쁜 다미에게로 향하는 범수.

범수 술 먹었어?

다미 (슬쩍 흘겨보는)

범수 아 눈이 부은 게 아니고 그냥 못생긴 거구나.

진주 (소리) 어디 가?

다미 (안 되겠는지) 감독님.

범수 응?

다미 나 감독님 좋아해요.

진주 (소리) 엄머.

범수 (밥 푸며) 응. 난 싫어. 못생겨서.

다미 (제육 퍼주며) 진심이에요.

범수 (스치듯 당황) 응. 내가 졌다. 똑똑하네.

국을 집어 들고 피하듯 돌아서는 범수.
그에게서 시선을 거두지 않는 다미.
그런 둘을 각자 다르게 해석하며 흥미롭게 쳐다보는
진주와 혜정.

Cut To

자리를 잡고 앉아 식사를 하는 범수, 혜정, 진주.

혜정 (다미를 가리키며) 쟤 진심 같은데? 고백.

범수 느꼈어요? 아.. 어떡하지?

진주 (소리) 뭐야 이거?

귀신처럼 옆으로 앉는 다미.

가지고 온 계란 프라이를 범수 옆에 놓아준다.

나비 느꼈겠지만 진심이에요.

범수 응. 그래. 그렇게 됐구나.

다미 (범수가 뜬 밥 수저에 찬을 올려주며) …진심이라구요.

범수 (말 끊으려는 반 박자 빠른) 알았어. 밥 먹잖아.

며칠 맘고생 한 듯 보이는 다미의 눈이 슬픈 투정을 부리고 있는 것만 같다.

진주 (소리) 와우‥

다미 언제부터였냐면‥

범수 알았어. 미안해. 이제 진짜 안 놀릴게. 더군다나 외모 가지고 그러는 게 아니었는데‥

다미 그때부터에요. 나 못생겼다고 놀리기 시작할 때부터 하루종일 생각나고 보고 싶어 죽겠는 거예요.

범수 후‥

다미 사람 감정이란 게 참 철이 없어요. 제멋대로잖아.

내가 어떻게 할 수가 없네요. (고기 올려주며) 좋아해요.

범수 (짜증) 아 나 고기 싫어해!

다미 (지지 않고 버럭) 아 그럼 푸질 말았어야지!

범수 (이런 미친!!) 니가 퍼줬잖아!

다미 갖다 대질 말았어야지 그럼 식판을!! 그리고 회식 때 삼겹살 그렇게 먹어 놓고 뭐 갑자기 싫어져 고기가!

주변 사람들, 이런 둘을 보며 키득키득.

범수 갑자기 싫어! 뭐! 그리고 남에 회식엔 왜 따라와!

다미 내가 남이에요?!!

범수 그럼 니가 뭔데 빙구야!

다미 왜 욕을 해요!!

범수 빙구가 뭐 욕이야 이 빙구야!

다미 왜 고백한 사람한테 빙구래!!

범수 아 왜 밥 먹는데 고백해?!

다미 밥 풀 때 했어요!

범수 아니 여기 구내식당. 응? 응?! 구내식당에서 무슨…! 뭐야 이게 채신머리없게!

다미 나가요 그럼 다시 하게! 어디 유희열의 스케치북 이런 데 가서 할까?!

머리를 부여잡는 범수. 포기.

혜정 재밌네.. 아니 뭐 고백하다가 싸움이 나?

다미 (진정하고 일어서며) 영화 예매했으니까 7시에 로비로 나와요.

도대체 이 상황이 이해가 되지 않는.
이상해서 괜히 주변을 둘러보게 되는

진주 (소리) 뭐야‥ 여기 뭐 하는 데야 도대체‥

16. 제이비씨 내 커피숍 / 낮.

빨대로 아이스 아메리카노를 빨아먹고 있는 범수.

마주 앉아 역시 빨대를 물고 있는 진주와 혜정.

진주 (소리) 빈틈. 이 재수 없는 것의 매력 포인트는 어쩌면 빈틈인지도 모르겠다. 사회적으로 성공한 자의 빈틈은 인간적으로 느껴지기도 하니까‥ 근데‥

또르르르르― 소리 내며 마지막까지 쪽쪽 빨아대는 범수.

진주 (소리) 와‥ 빈틈 너무 큰데 이거?

혜정 뭐 구내식당 밥이나 먹이려고 부른 건 아닐 테고.

범수 그거 먹이려고 부른 건데요? 식권 비싸요 우리.

혜정 그래요 뭐. 맛있게 먹었고. 어떻게? 대본은 읽으셨고?

범수 아 저는 빠지려고요.

혜정 …응?

진주 (소리) 오늘 전개가 왜 이러냐‥ 예상을 못 하겠네.

혜정 뭔 말이지?

범수 작가님 드라마에서 빠진다고요.

혜정 (헛웃음) 농담 같지가 않네?

범수　재미없을 거면 안 치죠. 농담.

혜정　‥일하다 보면 기분 잡치는 일 부지기수니까.
일단 잡친 기분 누르고 물어봅시다. 왜요?

범수　안 읽혀요. 대본이.

혜정　그럼 수정을 요구하는 게 일반적인데?
물론 난 수정 안 해주겠지만.

범수　죄송하지만‥ 뭔가 이 가슴이 폴짝폴짝 뛰지 않는달까.

혜정　(짜증) 가슴은 콩닥콩닥 아니야?

범수　폴짝폴짝이든 덩실덩실이든.

혜정　가슴이 덩실덩실 뛴다고?

범수　(진주에게) 덩실덩실 뛴 적 없어요?

진주　뭐‥ 가끔 나풀나풀 뛰기도 하고‥

혜정　야!

진주　죄송합니다.

혜정　후… (진정) 케이블에서 스카웃 제의 많이 받더니,
옮기시겠구만?

범수　돈 보고 움직일 거였으면 벌써 갔죠.

혜정　돈이 보일 만큼 커졌나 보죠.

범수　아직. 안 보여요. 뭐, 데스크엔 말했고, 실력 있는 감독님들 많으니까‥ 그리고 대 정혜정 작가 작품인데 뭐 걱정도 안 되고.

혜정　귀엽네. (일어서며) 내가 드라마 판 선배로써 충고 하나 할게.

범수　(귀 막고) 아아아아아앙… 안 들어. 안 들어. 충고 싫어. 아아아앙~

범수의 드립에 할 말을 잃은 혜정.
신세계를 보는 듯한 진주의 표정.

진주 (소리) 와.. 니가 이겼다.. 모질인데.. 닮고 싶어..

17. 드라마 세트장1 / 밤.

고답이 감독이 조감독을 혼내고 있다.

고답 뭐 하고 있냐고 이 새끼야!!

그 소리에 한쪽에서 쪽잠을 자고 있던 한주가 놀라서 깬다.

한주 (잠결에 자신이 혼난 줄) 아 네 죄송합니… (아니구나)

한참 혼나던 조감독이 분주하게 움직이며 스태프들에게 외친다.

조감독 23씬부터 찍겠습니다! 23씬부터 찍습니다!!ㄴ
좀 빨리 움직이실게요!!

한주, 부스스 덜 뜬 눈을 부비다 희번득.
급하게 조감독에게 달려간다.

한주 조감독님!! 23씬은 치킨 먹는 씬인데요?

조감독 네.

한주 내일 찍는다면서요.

조감독 배우가 갑자기 스케줄 조정을 요청해서. 아이돌이잖아요. 이해해주세요.

한주 아니아니. 나도 아이돌 좋은데. 치킨을 먹어야 되잖아요.

조감독 네. 먹죠.

한주 새벽 다섯 신데? 이 시간에 어떻게 치킨을··

조감독 스케줄 어그러져서 찍지도 못할 판에 그게 중요합니까?

한주 약속은 순결하죠! 회사랑 작가님이랑 다 합의된 거예요.

조감독 어떡해요 그럼. 찍는 게 중요하지 치킨은 뭐··

한주 치킨은 위대하죠! 희생이니까! 목 잘리고 털 뽑히고 토막 나고 반죽되고 170도 기름에··

조감독 아 전 몰라요. 치킨도 안 먹어.

한주 제정신이세요? 치킨을 안 먹어요?

그때 옆으로 지나가던 고답이의 팔목을 잡고 늘어지는 한주.

한주 감독님!!

고답 (쉿. 다 안다는 듯) 우리 쪽 책임도 있으니 시간 드릴게요. 한 시간. 더는 안 돼요. (조감독에게) 24씬부터 찍자.

조감독 아, 네.

한주 한 시간이요? 새벽인데….

고답 안 되겠어요?

한주 아니요! 돼요! 감사합니다!!

18. 세트장1 밖 / 새벽.

뛰다시피 걸어 나오며 어딘가로 통화 연결하고 있는 한주.

한주 고답인 줄 알았더니 융통성 있네. 아니지 이 정도면 사이다지. 아 여보세요! 실장님!

실장 아니.. 뭐 새벽부터..

한주 비상! 비상! 치킨 좀 튀겨주세요!

실장 아 뭔 소리에요.

한주 스케줄이 갑자기 꼬여서 우리 피피엘 들어갈 거 지금 필요하거든요.

실장 아니.. 무슨.. 전 본사 직원이에요.

한주 그러니까 전화드렸죠! 여기 방송국 앞에 제일 가까운 지점 거기 점주한테 전화 한 번 해주시면 되잖아요.

실장 아 거 말도 안 되는 소리를..

한주 우리가 하는 일이 언제는 그렇게 말이 됐나요? 급해요 진짜 실장님. 한 시간. 아니 오십오 분 남았다니까요!

실장 아 말이 적당히 돼야 들어주죠! 저 그리고 오늘 쉬는 날입니다! 새벽부터 너무하시네..

한주 (전화를 끊어버리는 실장) 실장님! 실장님!! 엄마....

걸음을 멈추고 허망하게 하늘을 바라보는 한주.
희붐한 새벽빛.. 울상이 되어 어딘가로 다시 전화를 건다.
한 번이 채 울리기 전에 받는 상대방.

소진　(소리) 시간을 보니 비상이네. 말해.
한주　(울먹) 대표님….

19.　거리 / 새벽.
잘 뛰지도 못하는 한주. 열심히는 뛴다. 최선이다.

20.　예스치킨 매장 앞 / 새벽.
헉헉거리며 뛰어와 매장 앞에 서는 한주.
오바이트 쏠리는 와중 열려 있는 문이 반갑다.
급히 들어가면..

21.　예스치킨 매장 안 / 새벽.
닭 튀기는 소리가 빈 가게 안을 가득 메우고 있다.
숨 차는 와중 치킨 냄새에 므흣— 미소 머금는 한주.
조심스레 주방으로 다가가 안을 살피면,
체크 셔츠에 베이지 면바지를 입은 한 사내의 뒷모습.
앞치마도 두르지 않은 채 튀김기 앞에 서있다.

한주 안녕하세요, 사장님.

사내 돌아보면, 재훈이다. 20대 중반. 얼굴 천재. 우유인가 살갗인가. 샤랄랄라 효과음이 들린 것인지 그가 너무 슬픈 눈이라 놀란 것인지 모를 한주.

한주 알바·· 직원분···?

애써 눈물을 삼키고 한주에게 꾸벅 인사하는 재훈.
영문 모를 서글픔과 깍듯한 인사에 조급함이 달아나는 한주.

재훈 안녕하세요, 선배님.
한주 ····에?
재훈 신입사원 추재훈입니다. 대표님 지시받고 나왔는데요. 제가 바로 앞에 살아가지고··
한주 (그러고 보니 재훈 머리 까치집) 아··· 근데 왜·· 슬퍼요?
재훈 아·· 죄송합니다. 그·· 제가 사회 초년생·· 첫 회사·· 첫 출근인데·· 첫 임무가···· 첫 임무가·· 셔터 자물쇠를 뽀개는 일이었습니다···

문 쪽을 보면 처참하게 절단된 자물쇠와 절단기.

재훈 회사 입사와 동시에·· 교도소 입소를 하게 되는 것인가··

그게 좀.. 무서워서. 하하.. 뭐..

한주　아.. 네.. 그... 대충 익었으면 건지시죠.

재훈　네? 아.. 대충 튀기면 핏물 보입니다.

한주　(다급) 괜찮아요, 시간 없으니까 건지세요.

재훈　아.. 네. 그럼 건지고 한 번 더 튀기겠습니다.
그래야 바삭하니까..

한주　건지라고!!

22.　거리 / 아침.

치킨 두 봉지씩 들고 열나게 달리는 한주와 재훈.

23.　드라마 세트장1 / 아침.

주니　안 먹어요.

세상 잃은 표정으로 나란히 서있는 한주와 재훈.
그 앞엔 천진하게 눈만 껌뻑이고 있는 주니가 앉아있다.

한주　왜.. 왜요 주니 씨?

주니　살쪄요.

한주　아침에 먹으면 안 쪄요.

주니　아침에 먹다가 쪘어요.

한주 그쵸. 제가 알죠, 그거. 그럼·· 씹다가 컷 하면 뱉으세요. 호호 쾌적하게 뱉으실 수 있게 (봉지 내밀며) 이렇게 컬러감 있는 봉다리를 준비해 봤어요.

주니 다이어트하는 사람한테 치킨을 입에 넣었다 뱉으라고요? 차라리 칼을 배에 꽂았다 빼세요. 그게 덜 고통스럽겠네요.

한주 그 고통 알 것 같아서·· 정말 미안함이 느껴지지만·· 이건·· 감독님도 오케이 한 건데요.

주니 난 오케이 한 적 없는데.

한주, 저 멀리 고답이 감독에게 도움을 요청하듯 쳐다보지만 쌩까는 고답이.

한주 한 번만·· 도와주세요··

주니 한 번만·· 도와주세요··

한주 (울먹이며) 저희 진짜 어렵게 튀겨 왔어요··

울기 직전의 한주에 앞서 울기 시작하는 주니.
으아아아앙~~

감독 (깜짝 놀라 뛰어오며) 이것보세요!!! 우리 배우 가지고 뭐 하는 겁니까!! 당신들 나가! 나가!!!

24. 여의도 화단 어딘가 / 아침.

분주하게 출근하는 사람들.

그 사이 이질감이 느껴지는 두 사람.

한주와 재훈이 아무 화단에 걸터앉아있다.

두 사람 사이엔 식어버린 치킨 네 마리‥ 그걸‥ 먹고 있다.

재훈 ‥퍽퍽살 좋아하세요?

한주 아니‥ 퍽퍽살은 살 안 쪄요.

재훈 아‥ 살‥ 안 찌신 거 같은데‥?

한주 남자는 절대 볼 수 없는 게 있어요. 보지 마세요.

재훈 (당황) 아 죄송합니다. 보려고 본 게‥ 아 보려고 본 거구나‥ (일어나서 꾸벅) 죄송합니다.

한주 (당황. 일어나서 꾸벅) 어머나 어머나 왜 이러세요. 아니에요.

분주한 회사원들 사이 귀여운 이질감.

재훈 아 그럼‥ 튀김옷을 좀 벗겨드릴까요?

한주 저는‥ 튀김옷이 없는 것을 치킨이라 하지 않아요‥

재훈 아‥ 그쵸‥ 맛있네요. 아침에 먹고, 퍽퍽살이니까, 살도 안 찌고.

한주 그쵸. 잘 먹네요.

재훈 치킨을 좋아해서요, 전에 왕갈비통닭집에서 주방보조로 알바도 하고 그랬어요.

한주 그래서 잘 튀겼구나‥ 아~ 날씨 좋다.

재훈 네. 미세먼지 농도도 보통이고. 아 식어도 맛있다.

25. **은정의 집 주방 / 낮.**

주방에서 뭔가 음식을 완성한 듯 보이는 은정.

짜잔— 접시를 보이며 돌아선다.

은정 잡채밥!

식탁에 앉아있던 홍대가 박수 쳐준다.

인서트

비워진 잡채밥 그릇.

26. **은정의 집 거실 / 낮.**

소파에 벌러덩 누운 은정과 카우치에 발 뻗고 앉은 홍대.

한낮의 평화.

홍대 맛있게 먹었어?

은정 인생의 비린 맛을 한 접시 해치운 기분이랄까.

홍대 양을 너무 많이 했어.

은정 두 끼만 꾹 참고 먹으면 처리할 수 있을 것 같아.

홍대 그래.. 두 끼 정도.. 그 정도만 지나가면 괜찮아질 거야.

은정 뭐가?

홍대 뭐든. 하고 싶은 것을 찾는 것이든.
하고 있는 일을 잘하는 것이든.

은정 그래. 지나가는 건‥ 경험이라 치고. 근데 나… 생각이 너무‥ 뭉툭해졌어‥ 이 뱃살처럼‥

홍대 난 너 멋있는데.

은정 뭐가?

홍대 시행하는 것에 주저함이 없고 착오에 대해 책임감 있고.
다시 진지하게 고민하고. 그거 힘든 거야.

은정 ‥나도 너 멋있어.

홍대 응?

은정 누가 이런 말 좀 해줬음 좋겠다 싶으면 여지없이 자기가 해주더라.

홍대 음‥

은정 (벌떡 일어나 앉아) 그런 의미에서. 나 기부할래. 난 돈이 너무 많아. 스스로를 게으르게 만들고 있어.

홍대 그건 좀 단순한 계산 같은데?

은정 의미 있게 비우는 게 나를 위한 투자 같아.

홍대 그래. 난 뭐든 널 존중하지만‥
반발 세력이 만만치 않을 거야.

은정 그래서 상의하지 않으려고.

흐뭇하게 웃으며 서로를 바라보는 둘.

27. 혜정의 작업실 / 낮.

프린트된 원고를 거실 허공에 던져버리는 혜정.

그녀 앞에 우두커니 선 진주.

쏟아지는 A4 눈을 맞나가 한 장 주워들고 고개 숙여 바라본다. 그 투샷을 흥미롭게 관전하는 보조 작가들.

혜정 (화를 삭이며) 후.. '방으로 재빨리 도망가 버리는'이라고 표현하면 쉬운 거잖아? 방으로 슝? 방으로 슝? 니가 작가야?

진주 방으로 슝. 하고 읽는 사람이 어딨어요? 방으로 슈우웅~! 하고 읽지. 그럼 재빨리 도망간단 표현이 되죠.

혜정 (한 번 더 삭이며) 아니.. 슝?

진주 슝. 아니고 슈우웅~!

혜정 그래 슈.. 슈웅!! 근데 우린 작가잖아? 근데 이게.. 슝.. 슝? 최소한 이해는 되게 써야지. 슝이 뭐야?

진주 아니 방으로 슈웅 하면 슝 들어가지 슝 엎드리겠어요? 이거 다 알아듣는데? 그것도 아주 쉽고 재밌게. (대본을 내밀며) 그리고 작가님은 여기 '강팍하게'라고 쓰셨죠. 강팍? 강팍이란 단어를 요즘에 누가 써요? 모르는 단어를.

혜정 요즘 애들이 안 쓰면 안 쓰는 게 작가니? 우리말 나들이 부정하는 거야? 국어 파괴에 동참하는 게 작가의 길이냐고? 니가 작가야?!

진주 행동지문이잖아요! 이거 서점에 내다 팔 거면 나도 슝! 안 쓰고 강팍.. 아 발음도 안 돼. 아 뭐 그런 단어 쓰죠. 근데 이건 스태프들 배우들이 이해하기 쉬우면 되는 거잖아요?

혜정 (삭이기‥ 힘들다‥) 너‥ 나가. 흔한 말로 짤리는 거야. 넌.

진주 (헉!!) 싫어요! 부당합니다! 못 나가요 전!!

혜정 그래? 그럼 내가 나갈게.

바로 현관으로 직행하는 혜정.
위기의 진주, 그보다 앞서 현관으로 뛰어가 드러누워 버린다.

진주 저도 못 나가고! 작가님도 못 나가십니다! 가시려거든!! 저를 밟고 가세요! 사뿐히 지르밟으세요!!

진주 (소리) 사뿐.

사뿐 소리에 맞춰 사뿐히 밟히는 진주.
혜정은 그대로 나가버리고 허망한 진주의 얼굴만 바닥에 남는다.
뜬금없는 성우의 목소리로 내레이션이 시작된다. (친절한 금자씨나 군도의 내레이터)

성우 (소리) 충동적인 결단이 아니다. 저 가련한 피고용인을 사뿐히 지르밟은 고용인에게는 나름의 차고 넘치는 이유가 있다.

28.　　제이비씨 내 커피숍 / 낮.

＊플래시백 - 16씬.

범수　……안 읽혀요. ……아아아앙 안 들어 안 들어. 충고 싫어. 아아아앙‥

범수의 드립과 그걸 바라보는 혜정의 우두망찰한 표정. 고속. 그 와중에 진주를 신경 쓰고 있는 혜정의 외툰 시선. 웃음을 참고 있다는 것을 알리는 진주의 벌렁이는 콧구멍.

성우　(소리) 자존심. 강자에겐 스스로를 지키는 품위.
약자에겐 알량함이라고도 무시 받는 명사.
혜정은 강자이고. 모진 풍파를 거친 강자의 자존심은 두 가지 유형으로 자리를 잡게 되는데. 유연하거나 집착하거나.
이 경우는 집착에 해당된다. 그날 피고용인은 봐선 안 될 것을 보고야 말았다.
자신의 자존심이 처참히 짓밟히는 모습. 그게 해고의 이유? 너무 가혹한 것 아니냐고?
아니 이 일이 있기 훨씬 전부터‥

29.　　과거 / 혜정의 방 / 밤.

열린 문틈 사이로 노트북을 펼치는 혜정이 보인다.

'진주버전'이라는 한글 파일을 펼쳐본다.
얼마나 읽었을까 풉— 자기도 모르게 웃음이 나오는 혜정. 혹시라도 이 웃음이 들킬까 얼른 감추며 괜히 바깥 진주를 살핀다.

성우 (소리) 자존심이 집착으로 자리 잡은 강자는 아주 쉽게 열등감을 느끼고. 그것을 사실로 받아들이는 사고가… 없다.

30. 과거 / 혜정의 욕실 / 밤.

거품 욕조에 몸을 담그고 여유롭게 책을 읽고 있는 혜정. 순간 거실에서 수다를 떨고 있는 보조 작가들의 목소리에 귀를 기울인다. 어느 순간 그 소리들이 비현실적으로 크게 들린다.

수희 (소리) 난 솔직히 진주 언니가 쓴 글이 참 잘 읽혀.
사랑 (소리) 그치. 형식에 얽매어 있지도 않고.

31. 과거 / 혜정의 작업실 / 밤.

차를 마시며 수다를 떨고 있는 진주, 수희, 미영, 사랑.

진주 난 인터넷 소설을 순수문학이라 여기고 자랐어.
그게 뭐 어때서?

미영 재밌다는 거지.

수희 (속삭이듯) 진짜 솔직히.. 작가님 거는 읽기 좀 어렵지 않아?

사랑 좀.. 올드하긴 하시지.

수희 아 언니 이번에 공모전 낼 거지? 준비했어?

진주 그거 작가님 허락받아야 되는 거 아닌가..

사랑 그걸 왜? 개인이 준비해서 내는 건데.

진주 사실.. 여기서도 좀 썼거든..

32. 과거 / 혜정의 욕실 / 밤.

집짓 흔들리지 않는 표정이지만.. 뜨거운 커피를 꿀꺽 삼키고 있는 혜정. 뜨거운 티 내지도 않은 채 찬물을 틀어 샤워기를 입에 갖다 대는..

성우 (소리) 집착은… 자신을 객관화시키는 기능을 쉽게 제거하고, 약자의 단점을 극대화해 받아들이는 기능을 키운다.

33. 혜정의 작업실 / 낮.

***플래시백 - 27씬.**

진주의 머리 위로 떨어지는 A4 용지들..

혜정 슝? 슝?? ……나가.

떨어진 용지에 부각되어 보이는 '슝—'이란 단어‥

페이드아웃.

34. 진주의 본가 주방 / 밤.

서른 평 남짓한 평범한 가정집. 주방.

식탁에 앉아 진수성찬 집밥에 소주를 마시고 있는 진주.

이미 만취.

다채로운 형태의 진상. 울다가‥

진주 (웃다가‥) 와하하하! (잘도 먹으며‥) 맛있어 죽겠어! 집은 역시 가끔 와야 돼! 이렇게 맛없는 것도 이렇게 맛있잖아!

진주 모 (뭔 소리야…)

진주 (그러다 또 급 진지) 엄마. 엄마 나를 왜 낳았어?

진주 모 넌 왜 나왔는데?

진주 나야 엄마가 낳았으니까.

진주 모 나도 니가 나오니까.

진주 그래‥ 그럼 이왕 낳는 거 잘 좀 갖춰서 낳지 그랬어.

진주 모 이왕 나오는 거 준비 좀 잘해서 나오지 그랬냐?

진주 와하하하하. 아 스트레스 풀려. 역시 집이 좋아!
자 자 한잔해! 에이 아빠 왜 술을 꺾어?

진주 부 ‥안 먹은 거야. 못 먹으니까.

진주 아 맞다! 아빠 술 못 먹지! 와하하하!!

그때, 백팩을 멘 지영이 현관으로 들어온다. 마치 기다렸다는 듯 샤넬 쇼핑백을 지영에게 휙— 던져주는 진주.

진주　우리 동생!!

지영　(쇼핑백 보면 명품 가방) 뭐야… 뭐야 이거?

진주　동생 해~

지영　미쳤네.. 공시생한테..
학원에 이런 걸 들고 가는 애가 있나?

진주　없으니까 니가 해! 공시생이면 뭐? 명품백 들면 안 돼?
뭐 죄지었어? 니가 나랏돈을 빼먹었냐? 국정을 농단했냐?

진주 모　(접시 치우며) 야 그만 먹어. 너 얼마나 먹는 거야?

갑자기 또 낯빛이 바뀌고 색다른 형태로 미쳐서는

진주　으아아아!!! 왜? 왜 먹지도 못하게 해!!

진주 모　(깜짝이야!) 많이 처먹었으니까!!!

진주　왜 소릴 질러!!

진주 모　넌 속삭였냐 이년아!!

진주　(갑자기 웃으며) 화낸 줄 알았지? 바보~ 나 갈래!
가서 또 먹을 거야! (일어서며) 안뇽~

갑자기 어깨가 축— 쳐지는 진주의 뒷모습.

씁쓸하게 그녀의 뒷모습을 바라보는 가족들..

35. 은정의 집 거실 / 밤.

여전히 미쳐있는 진주. 치킨에 족발 홍어삼합까지 깔아놓고 술. TV엔 부위별 살 빼는 운동. 친절한 운동 강사.

"쫘악— 조이는 느낌을 받으면서··" 열심히 먹으며 따라하는데 요상한 자세의 진주.

샤워하고 나온 은정이 미쳐있는 진주를 멀뚱히 바라본다.

진주 으헤헹·· 은정아~ 왜 부위별로 살을 빼? 뭔가 드럽게 맘에 들지 않아·· 그래서·· 부위별로 살찌는 운동을 하고 있어. 자·· 봐·· (족발을 입에 넣고 누워 엉덩이를 바닥에 비빈다)

이건 엉덩이의 탄력을 없애주는 운동이야. 쫘악— 퍼지는 느낌을 받으면서 족발을 세 개·· 소주 한 모금·· (엎드려 누워 비비며) 자 이건 뱃살을 늘어지게 해주는 운동이야··

식스팩 아니죠~ 원팩! 이렇게 뒹굴러주고··

치킨 다리 두 개·· 힘들다고 절대 소주를 거르면 안 돼용~ (원샷)

은정 하·· 인생 참 굴곡지다··

고개를 가로저으며 주방 입구에 있는 체중계에 오르는 은정. 순간·· 진주와 비슷한 표정이 스치고 간다··

현관문 열리는 소리에 괜히 놀라 체중계에서 내려오는 은정. 발로 툭툭— 몇 번 쳐서 흔적을 없앤다.

인국과 함께 축— 힘 빠진 채 들어오는 한주. 진주에게 달려가 치킨을 집어먹는 인국.

한주　　황인국! 손! 손 씻어!

한주의 말은 쌩. 치킨을 먹으며 진주를 따라 하는 인국.

한주　　아… (식탁 의자에 털썩) 이 울림 없는 메아리. (충격에 멍 때리고 있는 은정을 보고) 후… 쟤는 왜 저러고… 너는 왜 이래…?

은정　　응? 그냥… 뭐… 굴곡지니까…

한주　　응?

진주　　한주야 언니가 너 좋아하는 치킨 사왔어! 일루 와!

한주　　먹었어, 치킨. 아침으로 두 마리.

은정　　응?

TV 화면. 몸이 단단해지는 방법을 설명하고 있는 강사.

진주　　왜 몸이 단단해야 되는데!! 그래? 나도 단단해!!
머리통!! 머리통이 단단해!! 팔꿈치도 단단해!! 무르팍도 단단해!!! 그럼 됐지!!!!
마음은… 안 단단해… 그럼… 별로야?

36.　진주의 본가 안방 / 밤.

화장대에 앉아 크림을 바르다 문득 눈시울이 붉어지는 진주 모. 세면을 마치고 방으로 들어온 진주 부, 그런 아내를 잠시 바라본다.

진주 부 또 잠 못 주무시겠고만··

진주 모 요즘 애들 참·· 힘든 거 같아··

진주 부 (아내의 어깨를 잡아주며) 애들 힘든 건 어른 탓인데··
우리 애들도·· 애들이 아닌 나이가 돼버렸네··

토닥토닥 아내의 어깨를 토닥토닥··

37. 은정의 집 / 밤.

어두운 집. 거실에 그대로 대자로 뻗어 잠이 든 진주의 모습·· 샤워를 마치고 나와 하품을 하며 자연스레 체중계로 올라가는 한주.

38. 은정의 집 전경 / 밤.

한주 꺄아아악!!!!

울리는 비명 소리.

39. 은정의 집 거실 / 밤.

불 켜지는 거실.
당황한 한주. 발을 이용해 재빠르게 체중계를 거실 장 밑으로 넣어버린다. 효봉과 은정이 눈을 부비며 뛰쳐나온다.

효봉 왜? 뭐야?

한주 응? 아‥ 주방에‥‥ 바퀴벌레가‥ 어, 바퀴벌레 봤어.

효봉 ‥이 아파트에‥ 바퀴벌레가 있다고?

한주 응‥ 있네?

은정, 거실 장 밑에 삐죽 드러난 체중계를 본다.
한주와 눈이 마주치지만 서로 눈을 피한다.

효봉 아니‥ 그게 그럴 수가 있나?
아침에 관리실 연락할게 내가. 이상하네‥ 일단 주무셔.

흩어지는 은정과 한주. 다시 꺼지는 불.
꿈뻑꿈뻑 여기가 어딘가‥ 일어났다가 다시 눕는 진주.
페이드아웃.

39-1. 진주의 꿈 / 몽타주.

진주 (V.O) 꿈을 꾸었다.

- 진주의 꿈.
아침의 풍경들이 펼쳐진다. 출근하는 사람들. 학교 가는 사람들. 버스 타는 사람들. 전철 타는 사람들.

진주 (V.O) 나는 다른 세상에 있었다. 눈으로 보기엔 다름이 없어 보이는 세상이었으나.

여의도 공원 한복판. 한갓지게 농구를 하는 사람들. 자전거를 타는 사람들. 그 광장 한복판에 진주가 서있다.
세상을 둘러본다. 평화롭게 숨을 들이마시는 진주.

진주 (V.O) 햇빛과 바람, 공기와 소리들. 내 몸에 닿는 모든 것이 이전과 다르게 느껴졌다.

39-2. 그녀들의 아파트 거실.

잠에서 부스스 깨어난 진주. 잠에서 깼다기엔 정신이 너무 맑다. 둘러본다. 뭔가 상쾌하고 다른 세계 같다.
앞을 보면 은정과 한주, 효봉과 인국이 세상 해맑은 표정으로 삼겹살을 굽고 있다.
진주에게 어서 오라며 손짓한다. 고속. 일어나 식탁으로 향하는 진주의 발걸음이 가볍다.
미리 싸놓은 쌈을 진주에게 먹여주는 효봉.

진주 (V.O) 세상의 모든 사람들은 건강을 위해 아침에 일어나 고기를 구웠고, 맛있게 먹었다.

– 사람들로 북적이는 점심시간 식당들 연속 컷.

그 컷의 마지막에 어느 부대찌개 식당 앞에 커다랗게 붙어 있는 나트륨 탄수화물 섭취 늘리기 포스터.

'세계보건기구 WHO 기준 나트륨 하루 권장량 20000mg.'

'가족을 위해 나를 위해 우리 모두의 건강을 위해…'

진주 (V.O) 점심엔 나트륨과 탄수화물 섭취 늘리기 운동에 지구인 모두가 하나되어 참여했고. 대한민국의 부대찌개가 세계 10대 슈퍼 푸드로 선정되어 먹거리 한류를 이끌었다.

– 사람들로 북적이는 저녁 시간 고깃집 술집들 연속 컷.

진주 (V.O) 그러고도 사람들은 칼로리가 부족했기에… 저녁엔 하루 종일 부족했던 칼로리를 채우기 위해 모여든 사람들로 세상의 모든 식당들이 북적였다.

– 그녀들의 아파트 거실 / 밤.

식탁에 모여앉아 치킨과 족발을 맛있게 먹고 있는 은정, 효봉, 한주, 인국. 인국에게 햄버거와 피자의 포장을 제거해주는 한주. 고속.

진주 (V.O) 그리고 돌아온 집.

야식 먹기 캠페인의 일환으로 족발 보쌈 등의 야식 비용이 정부 차원에서 지원되었으며 당연히 대부분의 사람들이

성실하게 야식을 주문했다.
세상의 모든 부모는 아이에게 가르쳤다. 훌륭한 사람이 되기 위해선 피자, 햄버거, 라면과 같은 정크푸드를 되도록 많이 섭취해야 한다고.
대부분의 아이들은 부모의 말을 잘 따랐으며, 몸짱으로 성장했다. 이 모든 것들을 흐트러짐 없이 지키며 살아가는 것. 그것을… 사람들은 도덕이라 하였다.

– 몸짱 인싸들의 사진들이 펼쳐진다.

진주 (V.O) 그곳에는 비만이 존재하지 않았고. 각종 성인병이 존재하지 않았다. 나는 보통의 사람이었다.

– 35씬 맛있게 치킨과 족발을 먹는 진주의 모습들…

진주 (V.O) 그날 밤도 난 치킨과 족발을 소주와 함께 양껏 섭취했다. 그렇게… 군살 없이 가볍고 건강한 육체를 보존했다.

인서트

35씬 TV 장면.
열심히 운동을 하던 강사의 영상이 툭 하고 멈춘다.

진주 (V.O) 그리고… 꿈에서 깨었다.

40. **은정의 집 전경 / 아침.**

진주 꺄아아아아악!!!!!!

울리는 비명. 처절한.

41. **은정의 집 거실 / 아침.**

놀라서 뛰쳐나오는 은정, 한주, 효봉.
바닥에 주저앉아 살인 현장이라도 목격한 듯 공포에 떨고 있는 진주.

효봉 뭐야?! 바퀴벌레야?! 내가 관리실 연락했어! 일단 피해! 피하··

하고 보면 진주의 발 앞에 체중계가 놓여있다. 뭔지 알겠는 한주와 은정은 그저 저 먼 베란다 밖을 바라보고 있다. 그녀들을 살피고 보니 뭔지 감이 오는 효봉, 홈오토메이션 앞으로 가 관리실 버튼을 누른다.

관리 네 관리실입니다~

효봉 아 네 좀 전에 바퀴벌레 나온다고 했던··

관리 아 네네. 저희도 지금 준비를··

효봉 아니요. 괜찮아졌습니다.

관리　　네? 괜찮··아 져요?

효봉　　네 잘못 봤어요. 그냥·· 네모난 물체였는데··

관리　　엥? 네모·· 랑·· 바퀴랑 그게 무슨··

효봉　　네 아무튼 괜찮아졌습니다. 죄송합니다.

끊고. 아무 일 없던 것처럼 방으로 들어가는 효봉.
한주도·· 은정이도··

한주　　황인국! 너 똥을 몇 시간 싸니!! 아니 왜 지각을 전략적으로 할라 그래?!

오히려 고요해진 진주의 얼굴·· 그저 먼 베란다 밖 풍경만··

진주　　(소리) 긴장되고 불안한 시기에 놓여 졌을 때·· 조금 더 긴장을 풀고 조금 더 불안한 상태로 몰아가 보는 것. 그래서 더 깊은 주의와 사고를 만들고 생각을 확장시키는 것.
말만 그럴 듯한, 그런 허세 섞인 여유도 한 번쯤 가져본다는 것. 나쁘지 않잖아?라고·· 생각하기로 했어.
이 정도로·· 무너지지 않는다고.

42.　제이비씨 드라마국 / 낮.

범수. 프린트된 대본이 가득한 책상 앞에 앉아. 아무것도. 아무것도 하지 아니하고. 그냥. 완전무결하게. 멍— 때리고 있다. 동기가 커피를 올려주고 범수의 코앞에 얼굴을 들이밀어 보지만. 그대로. 반응이 없는 범수.

동기　너 요즘 너무 멍 때리는 거 아니야?

범수　야.. 이거 뭔 일이냐..

동기　뭐? 왜?

범수　대본을 읽는데..

동기　뭐? 대본이 왜?

범수　(대본 한 페이지를 들춰 보여주며) 자, 여기 활자가 몇 개나 있냐?

동기　뭐래..? 이걸 왜 세고 있어?

범수　난 두 글자로 보여. 노.잼.

동기　아 노잼에서 잼을 찾는 게 우리가 하는 일 아니냐. 왜 이래 새삼스럽게.

동기는 계속 멍 때리는 범수를 두고 자기 책상으로 간다. 책상 위 대본 하나를 들고 와 범수 앞에 올려놓는다.

범수　(무덤덤) 와~ 대본이다.

동기　얼마 전에 공모전 심사했다가 본 건데, 뭐랄까.. 깨.

범수　깨?

동기　응. 깨. 막 어수선하고 날 것 같은데 그냥 보다 보면 재밌더라고.

범수　상 받는 거야?

동기 나는 밀었는데 어르신들이 이게 대본이냐고.

범수 오호 그렇담 관심이 가는군.

범수, 대본을 들어보면 제목 '서른 되면 괜찮아져요'
글쓴이 '임진주'

범수 서른 되면 괜찮아져요… 제목이.. 애매하고 좋네.

동기 그치?

범수 응? (작가 이름 임진주?) 아는 이름인데..
뭐 진주라는 이름은 흔하니까..

동기 임 씨는 안 흔하지.

범수 임하룡. 임병수. 임채무. 임청하. 임종석. 임의 침묵.

동기 흔하구나. 암튼 읽어 봐봐.

가만히 진주의 대본을 보다가.. 넘겨보는 범수.

42-1. 제이비씨 휴게실.

커피를 내려 마시고 있는 범수. 지나가는.

동기 읽어봤어?

범수 응.

동기 어때?

범수 깨.

동기 그거 내가 할까? 재밌을 거 같은데.

범수 아니 하지 마. 그 정돈 아니야.

동기 그래? 왜 난 하고 싶지?

범수 니가 그러니까 맨날 망하지.

동기 그래? 하지 마?

범수 응. 하지 마.

42-2. 진주의 방 / 밤.

침대에 잠든 진주. 잠든 듯했으나 일어나는 진주.

책상에 앉아 노트북을 연다.

진주 (V.O) 방황은 필요하다. 그리고 그 시간은 짧을수록 좋다. 혹시 알아? 내일이라도 전화 올지? 작가님~ 공모전 당선되셨어요, 작가님~ 저희가 16부작으로 제작할게요, 작가님~ 쓰자. 작가는 글을 써야 작가다. 쓰자.

쓰는 진주. 10분 동안 쓴다.

42-3. 범수의 집 / 밤.

잠들 준비를 마치고 침실에 들어온 범수. 침대에 눕고.

불을 끈다. 잠든다. 싶었는데. 일어나 거실로.

소파에 놓인 진주의 대본을 가져다 침실로.

침실. 다시 불을 켜고 읽는다. 10분 동안 읽는다.

인서트

방울토마토.

43. 제이비씨 로비 / 낮.

여전히 퀭한 얼굴이지만 걸음만큼은 리드미컬한 범수.

저 앞에 기다리는 누군가를 발견하고 손 인사.

범수의 시선으로 보면, 진주가 약간은 어리둥절한 표정으로 서있다. 진주에게 다가와 뒤에 숨기고 있던 '방울토마토' 봉지를 건네는 범수.

범수 선물이요.

진주 …….

진주 (V.O) 뭐 새끼지‥ 뜬금없이 전화해가지곤‥

44. 은정의 집 거실 / 낮.

*** 플래시백.**

TV 트레이닝을 따라 하다가 뻗어버린 진주와 은정.

진주의 머리맡에 있던 핸드폰이 울린다. 지이이잉—

헉헉거리며 핸드폰을 들어보면 '손감독새끼' 가우뚱. 받는다.

진주　여보세요?

범수　짤렸다매요?

진주　하… 진짜… 뭐 축하전화에요? 아 왜요?

범수　우리 구내식당 밥. 맛있지 않았어요?

진주　맛보다 재밌었죠, 구경거리가.

범수　아 그럼 구경하러 와요.

진주　……?

45.　제이비씨 구내식당 / 낮.

동기가 식판에 음식을 담고 있다. 저만치 테이블에서 마주 앉아 밥을 먹고 있는 범수와 진주 한 번 보고. 국을 퍼주고 있는 다미를 번갈아 보다가…

동기　범수한테 까였다며?

다미　(깜짝 놀라) 어떻게 알았어요?

동기　너가 소문내고 다니니까.

다미　(천진하게 웃으며) 나 되게 아프다?

동기　그래 보인다. 그냥 물어보는 건데, 나한텐 관심 없지?

다미　어우 그럼요.

그런 다미를 보고 있는

진주 뭐 구경거리가 안 벌어지네? 어떻게 됐어요?

범수 잘 타일렀죠. 나, 사랑 같은 거 안 해요.

진주 (빤히 보다가) 뭐 초딩들이 잘하는 말이라고는 하지만·· 왜요?

범수 없는 거니까.

다미, 범수와 눈이 마주치자 싱긋 웃으며 윙크를 보낸다.
그 그림에 다시 표정 변하는 진주.

진주 근데 왜 저래?

범수 짜증 난다는 뜻이래요.

진주 …윙크가?

범수 네. 이제 나 보면 짜증 난대요.

진주 …오·· 배울 점이 많은 사람이네. 근데 왜 싫어요?

범수 못생겼잖아요.

진주 ……어디가?

범수 작가님이 훨씬 이쁜데.

진주 (끄덕끄덕하다가)…·아니지, 그럼 내가 이상해지잖아.
나 예쁘거든요?

범수 네. 예쁘다고요.

진주 아니, 못생겼다고 하라고.

범수 왜요?

46. **제이비씨 내 커피숍 / 낮.**

마주 앉아 아이스 아메리카노 빨대 꽂아 마시고 있는 범수와 진주.

범수 예쁘다니까 그러시네.

진주 (순간 밀려오는) 아·· 씨·· 알았다고요, 그만하라고! 니 얼굴 아닌 거 신경 끄세요!

범수 반말 존댓말 자연스럽게 잘 섞는다. 귀에 쏙쏙 들어와. 하하.

진주 (죽일까 이거··)

범수 알았어요. 조심할게요. 남들 생긴 거 신경 끄고 일하시죠.

진주 (짜증) 뭔 일을 해요 짤렸는데! 내가 아직도 보조 작가로 보여요? 나 일반인. 응? 감독님 작품 SNS에다가 욕, 바가지로 할 수 있는 사람. 나 이제 그런 위치에요.

범수 그 위치에서 다시 이쪽 위치로 오라고요.

진주 ·····?

범수 서른 되면 괜찮아져요.

진주 !!

범수 나 그거 흥미롭던데. 가슴이 폴짝폴짝. 나랑 한번 해보는 거 어때요? 그거.

진주 (소리) 순간. 왜요?라고 물어보려던 입을 다물고 생각했다. 이걸 뜻밖에 기회라 생각진 말자. 수많은 시간을 준비해 왔으니까. 다만 책임감 따위의 진지한 감정이 밀려왔는데, 그건 아마·· 생에 처음, 정식이라 여겨질 만한 기회를 마주

하고 있기 때문이겠지. 왠지 어른이 된 것만 같아서. 서른인데. 이제야.

47. **플래시백 몽타주.**

친구들 혹은 혜정과 말씨름을 하며 툭툭— 내뱉던 거친 표현의 순간들이 몽타주로 흐르고..

진주 (소리) 지금껏 살아오며 내가 내뱉은 그 수많은 말들도, 곱씹어 생각하면 다소 정제되지 않은 낯부끄러운 표현들도, 얼핏, 아니 선명히 뇌리를 스쳐 갔다.

48. **제이비씨 내 커피숍 / 낮.**

여유 있게 진주의 대답을 기다려주는 범수.
뒤지지 않는 여유로 범수와 시선을 마주하고 있는 진주.

진주 (소리) 지금 이 순간. 이 사회가 인정하는 어른의 모습으로써 그에 걸맞는 대답을 해야겠다.
어설픔 없는 말투와 매끄럽게 정제된 어른의 단어로.

진주 …….얼마 줘요?

범수 …..아….

진주 아 대충 아는데, 감독님이 가지고 가는 거니까 좀 더 줄까

해서요.

진주　(소리) 아닌가? 이거 아닌가?

또 정제되지 아니하였구나·· 하면서도 여유를 잃지 않는·· 척하고 어설프게 쪼개는 진주의 모습에서.

49.　도로 / 소민의 차 안 / 밤.

소민, 뒷좌석 시트에 반쯤 누워서 효봉이 불러준 CD를 따라 하고 있다. 꼿꼿하면서도 유연하던 스튜디오 안에서완 달리 자유롭다. 그렇게 흥얼거리며 설레는 무언가를 떠올리는데·· 문수와 효봉이다.
스튜디오 박스 안에서 자신을 바라보던 효봉의 모습.
그런 효봉을 정확히 감지하려는 프로다운 문수의 모습. 두 남자의 모습이 들뜬 소민의 양옆으로 드러난다. 3분할.

소민　(운전 중인 매니저를 부른다) 이 두 사람 있잖아··?
민준　응?
소민　둘 다 맘에 드는데 둘이 비슷해.
민준　(쟤 또 시작이네··) 그 또 무슨··
소민　둘 다 유머 있고 잘 생겼고, 자상한데·· 둘 다 나만 봐.
계속·· 자꾸·· 날 본다. 자꾸.
민준　아·· 그랬구나··

소민　　아 눈 맞춰주느라 정신이 없었네. 어떡할까? (양쪽을 가리키며) 둘 중에 누가 좋아 넌?

민준　　몰랐구나‥ 모를 수 있지. 그 두 사람 만나는 사람이 있는데‥

소민　　그게 뭐? 왜 이래 촌스럽게?

민준　　아‥ 그러니까‥ 그 만나는 사람이 서로거든.

소민　　뭔 소리야? 뭐? 빼으면 되지.

민준　　아니‥ 둘이 만난다고.

소민　　‥둘이 뭐?

민준　　둘이 만나는 사람이 있는데 그 둘이 만난다고.

소민　　두 사람이 같은 사람을 만난다고?

민준　　아 둘이 사귄다고.

소민　　‥‥응?

민준　　거 이 바닥에서 알아주는 커플인데? 그래 넌 모를 수 있어.

소민　　그 둘이 사귄다고?

민준　　응. 오래된 커플이야.

소민　　‥‥‥(되레 웃음‥‥‥)

50.　　플랜D 스튜디오 / 낮.

＊플래시백 - 12씬.

녹음 부스 안에 효봉. 전주가 시작되고‥

효봉의 감미로운 목소리가 스튜디오 안에 퍼진다.

녹음 부스 밖 소민을 바라보며 전하는 감정.

가사가 없지만 고스란히 느껴진다. 사랑하는 사람에게 전하는 애틋함.

소민은 점점‥ 그런 효봉에게 빠져든다.

자신에게 보내는 시선 같지만 착각…

효봉은 문수를 바라본다‥ 문수는 효봉을 바라본다‥

사랑하고 있다‥ 소민은 혼자‥ 사랑하고 있다…

51. 소민의 차 안 / 밤.

그저 멀리 창밖을 내다보고 있는 소민‥ 그냥 혼잣말처럼…

소민 아… 도시가 왜 외로운 줄 아니…? 저 빌딩의 불빛들이 별을 대신하고‥ 그 행성 안의 사람들은 나를 모르기 때문이지‥

민준 연예인인데 뭘 몰라. 너 다 알아.

소민 (짜증) 야!! 밟으라고!!! 좀 달리라고!! 졸려!!!

52. 올림픽대로 / 밤.

꽉 막힌 올림픽대로… 소민의 차 역시 정체 안에 서있다. 서울의 풍경에서‥

소민 (소리) 야 달리라고!!! 밟으라고!!!

민준 (소리) 네 알겠습니다!! 꽉 잡으세요! 부우웅~~~

벨트 매세요! 벨트!

그냥 서있는 소민의 차.

52-1. 플랜D 스튜디오 안.

완성된 노래를 효봉과 솔비가 연주하며 부른다.

그 모습에서..

예고편까지..

"나.. 말은 막 해도 일은 막 안 해요.
난 택배 받는 것도 너무 좋아하고.
식당에서 메뉴판 보는 것도 너무 좋아하는데.
그거랑은 비교도 안 될 정도로 이 일이 좋아요.
무엇보다 소중한 이 일을..
작가님과 하고 싶다는 거예요.
막 아니고. 잘. 나 한번.. 믿어 봐요."

_ 범수의 말 중

· 3부 ·

3

1. **제이비씨 내 커피숍 / 낮.**

마주 앉은 진주와 범수. 유머 섞인 대화 끝에 나온 표정인지 두 사람은 비슷한 느낌으로 웃고 있다. 그저 아무 말 없이 그렇게 서로를 바라보다가… 표정과 대척점에 있는 한마디로 정적을 깨는

진주 안 해요!

2. **은정의 집 주방 / 밤.**

세 여자. 캔 맥주를 마시고 있다.

효봉은 거실에서 기타를 치며 배경음악을 맡고 있다.

한주 왜? 왜왜? 이 어마어마한 입봉 기회를 왜?

진주 정서적으로 교감이 안 돼.

은정 교감 같은 소리 하고 있네. 니가 아주 가난과의 교감에 적응을 잘했구나?

한주 진주야… 그건 진짜 에바야… 이건 생존 문제잖아.

진주 아 말을 막 하잖아!

3. 제이비씨 내 커피숍 / 낮.

손짓까지 더해가며 열변을 늘어놓고 있는

범수 작가님은 사람을 잘 모르는 것 같아요. 깊이가 없달까? 왜 그냥 다 농담 같지? 사람을 모르는 작가가 쓴 글로 어떻게 찍어? 뭐 풍경 찍을 거야?
드라마 찍어서 전파 띄우는 게 아니라 풍경 찍어서 어디 인스타 띄울까?

깊은 빡침이 서서히 드러나기 시작하는

진주 근데 뭐 그렇게 성심성의껏 대놓고 까요? 막 까네?
돌려 까기 같은 거 안 해요?

범수 왜 돌려서 까요? 돌면 시간 들지.

진주 시간 좀 들여요. 인간관계 원래 시간 좀 들이는 거 아닌가? 배려를 해야지, 상호 간에.

범수 배려해서 문제를 지적해주잖아?

진주 그니까 돌려 까라고요.

범수 돌면 시간 든다니까?

진주 하… 그래요 감독님이 잘나가는 감독이고, 난 신인 작가인 건 알겠는데.. 입장 바꿔놓고 생각해 봐요..

범수　아니 입장을 왜 바꿔? 내 입장이 훨씬 좋은데.
난 그 말 너무 웃기더라?

진주　와~ 내가 감독님을 웃겼네. 뿌듯하네, 아주. 그래서 계속 이런 식으로 말씀하시겠다? 아쉬운 거 없으시다?

범수　없죠. 나 되게 잘나가요. 능력 있지 잘 생겼지. 그것만도 넘치는데 굳이 집도 잘 살아. 아버지가 대기업 임원이시고, 어머니가 대학교 총장이셔. 아쉬울 게 있는 게 이상한 거 아니야?

되레 평온.. 1씬에서의 표정으로 변해가는 두 사람.

진주　안 해요!!

4.　은정의 집 주방 / 밤.

맥주 캔이 늘어났다.

진주　이 대화의 핵심이 뭐라고 생각해?

은정　아빠가 대기업 엄마가 대학교.

한주　대 감독이네. 대 가족이야.

진주　세속적인 것들. 효봉아 음악 좀 바꿔라. 인간의 탐욕과 몰락. 하얀거탑 오스트 느낌으루.

연주곡을 바꾸는 효봉.

은정 진주야. 에바하지 마. 그건 이유가 못 돼.

진주 후·· 그래서··

5. 제이비씨 내 커피숍 / 낮.

뒤도 안 돌아볼 사람처럼 일어나 범수를 두고 돌아서 가는 진주. 그러든지 아메리카노 빨대나 빨고 있는 범수.

그러다 멈칫 서서 성난 얼굴로 돌아보는

진주 왜 안 잡아요?

범수 팔이 안 닿아서.

진주 (저 개새끼···)

범수 어떻게? 뭐? 잡아줘요?

분하지만 다시 와서 자리에 앉는 진주.

진주 그래요. 그럼. 사람도 잘 모르는 작가랑 왜 하려고 하는 건데요?

범수 사람은 내가 아니까.

진주 사람 잘 아니까 내가 지금 얼마나 빡치는지도 알겠네요?

범수 그래도 할 거라는 것도 알죠.

진주 안 해요!

6. 은정의 집 주방 / 밤.

늘어난 캔 맥주.

은정 에바다.

한주 에바야.

진주 아 그래서‥

긴장감 느껴지는 곡으로 변주하는 효봉.

7. 제이비씨 내 커피숍 / 낮.

상종 않겠다는 의지를 굳힌 채 돌아서 가는 진주.

그러다 결국‥

진주 (휙 돌아보며) 왜요?!

범수 ……(응?)….

진주 왜 불렀냐고요?

범수 ….(응?)… 안 불렀는데요.

진주 (다시 돌아와 앉으며) 뭘 안 불러, 불렀으니까 내가 돌아봤지. 안 불렀는데 왜 돌아 봐요 내가?

범수 아‥ 그쵸. 그쪽이 대답 먼저 하고 내가 불러도 대세에 지장은 없지. 순서가 뭐가 중요해. 지금이라도 불러드릴게.

진주 됐어요.

범수 (붙잡는 연기) 진주 씨. 저기요?

진주 됐다고요.

범수 (간절한 연기) 저기. 작가님. 잠시만요.

진주 와.. 연기 되네. 좋아요. 구걸 한 번 합시다. 좋은 말도 좀 해줘요. 그럼 못 이기는 척 할게요. 칭찬은 고래도 춤추게 한다잖아요.

범수 고래 춤추는 건 봐서 뭐해.. 알았어요. 음.. 인상적이네요.

진주 ? 한 거예요?

범수 네. 인상적이세요.

진주 (짜증) 사람 차암 박하네. 박해!

진주 (소리) 박해서 못하겠어.

8. **은정의 집 주방 / 밤.**

약간 취한 세 여자.

빤히 진주를 바라보는 은정과 한주.

적절히 변주하는 BGM 담당 효봉.

은정 …진짜를 말해.

진주 …….

9. **제이비씨 내 커피숍 / 낮.**

이전에 본 적 없는 진지한 눈빛의 범수.

범수 나‥ 말은 막 해도 일은 막 안 해요. 난 택배 받는 것도 너무 좋아하고. 식당에서 메뉴판 보는 것도 너무 좋아하는데. 그거랑은 비교도 안 될 정도로 이 일이 좋아요.
무엇보다 소중한 이 일을‥ 작가님과 하고 싶다는 거예요. 막 아니고. 잘. 나 한번‥ 믿어 봐요.

진주 ……(멋있어 보이려 해…)….

10. 은정의 집 주방 / 밤.

한주 일이‥ 택배보다 좋고 메뉴판보다 좋대.

은정 사람 괜찮네. 그게 어디 쉬운 일이야? 근데 뭐?

11. 제이비씨 내 커피숍 / 낮.

입구 쪽을 보며 손을 드는

범수 어, 여기~

범수의 시선을 따라 돌아본 진주, 누군갈 발견하고 황급히 고개를 원위치시킨다. 진주의 표정이 서서히 굳어간다.

범수 우리 조감독. 신입인데 똘똘해요. 귀찮게 하는 일은 다 저놈 시킬 거니까 미리 인사하고, 성질 드러운 거 미리 자랑

하고. 미리 까면 좋지.

꾸벅 인사하며 다가오는 조감독 김환동(30).
진주에게 더욱 깍듯이 인사할 준비를 마치고 허리를 숙이는데, 옛 연인의 얼굴을 마주하곤 아주 어정쩡한 각도에서 멈춘다. 정지된 듯 보이는 화면에서 씩씩한 환동의 목소리 선행.

환동 (소리) 안녕하세요! 신방과 09학번 김환동. 이라고 합니다!

12. **과거 / 명원대학교 동아리 방 / 낮.**
꾸벅 인사를 하고 해맑게 웃는 대학생 환동의 얼굴.
그 앞 응대 소파에 앉아있는 진주, 나한테 한 인사인가 싶어 돌아보지만 동방엔 둘뿐이다.
어색하게 웃으며 바라보는 두 사람의 모습이 풋풋하다. 정지된 듯 보이는 화면에서 어색한 진주의 목소리 선행.

진주 (소리) 안녕하세요… 임.. 진주..라고 하는데 앉진 마세요.

13. **제이비씨 내 커피숍 / 낮.**
여전히 어색한 각도를 유지하며 굳어있는 환동.
영문 모를 어색함에 어떤 드립을 날려야 하나 눈알 돌아가는 범수.

다소 맥없이 두 남자의 시선을 외면하고 있는 진주.

범수 (환동에게) 너는 뭐 이런 각도에서 멈추냐?

(진주에게) 아니 왜? 뭐 헤어진 남자친구 닮았어요?

아하하하하~!!

진주 안 해요.

범수 (웃다가 사레) 쿨럭. 켁켁.. 음.. 시바… 뭐요?

진주 저.. 안 해요.

대충 인사하고 일어서는 진주. 어이없어 한참을 바라보는데.. 이번엔 뒤도 안 돌아보고 나가는 진주.

범수 (버럭) 야 하지 마!! 하지 마!!!

(환동에게 버럭!!) 넌 왜 계속 이 자세로 있어?!! 뭐야? 레고야?!!

14. 은정의 집 주방 / 밤.

아무 말 없이 맥주를 홀짝이고 있는 상념의 세 여자.

감성적으로 흘러가는 효봉의 기타.

효봉 지난 사랑의 기억 앞에서 냉정해지지 못하는 건 창피한 게 아니야. 고된 시간을 견뎌낸 자랑스러운 당신의 권리지.

은정 그래‥ 다 자기 입장이라는 게 있지‥ 있지만‥ 우리 나이에 안 한다는 말‥ 더 신중히 해야 되는 거 아닌가‥
기회라는 게 그렇잖아? 주름이 다 뺏어가. 나이 먹을수록 잘 안 오잖아, 기회. 이 사회가 그래요.

한주 그러고 보니까 안 하겠다는 말‥ 나 해본 기억이 멀어.
그게 뭐라구 그런 말도 못 하구‥
왠지 슬프지만‥ 내가 안 한다고 하면 자기가 하겠다는 애들이 뒤에 백만 명이 서있어.

진주 그래‥ 한낱 신인 나부랭이 주제에‥
안 한다는 말을 뭐 그리 쉽게‥

그때 은정의 핸드폰이 요란하게 울린다.

은정 (확인하고) 이 언니가 이 시간에‥ (받고) 여보세요?

아랑 (소리) 은정아! 너 나 좀 도와줘야겠다.

은정 응?

아랑 나 소문으로 들었소 패널 출연하는 거 있잖아? 내가 급하게 해외촬영을 가게 돼서 한 달만 땜빵 좀 해줘라.

은정 내가 그런 델 왜 나가?

아랑 같은 다큐 감독이잖아. 너 말했더니 피디가 완전 좋아하던데?

은정 어쩌라고.

아랑 야 너 혹시 아냐 잘하면 고정 줄지? 이거 기회다.

은정 아 가십거리나 떠들어대는 거 그런 걸 내가 왜 해? 안 해.

아랑 야 너 언니 부탁인데··

은정 아 안 해!

끊어버리는 은정. 뭔가··· 어색하게 눈을 깜빡거리게 되는 분위기·· 눈 비비며 화장실 가던 인국이 세 여자를 보곤··

인국 아·· 또 마시네·· 질린다, 진짜. 엄마 다이어트 안 해?

한주 (순간 짜증) 안 해!

그러든지 화장실로 들어가는 인국.
뭔가··· 어색하게 눈을 깜빡거리게 되는 분위기··

진주 ···자자.

일어서는 진주. 그리고 은정. 그리고 한주.
근엄하게 시퀀스를 마무리 짓는 효봉의 기타.

15. 인국의 초등학교 앞 / 아침.
인국을 데려다주는 와중에도 전화 통화에 바쁜 한주.
앞서 걷고 있는 인국은 사실상 혼자 등교하는 모양새.

한주 실장님! 드라마 1회 하고 끝나는 거 아니잖아요. 아이돌이라 체중에 민감해서 그래요. 어떡해서든 먹일게요, 치킨.

믿어주세요. 아 잠시만요, 제가 바로 다시 전화드릴게요!

정문 앞에 다다르자 잽싸게 뛰어가 인국과 눈높이를 맞추고 앉는 한주.

한주　새 학기니까 친구들이랑 사이좋게 지내고.
음·· 친구들이랑 싸우지 말고.

인국　그거 같은 말 아니야?

한주　응?

인국　사이좋게 지내는데 왜 싸워?

한주　응? …응·· 그치. 그러라고.

한주의 말이 채 끝나기도 전에 무심하게 지나쳐 학교로 들어가는 인국.

한주　(멀뚱히 보다가) …하·· 벌써 사춘기가 오려나··
(그리고 시계를 보니) 아이쿠!

지각할세라 다시 잽싸게 뛰는 한주.

16.　홍미유발 엔터 / 낮.

대여섯 개의 책상이 구비되어 있지만 모두 외근.
재훈이 홀로 앉아 초조해하고 있다. 걱정스런 그의 시선을 향해보면, 소진의 사무실 안.

블라인드 사이로 소진 앞에 고개 숙인 한주의 모습이 보인다.

17. 홍미유발 엔터 소진의 사무실 안 / 낮.

꼿꼿하게 앉아있는 소진의 빈틈없이 차가운 표정.

그 앞에 반성 모드로 겸손하게 서있는 한주.

소진 황 팀장 여기서 일한 지 얼마나 됐어?

한주 그·· (세어보는··)

소진 (숨도 안 쉬고) 6년 7개월하고 23일. 법정 휴일, 월차 반차 생휴 하계 동계 주어진 휴가 외에 결근 없었고, 지각도 없었고, 조퇴도 없었어.

한주 네·· 그·· 렇죠. 호호.

소진 웃어?

한주 ····

소진 그래 웃든지 찡그리든지 자기 표정 자기 권한이니까 그건 패스. 자 그럼 내 표정을 봐.

한주 ····(본다)

소진 내가 지금 너 개근상 주려는 표정으로 보여? 그만큼 일을 했으면 그에 걸맞게 일을 똑바로 처리하라는 거야. 출근 왜 했어?

한주 네?

소진 왜 여기로 출근했냐고?

한주　　그‥ 회사가‥

소진　　너 예스치킨 건 어떡할 건데?! 배우가 못 먹겠다고 하면 네 다이어트하셔야죠, 하고 마는 게 니가 하는 일이야?! 그럼 가서 걔 매니저를 해! 집 앞에 찾아가서 무릎을 꿇어서라도 먹게 해야지 왜 여기로 출근을 하냐고!

한주　　죄송합니다‥

소진　　아직까지 내가 시키는 대로 일할 거야? 그럼 당신이 왜 필요한데? 아바타처럼 일할 거면 너보다 체력 좋은 사람 쓰면 되겠지! 그렇게 개근해서 채운 게 뭔데? 경력 아니야?

한주　　……맞습니다.

18.　　흥미유발 엔터 휴게실 / 낮.

마주 앉아 커피를 마시는 한주와 재훈.

한주　　요즘 드라마 제작까지 준비하느라 워낙 예민하실 거예요. 나쁜 사람 아니니까 너무하다 생각하지 말아요.

재훈　　슙‥ 위로를 받아야 할 분이 위로를 받을 내용으로 위로를 주고 계시네요?

한주　　아 그렇게 됐나? 호호.

재훈　　그래도 대표님이 차가운 사람인 건 맞잖아요.

한주　　대신 정확하잖아요. 정해진 업무 외에 커피 심부름도 시키지 않는 분이에요.

재훈　　그건 당연한 거 아닌가‥?

한주　(재미있다는 듯 웃으며) 당연한 거 하는 게 얼마나 어려운 건데. 난 요즘 사람들 보면 그냥 정확한 사람이 착한 사람 같아요.

재훈　으… 뭔가 씁쓸하다.

그때 휴게실 밖으로 외근 가는 길의 소진이 지나간다.
반사적으로 일어서는 한주와 재훈.

소진　(반사적으로 제지) 앉아. 왜 휴식시간도 보장 안 해주는 회사처럼 보이게 만드니?

내용과는 다르게 신경질적으로 내뱉고 갈 길 가는 소진.

재훈　…착한 분 맞네요. 신경질적으로 착하세요.

한주　(웃음)

19.　홍미유발 엔터 / 낮.

각자의 책상에 앉아 업무 중인 한주와 재훈.
둘의 책상은 서로를 마주 보고 있다.

재훈　착한 대표님 말씀대로… 제가 집 앞으로 찾아가서 무릎을 꿇을게요. 제가 하겠습니다.

한주　너무 무례한 거 같아요.

재훈 맞아요. 사람 무릎까지 꿇게 하고.

한주 아니. 우리가.

재훈 ?

한주 싫다는데 계속 찾아가서 무릎까지 꿇는다니··

재훈 아·· 그런가·· 일을 안 할 순 없고·· 그렇다면·· 뭔가··
덜 귀찮게, 귀찮게 해야 하지 않을까요?

한주 덜 귀찮게, 귀찮게? 단어 조합이 뭔가 좀··

재훈 이상한가·· 그럼 기분 좋게 귀찮게.

한주 아·· 기분 좋은 귀찮음·· 말이 맞나 이게?

재훈 귀찮게 계속 기분 좋게 만드는 거예요.

한주 ……이를테면??

20. 제이비씨 드라마국 / 낮.

범수의 책상 옆에 교무실 끌려온 학생처럼 앉아있는 환동.
긴 이야기를 들은 후 골똘히 생각 중인 범수.

환동 싫은 건 아니고·· 불편한 것입니다.

범수 불편한 거 좋아하는 사람도 있냐? 그게 싫은 거지.

환동 ··거듭 죄송합니다. 대승적 차원의 결정을 내려 주십시오.

옆자리에 있던 동기가 슬쩍 본다.

환동 제가 물러나는 것이 대사를 그르치지 않는 길일 것입니다.

범수 응. 그렇지. 조감독은 널리고 널렸으니까. 근데 난 널리고 널린 것 중에 니가 좋다.

책상 위에 있던 진주의 대본을 펼치는 범수.

범수 이게 얼마나 날 아쉽게 만드는지 다시 한번 확인 좀 해야겠다. 그리고 판단할게. 가봐.

할 수 없다는 듯 고개를 주억거리고 일어서는 환동.

21. 드라마 세트장1 분장실 / 낮.

피곤한 듯 고요히 눈을 감고 분장을 받고 있는 주니.
머지않아 어디선가 꼬르륵— 고요히 눈을 감고 있는 주니. 그녀의 눈치를 보는 분장팀.
머지않아 어디선가 다시 꼬르륵—

주니 …언니 배고파요?
분장팀 10분 전에 김밥 두 줄을 먹었는데 내 배에서 난 소리면 똥이겠지. 근데 지금은 안 마려.
주니 아‥ 씨‥ 배고파‥
한주 (소리) 안녕하세요~

살짝 놀라는 주니. 언제부터 있었는지 뒤쪽에서 신선한 샐러드 재료들을 들고 다가오는 한주와 재훈.

한주　오늘은 아보카도 닭가슴살 샐러드를 만들어 볼 건데요.

상냥하게 웃으며 바로 옆자리에 재료와 식기 등을 늘어놓는 한주와 재훈.

한주　재훈 씨. 조리 방법도 상당히 간단하다면서요?

재훈　네. (포장된 샐러드용 야채를 볼에 담으며) 여기 이렇게 봉지를 까서 담으세요. 씻어 나온 겁니다. 훈제 닭가슴살 좀 썰어 주시겠어요? 저는 아보카도를 썰겠습니다.

별로 신경 쓰지 않는 주니. 위생장갑을 끼고 나란히 서서 캠핑용 도구를 이용해 재료를 써는 한주와 재훈.
이내 야채가 담긴 볼에 닭가슴살과 아보카도를 올리는 재훈.

한주　뭔가 좀 아쉬운데요?

재훈　그렇다면 미리 준비한 삶은 계란을 슬라이스해서 얹어 볼게요.

한주　색감이 살아나네요. 삶은 계란이 이토록 아름다운 단백질이었나요?

재훈　완전식품이니까요. 자 이제 이 완전한 것에 또 완전한 발사믹 식초를 적당히 뿌리고 올리브 오일 작은 한 스푼 더 해주면, 얼~마나 맛있게요~

그럴듯한 샐러드 한 접시를 조심스레 주니 쪽으로 옮겨놓는 한주. 별 반응 없는 주니 앞에 나란히 서서 승무원 미소 짓는 한주와 재훈.

22. 몽타주.

– 인기가요 녹화장. 낮.

무대 위 주니가 소속된 걸 그룹의 화려한 무대가 한창.

군무에 여념.. 이 없어야 할 주니, 방청석 쪽에 무언가가 거슬린다. 주니의 시선을 보면, 관객이 없는 녹화 방송이거늘.. 방청석 한가운데 '주니사랑' 팻말을 들고 완벽하게 안무를 따라 하고 있는 한주와 재훈, 와중에 타이밍 맞춰 주.니.사.랑!을 외치고 있다. 여지없이 보안 팀에 의해 끌려나가는 두 사람.

한주 아저씨 저에요! 저 아시잖아요!

재훈 주!니!사!랑! 윽.. 한 번만 더 외치게 해주십시오! 주!니!사악..

– 에스비씨 방송국 앞. 낮.

주니의 그룹이 방송국 입구를 빠져나온다. 기다렸다는 듯 소년 팬들이 몰려오고. 알고 있다는 듯 경호원들이 막아서는데. 그보다 한발 앞서 한주와 재훈이 튀어나와 주니를 에스코트한다. 극성팬들의 공격에도 몸을 사리지 않는 한주와 재훈.

소년 아줌마 꺼져요!

한주 아줌마 아니에요! 아 맞구나. 꺄아악!

결국 힘에 못 이겨 소년 팬들 무리 너머로 휩쓸려가는 한주.

재훈 선배님!!

한주 괜찮아! 난 틀렸어! 주니를 지켜요! 주니!! 꺄아악!

– 고등학교 교실. 낮.

모의고사 시험 중. 여느 학생들과 다름없는 교복 차림의 주니. 문제가 잘 풀리지 않는지 기억을 찾기 위해 애쓰고 있다. 그러다 문득.

– 드라마 세트장 분장실. 낮.

여느 때와 마찬가지로 고요히 분장을 받고 있는 주니.
하지만 거울 쪽이 아닌 반대편을 향하고 있다.
보면, 보드판 앞에 한주와 재훈이 모의고사 기출문제를 풀어주고 있다.

재훈 자 출제 의도.

한주 포물선의 성질 이해하기.

재훈 포물선 y제곱 이꼴 8x의 초점은 f이므로. 직선은 점 F를 지난다…

- 고등학교 교실. 낮.

더듬던 기억이 선명해지자 거침없이 문제를 풀어나가는 주니.

- 드라마 촬영 현장. 낮.

지친 주니가 자신의 전용 의자에 쓰러지듯 앉아 늘어진다.
그때 주니의 걸 그룹 노래가 요란하게 흘러나오고.
어디선가 나타나 완벽하게 안무를 소화하며, 노래를 따라 부르는 한주와 재훈. 지쳐있던 스태프들이 하나둘 모여들어 호응하며 즐기는 사이.
역시 무덤덤하게 그들을 보고만 있는 주니의 얼굴에서.

22-1. 은정의 집.

아파트 단지 아침 풍경.

22-2. 진주의 방 / 아침.

잠에서 깼지만 눈만 멀뚱멀뚱. 일어나볼까 몸을 일으켜 앉는 진주. 별로 더 몸을 일으켜 볼 의지가 보이지 않는 진주 (V.O) 아침. 또다시 아침. 아침이면 뭐? 백수 주제에.

다시 눕는 진주. 눈만 멀뚱멀뚱.

진주 (V.O) 비겁해. 이건 내 자신에게 너무 비겁한 거야.
백수라고 누워서 잠만 자겠다? 비겁해.
백수가 뭔 자랑이라고.

침대에서 일어나는 진주, 그러다 다시 누워 버린다.

진주 (V.O) 뭐 좀 비겁하면 안 돼? 평생 남에 눈 신경 쓰면서 사는 게 인간인데. 나 혼자 있는데 뭐? 누워있는 게 얼마나 좋은데.

눈을 감아버리는

진주 (V.O) 양심 없어.

눈을 뜨는

진주 (V.O) 내가 내 스스로에게 양심 없어. 이건 나를 파괴하는 일이야. 근데 뭐? 내가 뭘 할 수 있지? 생각할 시간은 줘야지.

몸을 일으키는

진주 (V.O) 생각할 시간을 주면서 최소한의 양심을 지켜보자. 음… 그래. 장소라도 옮기자.

23. 진주의 본가 / 낮.

삐삐삐삑— 번호 키 누르는 소리.

문이 열리고 진주가 당당하게 들어온다.

주방 일을 하고 있는 엄마를 지나쳐 거실로 향한다.

진주 엄마. 나 여기서 몇 날 며칠을 퍼질러 잘 거거든? 혹시 잔소리할 거 있으면 (핸드폰 흔들어 보이며) 음성사서함에 녹음해 놔. 한 번에 들을게.

소파에 쿠션을 집어 들고 거실 바닥에 드러눕는 진주.

진주 모 (대수롭지도 않은 듯) 밥 먹고 자. 길어질 텐데.

진주, 핸드폰을 흔들어 보인다. 취침.

24. 소문으로 들었소 방송국 복도 / 낮.

은정이 걷고 있다. 홍대와 걷고 있다.

반대쪽 옆으론 담당 피디와 작가가 걷고 있다.
은정은 홍대와 대화를 나누고 있고, 피디는 은정과 대화를 나누고 있다.

피디 다시 한번 감사합니다. 저 진짜 감독님 작품 좋아하거든요.

은정 잘하는 건지 모르겠어··

피디 잘하실 거예요.

홍대 잘하고 있어.

은정 나 또 막말 나오면 어떡하지?

피디 저희는 그걸 원합니다. 하하.

홍대 난 너 막말해도 똑똑해 보이던데.

은정 욕 나오면?

피디 저 편집 잘해요. 편하게 하세요.

작가 간식 좀 준비해드릴까요?

홍대 욕 대신 과일 이름을 뱉어 봐. 이런 사과. 이런 포도.

은정 열 받을 땐 열대과일이지. 깔라만시 어때?

홍대 오 깔라만시 좋다.

피디 아·· 깔라·· 만시·· (작가를 보며) 파는 데가 있나?

대본을 보며 대기실로 들어가는 은정. 우두커니 서서 대꾸 없는 은정의 뒷모습을 바라보는 피디와 작가.

피디 근데 나 혼자 말하는 거 같은 건 기분 탓인 거지?

작가 되게 까칠하신 분 같아요··

멍한 표정으로 돌아서려는데.. 급하게 뛰쳐나오는

은정 저기요! MC가.. MC가 왜.. 바뀌었어요?

피디 그.. 갑자기 그렇게 돼 가지고.. 보신 줄 알았는데, 문제 있으세요?

은정 문제라기보다.. 좀 귀찮아졌네요.

25. 도로 소민의 차 안 / 낮.

소민 너 왜 이렇게 날 귀찮게 하니?

룸미러로 소민을 살피는 민준.
정말 일하기 싫은 표정으로 널브러져 있는 소민.

민준 그.. 내가 오늘 입도 뻥긋을 안 했어.

소민 왜 뻥긋도 안 하냐고. 그게 얼마나 귀찮은 줄 알아?

민준 알면 그랬겠습니까.. 아~ 얼마나 귀찮으셨을까..

소민 무시하는 거네. 내가 종편 토크쇼 MC나 보게 됐다고? 그러고 싶어? 그러면 니맘이 편해져?

민준 후.. 그거 너무 기분 나빠하지 마.

소민 나쁜데 나빠하지 말라니? 너 나 무시해? 그러고 싶어? 그러면 니맘이 편해져?

민준 혹시 원하시는 게 무시야? 그런 거면 말씀을 하세요.

제가 무시하는 거 좀 준비를 해볼게.

소민 너 사람 진짜 귀찮게 한다.

민준 하.. 내가 왜 대꾸를 했을까..

26. 제이비씨 휴게실 / 낮.

대본을 읽고 있는 범수. 앞 테이블에 컵라면 하며, 반쯤 누운 자세하며 영락없는 만화방 포스지만 표정만큼은 진지하다. 그 모습을 먼발치서 보고 있는 환동과 동기.

환동 (호기심 어린) 2부까지밖에 없는 대본을 이틀째 보고 계십니다.

동기 (대수롭지 않은) 재.. 자기 작가가 주는 대본은 지문까지 외우는 애야.

환동 (놀라운) 그게.. 가능한 것입니까?

동기 작가들은.. 문장 끝에 마침표를 달아야 할지 물음표를 달아야 할지 애매할 때가 있다고 하더라. 그럴 때 세상에 없는 기호를 만들어 주는 게 감독의 몫이고 그걸 만들려면 읽고 또 읽고..

환동 하...

동기 저렇게 막말하고 다녀도 작가들이 줄을 서는 이유가 있는 거지.

환동 ..(아련한 미소..)

동기 그 멋있는 놈이 니 사수다. 뿌듯하냐?

환동　　뿌듯합니다·· 그런 멋진 감독이 찾는·· 그런 멋진 작가가 된 거잖아요··

동기　　·····?

다 읽은 대본을 덮는 범수. 별거 아닌 듯 잠시 생각.
그리고 별거 아닌 듯 한숨.

범수　　하··· 충분히 아쉽구만. 귀찮게 해주마.

27. 은정의 집 / 낮.

아무도 없는 거실. 울리는 초인종 소리.
잠에서 깬 효봉이 부스스 눈 비비며 방에서 나온다.

Cut To

효봉이 현관문을 열면, 범수가 문 앞에 서있다.
효봉은 아직 눈이 부시고.
범수는 이 녀석이 뭔가 싶다.

범수　　누구세요?

효봉　　····?? ···그·· 제 쪽에서 해야 되는 질문 같은데··

범수　　아·· 그렇지. 그럼 하세요.

효봉　　누구세요?

28. **진주의 본가 / 낮.**

거실. 진주, 대자로 누워 낮잠을 즐기는데 그 꼴이 굉장히 자유롭다. 부정적인 쪽으로. 저쪽 주방에서 시끄러운 웃음소리가 들린다. 진주 모의 웃음소리.

그 시끄러운 소리에 귀찮은 듯 일그러지는 진주의 얼굴.

잠에서 깨 겨우 한쪽 눈을 열어 주방 쪽을 보면.

식탁에 앉아 밥을 먹고 있는 어떤 남자의 뒷모습.

진주 모　그렇게 잘나가는데 난 자기가 한 드라마 하나도 못 봤어.

범수　와하하하. 아 그러기가 쉽지 않은데. 그럼 뭐 좋아하세요?

진주 모　도깨비.

범수　하~ 좋지.

진주 모　도깨비와 함께한 시간 모두 눈부셨지. 날이 좋아서 날이 좋지 않아서 날이 적당해서 모든 날이 눈.. (진주 발견) 부셔서 일어났네.

잠이 덜 깨 그리 놀라지 못하는 진주.

범수　아니 뭔 낮잠을 밤잠처럼 자요?

진주 모　어렸을 때부터 집에서 뒹구는 걸 좋아했어. 왜 보통 애들은 나가서 놀다 지치면 들어와서 쉬었잖아. 재는 집에서 쉬다가 지치면 나가서 놀았어.

범수　아~ 그래도 밥시간 땐 들어와서 밥 먹죠?

진주 모　밥때가 따로 없지.

범수 계속 배부른 상태를 유지하는구나?

진주 모 오호호호. 어쩜 그렇게 잘 알아? 진주랑 되게 친하구나?

진주 엄마랑 되게 친한 거 같은데?

진주 모 친구 먹었어. 되게 웃겨 얘. 오호호호.

범수 하하하. 누나라고 해도 돼요?

진주 모 그건 안 돼. 오호호호.

죽이 맞아 웃고 있는 엄마와 범수를 두고 그냥 나가버리는 진주.

진주 모 안 따라가?

범수 또 보게 되겠죠. 밥을 어떻게 남겨요?

진주 모 자세가 좋네. 자기 드라마 볼게.

여유 있는 척하더니만 반 공기나 남은 밥을 한입에 욱여넣고 일어서는 범수.

29. 소문으로 들었소 녹화장 / 낮.

ㄷ자형 테이블 양쪽으로 각각 세 명씩 패널이 앉아있다. 맨 끝 쪽에 앉은 은정이 다소 긴장을 해야 되나 하는 표정으로 두리번. 아나운서로 보이는 친절한 남자 MC가 패널들에게 인사하며 MC석으로.

뒤따라 스튜디오로 들어오는 소민은 대외용 표정과 멘트

로 세상 친절한 인사를 스태프&패널들에게 빠짐없이 전한다.
그리고 드디어 은정의 앞.

소민 어머~ 반갑다. 나도 와서 알았어. 몇 년만이지?

은정 며칠만이지. 난 너를 봤고. 너도 나를 봤다고 효봉이한테 전해 들었네? 눈이 좀 안 좋은가 봐?

소민 눈은 좋은데 귀가 안 좋아. 뭔 소리 하는지 안 들리네?

은정 어머 그렇지. 너 연기 못하는 이유가 상대 배우 대사를 못 들어서 그렇다고 얘기 들었어. 이건 대본 읽으면 되니까 다행이다.

말을 잇지 못하는 소민의 미소 안에 피뜩피뜩 드러나는 분노.

Cut To

남MC 자~ 저희야 너무 잘 알고 있지만 혹시 모르실 시청자분들을 위해 자기소개 좀 해주시죠.

은정 네. 안녀··

소민 제 친구에요. 호호. 대학 동창.

은정 소개하고 싶은 내용이 아니네요.

소민 아 욕도 잘하시고 술도 잘 잘하시고, 그래서 정~ 말 친구들 사이에서 인기가 많았죠. 여자친구들.

은정 (저년이…) 자기소개에 자기가 소민 씨 부른 건가 봐요? 두 분이 서로 자기 하는 사인가?

웃는 패널들.

남MC (당혹감을 감추고) 아하하. 두 분이 정말 친한 것 같아요.

은정 (여유 카메라 보고 웃으며) 뭐 어쨌든 욕은 작년에 끊었답니다. 간혹 욱할 땐 욕 대신 과일 이름을 내뱉기로 했어요. 여러분도 해보세요. 열 받을 때 과일의 상큼함을 떠올리면 마음을 진정시키는 데 도움이 꽤 되더라고요.

소민 술 좀 끊으셔야 할 텐데. 여전히 술 좋아하시죠?

은정 제가 많이 사랑하죠. 호호.

소민 혹시 지금 음주 방송 아니에요?

은정 (작은 읊조림) 아.. 이런 깔라만시..

소민 어머 솔직하시네요. 어제도 깔라 되셨다고요?

은정 아니.. 깔라만시..

소민 …? 뭐 깔라?

유머로 보여 웃으려다 유머가 아닌 것 같아 어정쩡한 패널들. 카메라 뒤에서 자리 잡고 앉아있는 담당 피디와 담당 작가.

피디 하.. 쎄하다..

다시 스튜디오.

남MC　열대과일··이죠. 하하.

소민　아 그 녹색 레몬.

은정　와우··

남MC　두 분이 정말 친하신 것 같아요. 그·· 우선·· 그 자기소개를··

패널1　(혼잣말) 여태 자기소개야··

은정　네. 안녕하··

소민　욕한 거네.

은정　후·· 그걸 생각해야 알아요?

소민　호호호. 한 대 맞은 것 같네요.

은정　왜? 열대과일이니까 열대 맞았다고 하지?

남MC　아·· 두 분이 정말 친하신 것 같아요.

패널1　그 말 한 번만 더하면 진짜 친해지겠네.

소민　잠깐 쉬죠.

패널1　(짜증) 뭐 녹화 5분 만에 쉬어? 이거 녹화 내일 끝나 이거.

대수롭지 않게 일어나 무대를 빠져나가는 소민, 카메라 옆에 서있는 홍대를 지나쳐간다. 재밌게 웃고 있는 홍대를 보며 씽긋 엄지를 올려 보이는 은정.
피디의 눈엔 소민에게 엄지 척을 한 것으로 보인다.

피디　와·· 내가 똘아이를 캐스팅했어.

작가　원 플러스 원으로 하셨네요.

30. 진주의 본가 동네 어귀 / 해 질 녘.

별생각 없이 어딘가로 향하고 있는 진주를 뒤따르고 있는 범수. 1도 신경 쓰지 않는 듯 보였던 진주가 못 견디고 짜증을 부린다.

진주 (속도를 늦추지 않고) 거 왜 사람을 이렇게 귀찮게 해요. 아쉬울 거 없는 대 감독님이?

범수 (속도를 올리지 않고) 옆으로 와 봐요. 말해줄게.

진주 아 내가 앞에 가고 있는데 그쪽이 따라붙는 게 맞지. 지금 뭐 뒤로 걷고 있나?

범수 마지막 자존심이랄까. 내가 집까지 찾아왔잖아. 속도를 늦춰서 자연스럽게 옆으로.

진주 와·· 씨·· 신선해서 맞춰준다.

속도를 늦춰 간격을 좁히는 진주.

범수 옳지. 그렇지. 이럴 때 보면 사람이 참 착해.

이제 나란히 걷게 되는 두 사람.

범수 환동이한테 얘기 들었어요.

진주 지나간 풋사랑입니다.

범수 풋사랑? 뭐 발로 한 사랑을 말하는 건가?

진주 와씨·· 웃을 뻔했네.

범수　　발을 사용했든 마음을 사용했든 난 그런 거 모르겠고.
작가님. 지나간 일 가지고 프로답지 못하게 이러지 맙시다.

진주　　(심기 불편)

범수　　이런 상황에선 보통 이딴 쉰 소리 하기 마련이지만 난 특별하거든.

진주　　뭐 특별한 쉰 소리도 있나? 기대되네.

범수　　치킨 어때요?

진주　　갑자기? 뭐 선호도 조사 같은 거예요?

범수　　아니. 먹으러 가자고. 타이밍이 좀 어색한가?

진주　　뭐… 죽기 전에 나와도 어색한 말은 아니지. 치킨.

31.　　드라마 세트장1 / 밤.

먹음직스런 치킨 다리가 누군가의 손에 잡혀 올라간다. 고속. 치킨 다리의 도착지는 수줍게 벌어지고 있는 주니의 입안. 카메라 뒤 나란히 선 한주와 재훈의 감격.
주니와 한주와 재훈이 같은 연기를 하고 있는 것만 같다.
바사삭— 먹음직스럽게 한입 베어 물면… 격렬히 퍼지는 감격.

32.　　소문으로 들었소 녹화장 / 밤.

불안 불안한 피디와 작가의 모습.
어쨌든 녹화를 이어가고 있는 출연자들.

남MC　아 정말 광고 욕심 없으세요?

소민　아 농담이죠! 예능을 다큐로 받으시고. 사실 광고는… 제가 더 사랑하죠! 오호호호호.

남MC　하하하. 아무튼 요즘 드라마들이 이 과도한 피피엘로 시정자들 눈살을 찌푸리게 하고 있는데요.

패널1　어제 '마지막 남편'에서 그 네 번째 남편이 말기 암 선고를 받은 날 아내한테 식기세척기를 선물하는데 브랜드 로고가 딱—

소민　봤어요. 봤어. 너무 재밌죠. 난 거기서 찡했는데? 마지막 가는 길에도 여자의 집안일을 걱정해주는 남자.

은정　여자의 집안일이라니 집안일이 왜 여자 건데요? 그리고 집구석에서 잠만 자다가 뭐 말기 암 선고받은 날 식기세척기야? Product Placement. 단어의 의미가 무색한 배치였다고 생각합니다.

소민　지금 피피엘 얘기하는 건데요.

은정　….

당황하다 하다.. 지쳐가는 남MC, 소민에게 귓속말로 설명해준다. 지긋이 인내하며 은정을 노려보다가..

소민　잠깐 쉬죠. (일어난다)

패널1　또 쉬어! 또 쉬어! 이거 안 끝나 이거!

Cut To

온 에어. 되레 의연해져 버린 피디와 작가.

팔짱을 끼고 녹화를 지켜보는 민준. 전에 없이 심각하다.

소민 연예인이면 호화 주택에 살면 안 되는 건가요?

은정 핵심이 그게 아니고요. 지금 비난받고 있는 건 혐오 시설이 내 집 앞마당에 들어서는 걸 노골적으로 반대하고 싸우고 있다는 거죠.

소민 아니 누가 집 앞에 혐오 시설 들어서는 걸 반겨?

은정 그럼 그게 어디로 가겠어요? 남에 집 앞으로 가겠죠? 더군다나 이런 특권층의 지역이기주의는 결국 서민층과 대척점에 있다는 점에서 질 나쁘고 뻔뻔한 님비라고 할 수 있죠.

소민 냄비요?

은정 냄비.. 아니 님비현상을 말한 겁니다.

소민 (…뭐래..) …?

남 MC (이제 익숙한 듯 귓속말로 알려준다)

은정 …….

남 MC 하.. 하.. 두 분이 정말 케미 돋네요. 너무 잘 어울려요.

패널1 갑자기?

소민 …잠깐 쉬죠. (일어서고)

패널1 (해탈) 어~ 그래. 쉴 때 됐어. 쉬어야지. 휴가를 다녀오지 그래?

Cut To

소민 잠깐 쉬죠.

Cut To

소민 잠깐 쉬죠.

Cut To

다시 녹화 중단. 되레 성숙해진 피디와 작가.

소민 아 좀 대본대로 가면 안 돼요?!

은정 (대본 들어 보이며) 생각하시는 바를 말씀해주시면 됩니다. 라고 쓰여 있지? 뭐? 이걸 그대로 말할까?

소민 뭔 생각이 그렇게 복잡한데? 알아듣게 말해.

은정 너만 못 알아듣고 있어. 못 알아들으면 그냥 고개만 끄덕거려. 왜 자꾸 받아치는데? 너보고 다 알아들으란 것도 아니고 모르면 감추는 노력 정도는 해줘야 되는 거 아니야?

패널1 (알아서 해주는) 잠깐 쉬죠.

일어서 나가는 소민.

33. 드라마 세트장1 입구 / 밤.

복도 벤치에 앉아 휴식을 취하는 한주와 재훈. 몸도 마음도 편하게 늘어진 두 사람의 표정이 뿌듯하다.

슬며시 한주를 바라보는 재훈.

재훈 고마워요.

한주 …응?

재훈 재밌게 일하게 해주셔서요.

한주 무슨‥

재훈 음‥ 저 부끄럼 많이 타서 남 앞에 나서는 거 못하는데, 선배님이 옆에 있으니까‥ 그게 막 되더라고요.

한주 그거 내가 해야 되는 말인데‥
나 춤이라는 거 처음 춰 봐요.

재훈 아‥ 절대 아니던데‥

한주 심지어 수학은 제일 못하던 과목인데?

재훈 (쑥쓰‥) 하‥ 제가 수학만 잘했어요.

서로를 바라보며 킥킥대고 웃는 두 사람. 아이들 같다.

그때 매니저를 대동한 주니가 그들 앞으로 지나간다.

괜히 반가운 마음에 일어나 인사하는 한주와 재훈.

한주 주니 씨 수고하셨어요.

주니 네, 수고하셨습니다. 매일 현장에 나오시나 봐요?

한주 네! 마케팅 담당이긴 한데. 저희 회사랑 공동제작이기도 해서요.

주니 아 그런 거 잘 몰라서. 그럼‥

인사하고 돌아서는데.

한주 아 그리고 오늘 치킨! 너무 고맙습니다.

재훈 (꾸벅) 너무 귀찮게 해드려서 죄송합니다!

무덤덤한 주니의 얼굴.

하지만 뭔가 할 말이 있는 듯 바라보다가‥

주니 아니에요. 귀찮지 않았어요.

재훈 (기분 좋아지는) 그렇게 생각해주시면 더 고맙습니‥

주니 무서웠어요.

한주/재훈 ……

주니 ‥우리 지금은 네 명인데 원래 5인조였어요.

재훈 네 알고 있습니다. 유학 간다고 탈퇴한‥

주니 유학 아니에요. 저랑 제일 친한 친구이기도 했는데‥ 사생팬에 시달리고 스토커에 살해 위협까지 받았었어요.

한주/재훈 ………!

주니 정신과 치료받다가 결국 날아갔죠. 꿈도 포기하고. 우리 어렸을 때부터 춤추고 노래하는 거 좋아했거든요. 난 이 일이 좋은데. 난 그 일이 무서워요.

아무 말도‥ 눈동자도 움직일 수 없는 한주와 재훈.

주니　　그냥‥ 잘해주는 것만 같았던 사람이 살인자로 돌변하는걸‥ 제가 봐서‥ 그게 문제인 거겠죠, 뭐.

별 감정 없이 돌아서 가는 주니.
그대로‥ 굳어버린 한주와 재훈.

시간 경과.
벤치에 앉아 축 늘어진 한주와 재훈. 미안한 마음을 어찌 할 수 없는 심성 착한 두 사람. 누가 먼저랄 것도 없이 슬쩍 눈물이 한 줄 흐른다. 눈물을 들킬까 힐끗 서로 눈치를 보다 눈이 마주치는데‥ 마음의 안도를 찾은 아이가 참았던 눈물을 터트리듯‥ 바보같이 울기 시작하는 두 사람.

한주　　왜‥ 울어요?
재훈　　미안해 죽겠어요‥

34.　　치킨집 / 밤.

치킨을 앞에 두고 시원하게 맥주를 들이켜는 진주.
연속해서 잔을 비워내는 진주의 모습. 점프 컷.

범수　　하‥ 치킨을 좋아하는 거예요, 맥주를 좋아하는 거예요?

진주　　굳이 우열을 가리지 맙시다. 둘 다 신성한 것인데.
여기 생맥 한 잔 더요! 왜 안 마셔요?

범수　　끊었어요. 실수 없이 살고 싶어서.

진주　　다시 마셔요. 끊긴 일러. 젊은 사람이.

범수　　작가님 얘기 많이 들어주고 싶은데?

진주　　뭔 얘기요?

범수　　뭐 하고 싶은 얘기들 많을 거 아니에요. 일 얘기든··
지난 사랑 얘기든. 해봐요. 나 듣는 거 잘해.

진주　　의외네? 근데·· 나만 취하면 말 못 해요.
나만 쪽팔리게 되지.

고개를 끄덕이며 잔을 비워내는 범수.

35.　　소문으로 들었소 녹화장 / 밤.

고된 과정을 견디고 되레 미친놈처럼 웃고 있는 피디.

피디　　수고하셨습니다! 수고하셨습니다!

작가　　수고하셨습니다…

패널1　　이야·· 녹화를 아홉 시간 했어. 우리 2주 분량 녹화 뜬 거 아니지?

진이 다 빠져버린 패널들 대충 인사를 나누고 정리. 단단히 기분 틀어진 소민이 먼저 녹화장을 빠져나간다.

노곤하게 기지개를 켜는 은정. 몸이 축 늘어진다.
먼발치서 은정을 바라보고 있는 홍대. 입 모양으로 수고했어~ 그런 홍대를 보고 기분 좋은 미소를 보이는 은정.

36. 소문으로 들었소 방송국 지하 주차장 / 밤.

털레털레 주차장 입구로 들어서는 은정.
입구 앞에 승합차를 대기 시켜놓고 기다리는 민준.

민준 수고하셨습니다.
은정 아 수고하셨습니다.

지나쳐가는 은정의 뒷모습을 보며 잠시 망설이다‥

민준 저기‥
은정 (돌아본다) ?
민준 외람되지만‥ 말씀드리고 싶은 게 있어서‥
은정 아 네. 말씀하세요.
민준 그‥ 소민이‥ 똑똑한 사람입니다.
은정 아…
민준 관심사가 다르고 생각하는 방식이 다를 뿐이죠.
은정 …
민준 무슨 일로 두 분 사이가 틀어졌는지 모르겠지만 아마 소민이 탓일 확률이 높을 거예요. 성격이 그지 같잖아요. 그래도 많은 사람들 앞에서 면박당할 만큼.. 오늘 그만큼 감독님께 실수를 한 건지.. 잘은 모르겠네요.

은정 아… 네..

민준 아.. 주제넘게 죄송합니다. 그래도 저한텐 소중한 사람인데.. 좀.. 속상해서.. 죄송합니다. 앞으로 잘 부탁드립니다. 성격이 좀 그래도.. 속은 여린 사람이에요..

그때 뒤에서 들려오는 비명. 꺄악!! 돌아보면 입구 문턱에 다리가 걸려 나자빠진 소민.

소민 아 썅! 야! 뭘 보고만 있어?!

민준 (침착하게 은정을 보며) 아닐 수도 있겠네요. 안녕히 가세요!

소민에게 달려가는 민준. 멍하니 그와 그녀를 바라보고 선 은정.

민준 아 자빠졌으면 일어나야지 왜 그러고 있어? 인어야?

소민 인어공주가 아니고 그냥 인어? 공주는 왜 빼?

민준 이 와중에 공주 욕심내고 있네. (번쩍 들어 안고)

소민 욕심내면 안 돼? 전지현은 되고 난 안 돼?
그럼 전지현한테 가 새끼야!

민준 지금은 못 가.

소민 왜? 나 다쳐서?

민준 보너스 달이야. 무르팍 까졌네, 이거.. 아.. 씨..

소민을 차에 싣고 운전석에 올라타는 민준.
주차장을 빠져나가는 승합차를 한참 바라보고 선 은정.
그 옆으로 다가오는 홍대.

홍대　기분 나빠? 혼내줄까?
은정　아니. 반박할 여지가 없어서. 뭔가 쪽팔려.
홍대　널 쪽팔리게 했는데 가만히 있을 순 없지. 반박할 거 되게 많아. (민준 쪽으로 가며) 기다려.
은정　일루 와.

곧바로 돌아 은정을 따라가는 홍대.

홍대　근데 사이는 왜 그렇게 된 거야?
은정　습… 몰라. 그걸.. 모르겠어.

37.　치킨집 / 밤.

술이 목구멍까지 차오른 범수.
욕이 목구멍까지 차오른 진주.

범수　진짜 모르겠어! 내가 왜 헤어졌는지! 바쁜데 어떻게 만나? 그래도 겨우 시간 내서 같이 밥 먹고! 세상에 그런 게 왜 있어야 되는지도 모르겠는 디저트까지 먹고 영화 보고 다 했어! 그리고 집에 데려다주는데 얘가 뭐라는지 알아?

오빠 나 안 좋아하지? 와… 하루가 끝났다고 생각했던 지점에서 새로운 하루가 시작되더라?

진주 …내 얘기 들어준다매… 자기 얘기 지금 풀 스토리야!

범수 그러게 왜 술을 맥여! 들어요! 나도 지난 풋사랑 있어!

진주 사랑 같은 거 없다매! 뭐 말이 랜덤으로 막 나와?

범수 있는 줄 알았지! 누가 날 때부터 사랑 같은 거 없구나~ 하고 나와?

진주 아니 2년을 넘게 만났는데 오빠 나 안 좋아하지 이딴 말 들은 인간이 바보지 그렇게 여자를… 아니 그 사람을 몰라?

범수 당신은 알아서 헤어졌어?

진주 아니까 헤어졌지! 얼마나 다행이야?

그때 가게 안에 음악이 바뀐다. 봄을 알리는 대중가요. (제목: 봄꽃놀이) 유명한 히트곡인지 옆 테이블에선 따라 부르기까지.

범수 (지나가는 알바생에게) 여기요. 저 노래 좀 바꿔주세요.

진주 왜 엄한 노래가지고 그래요.

범수 가사가 뭐 저래? 뭔 꽃들 속에서 샴푸 향을 느껴? 꽃냄새 나면 저가 샴푸 아니야? 여관에 있는 거!

알바 저… 다른 손님들도 계셔서요…

진주 죄송합니다. 괜찮습니다. (알바생 보내고) 일 보셔요~ 하… 사랑을 비관하다 사랑 노래 나오면 짜증 내는 거 너무 클리셰하다.

범수 그냥 저 노래가 싫은 겁니다!

진주 아 왜 승질을 내? 뭐 저 노래 가사 쓴 사람한테 차였어요?

갑자기. 너무 갑자기 표정 사라지며 맥주나 마시는 범수. 살짝 놀란 진주.. 꿈뻑.. 꿈뻑...

진주 여기요!! 저 음악 좀 바꿔 달라니까욧!! 사람 죽일 셈이야?!!

시간 경과.

발그레한 두 사람. 아까 전 기운은 간데없고. 진지한 상념.

범수 결국.. 사랑이 없다고 믿는 게 아니라.. 있다는 걸 알아서.. 괴로운 사람 같네요..

진주 그걸 아는 사람이 좋아한다는 사람 감정 쉽게 다루고 그러지 마요.

범수 제가요? 다미 말하는 거예요? 영양사?

진주 네. 귀여운 사람이더만.

범수 나쁘게 하려고 했던 거 아니에요. 평소 친분이 있던 애가 훅 들어오니까..

진주 또 상대 핑계. 세상에 가벼운 고백은 없고, 내가 싫다고 해서 상대방 마음에 대해 책임이 없는 건 아니에요. 어쨌든 그 마음이 움직인 이유는 당신이니까.

범수 아직.. 힘들까요?

진주 그럼요. 이루지 못한 건 평생 가죠.

범수 환동이도 진주 씨한테 이루지 못한 사람인가.

진주 지지고 볶고 다해봤는데요 뭘. 그냥.. 미안하게 생각하는 사람 정도..

범수 그럼 그냥.. 우리 같이 일합시다. 미안하면.. 더 아무렇지 않아야죠.

진주 아직.. 아플까요?

범수 그건 모르겠지만.. 우리 이제 서로 미안해하지 않도록..

그때 창밖으로 시선이 고정되는 범수.
말하다 말고 무엇을 본 것일까.. 범수를 따라 창밖을 보는 진주. 환동과 다미가 팔짱을 끼고 걸어가고 있다.
애틋하게 서로를 바라보기까지. 꺄르르 하하하 웃기까지..
잠시 맥주잔을 매만지는 범수와 진주.

진주 맥주가 좀.. 밍밍하다. 쏘맥 하나?

범수 여기요~ 소주 한 병 주세요! 빨리 주세요! 아까 노래 안 꼈잖아!

38. 이자카야 / 밤.

작은 사케 병이 대 여섯 병. 발갛게 달아오른 한주와 재훈.
겨우 마음을 추스른 두 사람.

한주　　그렇게 눈물이 많아서 어떻게 사회생활하려고 해요··?

재훈　　선배님도 하는데요 뭐.

한주　　헤헤··

재훈　　울지 말아요, 그렇게··

한주　　엉엉 운 주제에.

재훈　　엉엉은 아니죠. 흑흑 정도··

한주　　아니에요. 미안해 죽겠다고 엉엉~

재훈　　주니한텐 고마웠어요.

한주　　응?

재훈　　미안한 마음도 컸지만·· 알려줘서. 더 깊이 생각하게 해줘서 고마웠어요. 제가 미안해 죽겠던 건·· 선배한테·· 너무··

한주　　…? 그게 뭐예요?

재훈　　내가 잘못해서 내가 울린 거 같아서··

한주　　아니에요·· 절대··

재훈　　일 잘하고 싶었어요. 그럼… 선배님이 웃잖아요.

취기에 힘없이 고개를 떨어트리는 재훈. 잠든 건가··
싱긋 웃으며 재훈의 손을 잡아주는 한주. 귀엽다는 듯 바라보다 무언가 말하려고 입을 떼는데 그때, 재훈의 손이 한주의 손을 다시 잡는다. 힘주어.
살짝 어색해지는 한주. 말할 수 있는 단어를 찾아보려 애써보는데··

재훈　　죄송합니다.

한주 아니라니까요, 재훈 씨 책임 아니에요.

재훈 좋아하는 마음은 제 책임이죠.

한주 아·· 하하·· 아·· 취했다. 술 잘 못 먹네~

재훈, 다시 고개를 든다. 한주를 바라본다. 아이 같지만 진지하게·· 그리고 술기운이지만 어떤 용기를 내어보려 한다. 설마 하는 그 말이 나올 것만 같아 한주는 시선을 제대로 마주하지 못한다. 그리고 재훈의 입이 무언가를 말하려 하는데··

사장 손님 저희 주방 마감이라서, 혹시 필요하신 음식··

한주/재훈 없어요. 없습니다.

내 손이 왜 여기 있지? 재훈, 손을 떼고.

한주 그·· 끝났다네··

재훈 아·· 그럼 네. 끝났으면··

한주 갈까요? 내일 인국이 특별활동인데. 늦었다.

재훈 아, 네. 네. 중요하죠. 특별활동.

바삐 가방을 챙겨 일어서는 한주.

비틀거리며 일어나는 재훈.

39. 치킨집 / 밤.

거나하게 취한 진주와 범수.

알바 저희 영업이 끝나서요··

진주 아 끝났지. 그럼 안 되지. 못 먹지.

범수 끝났으면 가야지!

진주 (일어나며) 가야지! 2차!

범수 2차 가야지!

진주 집으로 가자 집으로! 방술이 편해!

범수 방술 콜!

40. 한주의 방 / 밤.

어두운 방. 조심히 문을 열고 들어와 잠든 인국을 물끄러미 바라보는 한주. 기분 좋은 미소가 흐른다.

이불을 제대로 덮어주고 나가는 한주.

41. 범수의 집 전경 / 낮.

42. 범수의 집 거실 / 낮.

말끔하게 정돈된 40평대 아파트.

아무런 흔적도 전조도 없이 그냥 거실.

43. 범수의 방 / 낮.

침대 위 잠든 두 사람. 물론 그 흔한 그림.

그러다 뒤척뒤척 마주 보고 눈을 뜨게 되는 진주와 범수.

부스스.. 눈을 비비고.. 절대 당황하지 않는 두 사람.

아주 평범한 일상처럼. 자연스럽게 일어나 주섬주섬 옷을 찾아 입는다.

범수　잘 잤어요?

진주　에~ 잘 잤어요? 근데 왜 암막 커튼을 안 했데?

범수　늦잠 안 잘라고..

진주　건실한 청년이네.

범수　천천히 입어요. 뭐 당황한 사람처럼.

진주　셔츠 거꾸로 입으셨네.

범수　(자연스럽게 다시 입으며) 밥 먹고 가요.

진주　아침 안 먹는데?

범수　그래도 손님인데. 뭐? 불편한가?

진주　불편하긴 뭐가? 장이 좀 예민해서 그런 건데.
뭐 차려 봐요 그럼.

44. 범수의 집 주방 / 낮.

자연스럽게. 집에 놀러 온 친구처럼. NBA 틀어놓고.

그렇게 두 사람. 식사를 하고 있다. 한식 한 차림.

거실 한 면엔 방울토마토 화분이 가득하다.

진주 방울토마토 좋아하시는구나··

범수 에·· 사람이 토마토를 먹어야지··

진주 음식도 이게 혼자 사는 사람이.

범수 엄마표. 이게 독립이, 독립이 아니야.

진주 이야~ 총장님이 이런 것도 하시고.

범수 총장이란 말이 최근에 뉴스에서 좀 부정적으로 노출된 거지. 취미도 얼마나 고상하고 올곧은 사람인데.

진주 그럼요, 총장 아무나 하나.

범수 (어색하다가……) 토마토 좀 따 드릴까?

45. 범수의 집 현관 / 낮.

나설 채비를 하는 진주. 배웅하는 범수.

진주 아 내가 설거지를 좀 해야 되는데.

범수 아이구 여자가 무슨 설거지야 내가 해 내가.

진주 이렇게 맛있게 먹고 이거, 그럼 이달 관리비라도 좀 내줄까 싶은데··

범수 에헤이 거 참 웃기지도 않은 소릴.

진주 그럼 뭐 마음 편하게 가요 저.

범수 (방긋 웃으며 방울토마토가 든 봉지를 건넨다)

진주 하이구 이건 또 언제 땄대··

범수 에 뭐 금방.

두 사람 방긋 웃으며 손 인사.

그리고 현관문을 빠져나가는 진주.

46. 거리 / 낮.

아무렇지 않은 듯 시계를 보다 택시 있나 보다 사람들 보다… 그냥 걷다… 투둑… 바닥에 떨어지는 방울토마토.

그리고… 갑.자.기.

진주 으아아아아악!!!!!

미친년 포스 뿜내며 내달리는 진주.

47. 범수의 집 베란다 / 낮.

먼 하늘을 바라보며 방울토마토를 먹고 있던 범수. 어디선가 미친년의 비명이 들려온다. 투두둑… 손에 쥐고 있던 토마토가 떨어지고… 천천히 창문을 열고… 갑.자.기. 확 뛰어내리려다… 당연히 바로 다시 서서는…

범수 하… 거 죽기 딱 싫은 날씨네…

페이드아웃.

47-1. 초록어린이 재단, 건물 로비 / 낮.

누군가를 기다리는 은정. 전화가 온다. 받으면. 엘리베이터 쪽에서 알은 채 하며 다가오는 재단 직원. (14부 재단 직원과 동)

재단 안녕하세요. 이쪽입니다.

은정 (꾸벅 인사하는) 안녕하세요.

47-2. 재단 사무실.

상담실에 자리를 안내하는 재단 직원.

재단 이쪽으로.

주변을 둘러보며 자리에 앉는 은정.

47-3. 흥미유발 엔터 사무실 / 낮.

업무 중인 재훈에게 음료수를 건네고 자리로 가 앉는 한주.

재훈 고맙습니다.

한주 네~

아무렇지 않게 업무 보는 한주를 잠시 살피는

재훈 해장하셨어요?

한주 에이~ 얼마나 마셨다고·· 오늘은 술 먹지 마요.

재훈 하하·· 네··

약간 어색한 기운을 감추는 두 사람.

47-4. 진주의 방 / 낮.

급히 들어오는 진주. 무엇을 해야 하는가··

잠시 서서 고민하다가··

진주 (V.O) 동굴. 동굴이 필요해.

이불 속으로 들어가 몸을 숨기는

진주 (V.O) 하루여. 시간이여. 부디 어서 지나가다오. 흘러가다오. 내 기억에 남지 말아다오.

해가 진다. 타임랩스.

48. 은정의 집 주방 / 밤.

조용히 밥을 먹고 있는 그녀들과·· 효봉. 너무 말이 없는 그녀들이 너무 이상하고 불안하기까지 한 효봉.

효봉 이 집에서 왜·· 말소리가 안 들려·· 무서워. 그리고 이 테이블 위에 어떻게 맥주가 없어?

은정 돈 아껴야지. 비싼 맥주만 처먹는 것들.

효봉 요즘 왜 돈 타령이야? 그러고 보니까 안 한다던 방송도 하고.

은정 돈 벌어야지.

효봉 왜 이래? 벼락부자. 아 뭔 일들이야? 들.

은정 야 너부터 말해. 분명히 니가 제일 작은 일일 거야.

한주 (망설이다··) 이번엔 사안이 좀 커··

은정 긴장된다. 야.

한주 나·· 남자랑 손 잡았어.

은정 아 억울해. 긴장한 거 억울해.

한주 손·· 잡혔어.

효봉 그게 끝이지? (진주를 보며) 다음.

진주 나·· 남자랑 잤어.

은정 와우! 너··· 혹시·· 이 미친··! 환동이?

진주 아니.

효봉 얼쑤! 긴장된다.

진주 손범수.

은정/한주 !!!!!! 미친···

효봉 와·· 안 억울해. 긴장한 거 안 억울해!

진주 아니 그 잠만·· 옷은 벗었는데·· 그니까··

효봉 일단 좀 이따 얘기해, 와우! 여기까지 듣고 (은정을 보며) 다음!

은정　나? 이렇게 센 거 듣고 너무 급하게 넘어가는 거 아니야?

효봉　해 그냥. 빨리 듣고 진주 누나 얘기하자. 더 센 게 나올 수가 없어.

은정　나.. 기부했어.

효봉　얼쑤! (삘 받은 듯 재밌게 웃다가.. 정지) 음.. 기부? 그.. 자선사업이나 공공사업을 돕기 위해 대가 없이 내놓는 그거?

은정　응. 그거.

자신의 생각에 빠져 있던 한주와 진주.. 그 말에 스윽— 돌아본다. 정신이 돌아오고 있다. 한주가 손을 든다.

한주　나 잘못 들은 거 같아.

진주　기부했대, 기부. 할 수 있지. 얼마?

은정　다.

진주　다 얼마.

은정　다.

진주　(침착.. 미소..) 다는 좀 많은데? 그냥 다?

은정　응. 싹 다.

진주　(침착.. 미소..) 왜?

은정　그러고 싶어서.

진주　(침착.. 미소..) 상의도 안 하고.
그냥 그러고 싶어서 그냥 다?

은정　응. 상의하면 입장 차이만 보게 되지. 근데 안 봐도 알 것 같아서 그냥 알아서 진행했어.

진주 (침착·· 미소·· 정색··) 아·· 그렇구나···

이미 멘붕에 빠져 벽을 보거나 식탁 재질을 만지작거리고 나 있는 한주와 효봉.

49. (인서트) 은정의 집 전경 / 밤.

진주 (소리) 야아아아아!!!!!!!

50. 은정의 집 / 밤.

인국이를 끌어안고 숨을 고르고 있는 한주.

인국 아 왜?! 뭐 또?!!
한주 인국아 오늘은 아무 말 말고 그냥 나 좀 안아 줘··
인국 아··· 진짜 질린다···

효봉은 기타 연주를 시작한다··· 무슨 곡인지·· 도무지 알 수 없는 리듬·· 진주와 은정만이 끝나지 않은 식사 자리에 앉아 서로 마주 대하고 있다.

진주 다는 아니지·· 왜 그래? 차라리 남자랑 자 이년아!!
은정 밥 좀 먹고 얘기할까?

그냥 밥 먹는 은정.

바닥으로 엎어져 강화마루와 하나가 되는 진주.

진주　(소리) 시간을 쓰면 이해될 만한 일들이 있는 거겠지.

그치.. 근데.. 와아.. 시간 오래 걸리겠다 이거.

51.　재훈의 집 / 밤.

원룸. 아기자기한. 새벽 시간 어두운 방.

침대에 혼자 누워 천장을 보고 있는 재훈. 생각.. 피식 웃음도. 그때 현관문 열리는 소리가 들리고.

재훈, 고개를 돌려 현관을 보면. 재훈의 여자친구. 동거녀. 하윤(25세)이 취한 듯 몸을 비틀거리며 들어온다.

잠들지 않은 재훈을 보고 반갑게 뛰어오는

하윤　안 잘 줄 알았어!

재훈　(익숙한 듯) 클럽 갔다 왔니?

하윤　에이.. 오늘 나 논다고 했잖아.

재훈　술은 적당히 먹지.

하윤　쪼끔 먹었어! 난 술 못 먹잖아! 우리 재훈이는 소주 열 병을 먹어도 안 취하는데. 그치? 난 그렇게 못 마시잖아~

재훈　그러니까.. 먹지 말지..

침대에 얼굴만 묻은 채 잠들어 버린 하윤.

하윤이의 겉옷을 벗겨주고 침대에 눕히는 재훈.

술에 취해 잠든 여자친구를 가만히 내려다보는…

재훈의 얼굴에서.

"화가 나도! 당장 미워도.
미안하다고 사과하지 않아도…
그 말 들어야 속이 시원해지면
그건 사랑하는 거 아니야.
예뻐 보이고 싶어 여자는. 미안해, 용서해 줘,
다신 안 그럴게,
이런 말 하고 있으면 예뻐 보이지 않는단 말이야!
니 눈엔 그것도 예쁘다고 말하지 마.
그 말이 사실이 아닌 것만 같아 무서워한다고!
뭐하러 좋아하는 사람 무섭게 해?
그런 거야… 그런 거라고…
제발 모르지 좀 마… 헤어질 거 아니면!"

_ 진주의 말 중

· 4부 ·

4

0.　　범수의 집 / 밤.

맥주잔이 있다. 소주가 4분의 1가량 채워진다.

그리고 그 위에 맥주가 가득 채워진다. 흔들리는 술잔‥

고속.

진주　(V.O) 꼭 술이 아니더라도‥ 누구에게나 한 번쯤은…

절대 벌어지지 말았어야 할 상황을 벌어지게 만든 실수가‥

한 번쯤은‥ 있다‥ 내겐‥ 그날이 그랬다.

두 잔이 힘차게 부딪친다. 주방 테이블에 앉아 마른안주에 폭탄주를 시원하게 마시는 범수와 진주. 이미 술이 술을 먹고 있는 상태. 눈앞에 모든 그림과 말들이 몽환적으로 보이고 들린다.

범수　그거 알아요?

진주　몰라 난 아무것도 몰라.

범수　이미 여긴 술이 술을 먹고 있는 상태야‥

진주 술도 술 좀 먹어야지 뭐 맨날 우리만 먹어!

범수 ….박애주의자..

디졸브 시간 경과.

범수 으아.. 우린 잘못 없어. 술을 만들질 말았어야지. 아니 만들어놓고 먹지 말란 게 뭐야..

진주 이거는 신과 인간 사이에 어떤 불순한 존재의 이간질이야..

범수 그건 신이 막았어야지! 인간이 자기 영역 밖에 있는 걸 어떻게 막아내나!

진주 누굴 원망할 거 없어.. 이미 그 원망으로 바뀔 세상이 아니야.. 그냥.. 이해하고 받아들여.. 당신도 나도 잘못 없어..

범수 ….박애주의자..

디졸브 시간 경과.

소주 한 병과 맥주 서너 병을 비운 둘.

마지막 잔을 비워내고..

범수 술이 없어…

진주 거짓말하지 마.. 거짓은 죄악이야.. 거짓을 통제하는 건 인간의 영역에서 가능한 일 아니야?

범수 이런.. 들켜버렸군..! 와인 할 텐가 양주 할 텐가?

진주 모두 가져와..

범수 …박애주의자..

디졸브.

양주와 와인을 각 한 병씩 양손에 들고 걸어오는 범수의 모습. 으흐흐…

디졸브.

반 병 쯤 남은 양주와 와인까지…
무언가를 넘어선 두 사람의 기운.

범수 이제 우린 사점을 넘어버렸어.. 이러다 죽어!!

진주 자야지.. 자면 돼.. 안 죽어.

범수 (일어서 인사하며) 잘 마셨습니다..

진주 자고 가. 자고 가. 너무 늦었어.

범수 아니 제가.. 제가 아무리 취해도 작가님 집에서.. 어떻게 잡니까!

진주 편하게 생각해.. 편하게.. 내 집이다… 생각해. 괜찮아.

범수 아니.. 그래도 그건.. 무례합니다..

진주 내가 괜찮다는데 왜 그래! 뭐 무서워?!

범수 무섭다뇨! 저 이래 봐도 예비군입니다!

진주 헉! 대단하군. 뭔 놈에 나라가 군대 있으면 됐지 이딴 걸 예비로 씩이나 두고 말이야.. 자, 그럼 자고 가.

범수 자고 가 까짓거!

진주 방이 어디야?!

범수 (자기 방 가리키며) 저기요!

진주 어떻게 알았지?!

범수 몰라 그냥 익숙해!!

진주 자고 가!

범수 좋아!!

흔들리며 방으로 들어가는 범수. 뒤따라가는 진주.

페이드아웃.

3부 43씬 (회상).

침대 위에서 눈을 뜨고 마주 보는 진주와 범수.

페이드아웃.

3부 44씬 (회상).

주방 식탁에 마주 앉아 밥을 먹는 진주와 범수.

페이드아웃.

1. 거리 / 낮.

아무렇지 않은 듯 시계를 보다가.. 택시 있나 보다가..

사람들 보다가.. 그냥 걷다가.. 갑.자.기.

진주 으아아아아악!!!!!

미친년 포스 뽐내며 내달리는 진주.

2. **범수의 집 베란다 / 낮.**

먼 하늘을 바라보고 선 범수.

어디선가 미친년의 비명이 들려온다.

천천히 창문을 열고… 갑.자.기. 확 뛰어내리려다··

당연히 바로 다시 서서는…

범수 하… 거 죽기 딱 싫은 날씨네··

페이드아웃….

3. **제이비씨 내 커피숍 / 낮.**

페이드인…

건조한 눈빛. 진주와 범수가 마주 앉아있다.

한동안 표정 없이 바라보다…

진주 미친새끼.

범수 미친년.

진주 씨발놈.

범수 씨발년.

진주 개새끼.

범수 개… (이건 아니다 싶은) 후… 이건 좀 아닌 것 같은데요?
욕을 해봐도 별로…

진주 어색함은 그대로고 그냥 더러운 기분만 추가되네요.

범수 욕 말고. 음담패설을 해볼까요?

진주 아 싫어. 나 너무 잘해 그거. 그냥 서로 막… 비하해볼까요?
외모 비하 그런 거.

범수 (자기 얼굴을 가리키며) 비하 자체가 성립이 안 되는 얼굴인데
무슨.

진주 (지랄하네…) 뭐지, 왜 난 비하할 게 보이지?
아 몰라. 책임져요.

범수 왜 여기서 책임이란 단어가 나와요?
이게 뭐 인재 사고예요?

진주 그럼 이게 자연재해야?

범수 거 반말을 하시고… 아 그럼 그쪽이 책임져요.

진주 그래요. 뭐? 그럼 오늘부터 1일?

범수 그럽시다. 오늘부터 1일.

4. 은정의 집 / 밤.

늘 그렇듯 맥주 타임.

은정 1일? 사귀기로 했다고?

진주 아니. 그냥 어색한 관계로 1일.
오늘이 어색한 관계 2일째야.

은정 신선하네.

한주 그냥 서로 책임지고 사귀어 볼 생각은 안 했어?

은정 야 뭘 했다고 사귀어? 술 먹고 그럴 수도 있지.

한주 옷 벗었다며.. (부끄) 아우 징그러..

진주 사귀는 건 뭐 어차피 내가 너무 아까워.

은정 어떤 면이? 동의가 안 되는데?

진주 (한주에게) 동의가 안 돼?

한주 아무래도 그렇지.

진주 내가 왜? 뭐? (효봉에게) 너도 그래?

효봉 난 박보검을 데려와도 누나가 아까워.

진주 그건 내가 동의가 안 된다 야.

은정 그 사람은 뭔가.. 흔한 말로 갖춘 남자잖아?

진주 갖춘 찌질이지. 근데 뭐? 나는 덜 갖췄어?

은정 그냥.. 기능은 하는 정도랄까..

진주 와.. 욕 나올 타이밍인데 반박할 구실이 없네.

한주 그… (괜히 홍조) 이건 좀 부끄러운 질문인데.. 그… 그…

은정 솔직히 했지?

한주 응. 그거였어.

진주 아니야! 그.. 아주 많이 취했어..

한주 (전혀 징그럽지 않은, 흥미로운 표정으로) 어우 징그러.

진주 야 취했다는데 왜 징그럽단 단어가 나와? (그러다 번뜩) 잠깐…! 이놈도 친구들한테 막 떠들어대고 있는 거 아니야?

한주 에이.. 설마.. 방송가 소문 도는 속도 뻔히 알 텐데 자기 위치가 있지.. 더 조마조마할걸?

진주 그치. 다 갖춘 놈인데.

은정 이럴 땐 또 인정하네.

효봉 아니.

그녀들, 효봉에게 시선 집중.

효봉 그런 부분에서 남자들은 나이와 신분과 국적을 떠나 그냥 찌질이로 대통합이야. 예외 없어.

진주 (!!!) …안 돼!!

5. 진주의 방 / 범수의 집 / 분할 / 밤.

통화 중인 진주와 범수. 분할화면.

범수 아 미쳤어요?! 그런 얘기를 어떻게.. (!!) 설마 막 떠들고 다녀요?

진주 미쳤어요?! 내가 앞길이 구만린데, 큰일 날 소리 하시네.

범수 그래요 우리 큰일 날 소리 하고 다니지 맙시다.
근데 그거 확인하려고 이 시간에.. 좀 그러네, 어색한 사이끼리.

진주 아 내가 괜한 걱정했네요. 그래요 좋은 밤 되세요, 감독님.

전화를 끊는 진주. 베란다 앞에서 통화 중이던 범수.
심란한 표정으로 뒤돌면. 동기가 식탁에서 맥주를 마시고 있다.

동기 뭐래?

범수 (테이블에 앉아 맥주 마시며) 몰라 새끼야.

동기 너 왜 심란하냐? 그냥 잤으면 잔 거지, 그게 뭐라고.

범수 잠만 잤다라고 표현해줄래?

동기 그래 옷 벗고 잤지.

범수 (개새끼가…) 이 새낀 맨날 술 꺼내 처먹으면서 한 번 사오는 꼴을 못 봐. 너 가 새끼야. 쓰레기 냄새나. 집값 떨어져.

동기 알았어… 근데… 솔직히 했지?

동기의 얼굴에 맥주를 끼얹어 버리는 범수.

6. 은정의 집 / 밤.

여전히 심란한 진주. 소파에 모여 앉은 은정과 한주.
효봉이 리모컨으로 TV를 켜고 앉는다.

효봉 자, 자~ 어색한 관계에 대한 고민은 차차 하시고. 방송 봅시다.

한주 와~ 기대된다.

은정 기대는 무슨… 서로 물어뜯고만 왔다니까.

효봉 그러니까 기대가 되지. 쎈 언니들끼리 배틀 붙은 거 아니야.

은정 후… 그래. 막장이 드라마만 있는 건 아니지.

효봉 한다, 한다.

소문으로 들었소. 방송화면.

남MC 소문으로 들었소! 오늘 새로운 MC 이소민 씨께서 이렇게 제 옆에 앉아 계십니다! 와아~~

남MC가 박수를 유도하면 다 함께 박수 치는 게스트들과 스태프들.

소민 안녕하세요~ 배우 이소민입니다~ 소문으로 들었소의 스튜디오 분위기가 좋다는 건 제가 익히 소문으로 들었소~ 오호호호~ 앞으로 제가 열심히 소문을 쓸어 담아 오도록 하겠습니다~

남MC 와~~ 반갑습니다. 환영합니다! 여기서 끝이 아닙니다. 그리고 또 한 분! 새로운 게스트 분께서 합류해주셨다는 기쁜 소식! 자~ 저희야 너무 잘 알고 있지만 혹시 모르실 시청자분들을 위해 자기소개 좀 해주시죠.

기대하는 그녀들과 효봉.

소민 제 친구에요. 대학 동창.

남MC 두 분이 정말 친하신가 봐요?

은정 제가 많이 사랑하죠. 호호.

소민 제가 더 사랑하죠! 오호호호.

갸우뚱하는 은정, 한쪽 테이블에 앉아 있던 홍대를 보면, 자기도 모르겠다는 듯 갸우뚱하는 홍대.

효봉 사랑해?

은정 ……그런가….?

Cut To

방송 화면.

은정과 소민이 농담을 주고받으며 웃거나 서로를 치켜세워주는.. 편집의 마술.

은정 여자의 집안일이라니 집안일이 왜 여자 건데요? 그리고 집구석에서 잠만 자다가 뭐 말기 암 선고받은 날 식기세척기야?

소민 그러니까 내 말이 그거라니까.

패널1 아니 술 먹고 그럴 수 있지. 생각이 나니까.

소민 술 좀 끊으셔야 할 텐데. 여전히 술 좋아하시죠?

패널1 갑자기?

은정 (재밌다는 듯) 오호호호.

소민 어제도 깔라 되셨다고요?

패널1 에이 왜 그래 자꾸.

은정 이런.. 깔라만시..

소민　　오호호호호~ 너무 재밌다~

남MC　　두 분이 정말 케미 돋네요. 너무 잘 어울려요.

멍하니 방송을 보고 있는 그녀들과 효봉…

은정　　이런 걸.. 악마의 편집이라고 하는 건가..

한주　　천사의 편집 같은데?

효봉　　악마든 천사든.. 십 년 묵은 감정의 골을 메워주네.. 좋네.

은정　　…….

7.　　소문으로 들었소 방송국 편집실 / 밤 / 플래시백 인서트.

며칠 밤을 새웠는지 좀비의 형상으로 입만 웃고 있는 '소문으로 들었소' 피디. 기계처럼 편집 프로그램을 조작하고 있다.

피디　　흐.. 니들이 암만 똘아이 짓 해봐라. 나보다 더 똘아인가…

8.　　은정의 집 외부 전경 / 아침.

한주　　(V.O) 황인국!!

9. 은정의 집 / 아침.

아침부터 한바탕 크게 벌이고 있는 한주와 인국.

인국 사죠!!!! 사죠! 죽어도 사죠! 공룡메카드 사죠!!

익숙하게 아침을 먹고 있는 은정.

익숙하게 지랄 소리에 잠에서 깨어, 부운 눈 부비며 나오는 효봉과 진주. 효봉은 주방으로 물을 채우러, 진주는 화장실로 물을 빼러.

효봉 이 집은 아침 알람이 필요가 없어.

진주 우린 아침에 일어날 필요도 없다는 게 모순이지..

한주 공룡메카드를 종류별로 다 가질 셈이야?! 어떻게 그걸 다 갖니?!! 우린 넉넉하지 않아! 갖지 못하는 것에 익숙해져야 버틸 수 있다고!! 이 험난한 세상에! 고작 공룡메카드로 엄말 힘들게 해야겠어?!! 공룡메카드는 카드를 밟으면 공룡으로 변신하지만!

인서트

카드를 밟고 공룡으로 변신하는 공룡메카드.

한주 엄만 카드값을 내지 못하면 낙오자로 변신해! 그럼 널 키우지 못한다고! 우린 갖고 싶은 걸 다 갖고 살지 못해!!

인국 난 아빠도 없이 살잖아!!!

인국의 한방에 고요해진 우리의 등장인물들…

은정 (덤덤한 상태에서) 무서운 성장세구만‥

10. 인국의 초등학교 앞 / 낮.

무덤덤하게 앞서 걷고 있는 인국.

오히려 뿌루퉁한 아이의 얼굴로 뒤따르는 한주.

정문 앞에 다다르자 걸음을 멈추고 돌아보는 인국.

잠시 바라보다가‥

인국 이제 데려다주지 않아도 돼.

한주 ……가는 길이야. 데려다주는 게 아니라 지나가는 길이라고.

인국 그럼 내가 10분 먼저 나올게. (건너편 길 가리키며) 아님 엄마가 저쪽 길로 가든가.

한주 너 왜 그래 진짜 엄마 맘 아프게? 내가 창피해?

인국 나 이제 2학년이야. 후배들 보기 창피하다고.

한주, 주위를 보면 1, 2학년 아이들이 엄마 손을 잡고 등교 중.

한주 (피식–) 장난감 사달라고 떼쓰는 어린이 주제에‥

인국 남편도 없는 엄마 주제에‥

순간 넋이 나가는 한주. 꼬옥ㅡ 쥔 주먹이 여리게 떨린다. 무심하게 휙 뒤돌아 가는 인국.

11. 은정의 집 / 낮.

소파에 누워 뒹굴거리며 '봄꽃놀이'를 따라 부르고 있는 진주. 옷매무새를 정리하며 출근길에 나서던 효봉, 어울리지 않는 광경에 걱정스레··

효봉 누나랑 그 노래랑 안 어울리는 거 알지? 왜 그래 무섭게.

진주 야 이딴 사랑타령이 어울리는 게 더 무섭다.

효봉 그니까 왜 그러냐고, 본인은 잘 모를 수도 있지만 보는 사람 입장에선 이거 되게 무서운 그림이야.

진주 우리 감독님께선·· 정신질환을 앓고 있던 젖소의 우유를 먹고 자란 거 같아.

효봉 응?

진주 미쳤어. 자뻑이 너어무 심해. 그게 날 매 순간 힘겹게 하지.

효봉 그거랑 이 사랑 노래랑 어떤 관곈데?

진주 이거만 들으면 우울해지거든 그 양반이.

효봉 ···왜?

진주 그런 사연이 있어. 이 노래만 들으면 급격한 우울감에 빠져선·· 금세 죽기 직전의 얼굴로 변하거든·· 짜증 나게 할수록 완벽하게 불러서 말려 죽일 거야.

효봉 아·· 봄만 되면 퍼지는 사랑 노래가 누군가에겐 살인 무기가 되는구나‥ 우리 솔비누나가 가사 참 잘 썼어.

진주 응? 솔비?

효봉 우리 세션 중에 솔비누나라고 있어. 그 누나가 쓴 거야‥

서서히 행복해지고 있는 진주의 얼굴…

효봉 (진주의 징조가 불안해지는‥) 뭐야… 왜 행복해져‥? 왜?

진주 하~ 너무 좋다~ 우헤헤헤헤~~

효봉 (출근도 잊고) 근데 왜? 왜? 이 노래 들으면 왜? 뭔가 재밌는 거 같은데? 말해 줘. 말해 줘.

11-1. 제이비씨 드라마국 / 낮.

책상에 앉아 진주의 대본을 보는 범수.

읽다가 갸우뚱. 뭔가 맘에 들지 않는 듯.

잠시 생각하다가 핸드폰을 집어 진주에게 전화.

너무나 밝게 범수를 반기는

진주 (V.O) 어머~ 감독니이임~

범수 어… 왜… 이렇게 나를 반기죠?

11-2. 진주의 방 / 낮.

노트북이 펼쳐진 책상에 앉아 통화하는

진주 으음~ 그럼 제가 감독님 반기죠, 누가 반겨요~

교차.

범수 아니‥ 반기는 사람 많아요, 원래대로 하세요, 불안해요.

진주 용건을 말해보시죠 그럼.

범수 다름이 아니고 대본 얘기 좀 할까 하는데.

진주 (생각… 다시 오버하는 말투로) 음~ 좋아요~ 좋아욧!

범수 뭡니까… 또 왜 좋아하는 거예요?

진주 으음~ 그럼 제가 대본 회의 반기죠, 누가 반겨요~

범수 아니‥ 반기지 않아도 돼요. 불안해요.

진주 이따 봐요.

12. 제이비씨 내 커피숍 / 낮.

너무나 천진하고도 해맑던 진주의 표정이 현재‥ 없을 무. 그녀 앞에 앉아 대본을 들여다보며 열심히 까고 있는 범수.

범수 아니 뭐 또 뽀뽀를 해? 여기서? 갑자기? 또 해? 뭐 단계가 없잖아. 감정을 쌓아가야지 무턱대고 입을 들이대.

진주 아 눈 마주쳤으면 진도 빼는 거지. 뭘 시간을 끌어.

범수 작가라는 사람이 저속하게… 진도를 빼다니! 이게 뭐 학습지야? 감정 따라 자연스럽게. 차근차근‥

진주 내가 안 먹으면 남이 먹어요! 차근차근할 시간이 어딨어‥

아 할 거예요. 이 씬에서 해야 돼. 그래야 내가 맘이 편해.

범수 드라마 작가가 작가 편할라고 글 써요? 시청자가 편해야지! 아니 왜 이렇게 뽀뽀에 집착을 해? 뭐 뽀뽀 못 해서 차인 적 있어요?

진주 고2 때요.

범수 에이 진짜! 안 돼요. 우리 아직 편성 못 받았어요. 아무리 내가 에이급 감독이라고 해도 지금 수준의 1, 2부 가지고 편성 받고 캐스팅하는 거 어려워요. 3부가 정말 중요하다고. 나 드라마 다섯 편째고 실패한 적 없어요.
왜겠어? 그게 다 대본이 좋아서였을까? 나 그렇게 운 좋은 사람 아니거든. 실력이라고. 그 모든 것을 데이터가 증명하고 있잖아? 난··

갑자기. 어디서 나왔는지 모를 기타를 들고 어설프기 그지없는 연주에 '봄꽃노래'를 부르기 시작하는 진주.

범수 ·····(이런··· 샹····)

Cut To

여전히 공격적이고 냉정한 범수의 표정과 어투.

범수 이거 봐 이거 봐. 이번엔 키스야? 좋아, 키스할 수 있다 쳐요. 합시다. 하는데. 그냥 하면 되지 왜 이런 설정이 필요하냐고. 거품 키스니 사탕 키스니 그건 그때 좀 그런 게 트렌드 비슷한 거였다 쳐. 근데 얘들은 갑자기 뭔 젤리 키스야…

진주　　왕꿈틀이. 자 젤 큰 거 왕꿈틀이 동시에 집었잖아? 응? 양쪽에 입으로 물고 이렇게 게임하듯이 얼마나 귀여워?

범수　　왕꿈틀이가 스파게티야?! 젤리를 한 접시에 놓고 같이 먹어?! 포크로?!

갑자기. 어디서 나왔는지 모를 기타를 들고 어설프기 그지없는 연주에 '봄꽃노래'를 부르기 시작하는 진주.

범수　　……(이런… 샹 진짜…)

Cut To

범수　　아 알았어요, 알았어. 디테일은 차차 잡고, 좋아요. 그럼 구조적인 얘기를 해봅시다. 1, 2부에선 인물들이 살고 있는 세상을 보여주고 캐릭터에 대한 소개도 해야죠. 그래서 좀 가볍게 떠들 수 있어. 뭐 전개가 느려도 좋아. 근데 3부에서는 정서적으로 더 깊은 갈등을 줘야죠, 그죠? 그건 인정하죠?

진주　　네.

범수　　그렇다면…

갑자기. 어디서 나왔는지 모를 기타를 들고 어설프기 그지없는 연주에 '봄꽃노래'를 부르기 시작하는 진주.

범수 뭐야? 인정한다며 왜 불러?
내가 지금 뭐라 한 것도 아닌데!

진주 그냥.. 이게 관성이 생기네.

범수 아 정말 이럴 거예요?! 이거 기타는 자꾸 어디서 나오는 거야?

13. 제이비씨 내 커피숍 밖 / 낮.

혜정과 인종, 방송국 로비를 지나 커피숍 쪽으로 향하고 있다.

인종 이 방송국에 감독이 손범수만 있는 것도 아니고, 건방진 애 보기 싫다고 다른 채널로 간다는 게 말이 돼? 작가님 클라스에 신경 쓸 걸 신경 써야지. 살며시 무시해. 요즘 것들 다 그렇잖아, 자기중심적이고 예의 없고.

혜정 아니야. 생각 많이 했어. 윗사람 보고 배우는 것도 한계가 있지. 아랫사람들이 트렌드를 바꾸잖아. 요즘 것들이라 불리는 그들의 그런 반응들이 머물러 있던 내 시야를 확장시켜 주는 것 같아서 오히려 설레기까지 하던데?

인종 (왜 이래…)

커피숍으로 들어가려다 무언가를 발견하고 멈칫 서는 혜정. 무슨 일인가 그녀의 시선을 따라가 보는 인종.
기타를 든 진주와 티격태격하고 있는 범수의 모습이 보인다.

인종　딴 데로 갈까?

혜정　옆에 있는 애랑 뭐 하고 있는 거야?

인종　왜? 아는 애야? 쟤 지금 뭐 신인 작가 작품에 꽂혀가지고 디벨롭하고 있다는데… 그 작간가보네. 기타 들고 뭐 하냐 쟤네?

혜정　쟤랑… 쟤랑… 작품을 준비한다고?

인종　응…

돌아서 가는 혜정. 그녀를 따르는 인종.

인종　기분 나빠서 그래? 살며시 무시하는 게 편하다니까.

혜정　아니야. 생각 많이 하게 하네. 아랫것들이 트렌드를 바꿔봤자, 지들끼리 트렌드지. 천박하고 경박하고. 쌍박이네. 박자가 딱딱 맞아. 2, 30대가 문화 소비 주축이란 말도 옛말 된 지 오래고, 왜 아랫것들 쌍박스런 수준을 우리가 맞춰줘야 돼? 아랫것들은 그냥 최저임금 쥐여주고 잡일이나 시키는 게 답이야.

인종　아… 작가님 생각이 진짜 너무 진보적이다.

혜정　아 그리고 내 이번 작품에 대해서 방금 결정된 건데.

인종　응. 맘껏 해, 결정.

혜정　저 신인 작가 작품 여기서 하면 난 여기서 안 해.

인종　!!!

14. **드라마 세트장 2 / 낮.**

무슨 일인지 쩔쩔매고 있는 재훈.

그의 앞에 자상하게만 보이는 30대 남자 주연배우가 앉아 있다. M자 탈모.

남배우 나보고.. 이걸.. 얼굴에 붙이라고?

M자 탈모 얼굴에 맞게 제작된 마스크팩을 들어 보이는

재훈 네. 이렇게 강아지 귀처럼.. M자 탈모에 맞춰서 제작이 돼서.. 엠탈 마스크팩이라고..

남배우 아.. 엠탈 마스크.. 뭐 이런 게 나왔어…

재훈 (남배우의 탈모 부분을 어루만지며) 네.. 여기까지.. 주름지고 민감해진 피부를 매끄럽고 밝은 피부로 만들어 줄..

남배우 나 지금 주름지고 안 밝어? 내 얼굴이?

재훈 아니요, 아니요. 그게 아니구요.. 그러니까 이게.. 안티에이징과 빛나는 화이트닝 효과를 연기와 더불어 경험하실 수 있는..

남배우 그니까 내가 지금 되게 에이징하고 안 빛나는 거네..

재훈 아니요! 그럴 리가요.. 그러니까..

남배우 (말 끊고) 자. 드라마에서 보면 남자배우가 눈물 흘리는 씬 있잖아? 근데 화장 때문에 눈물이 베이지색이야. 베이지색 눈물이 흐른다고.

재훈 네. 봤습니다. 참사죠.

남배우, 앞에 놓인 마스크팩 포장을 뜯어 팩을 들어 보인다. 넘치는 에센스가 뚝— 뚝— 떨어진다.

남배우　자. 이걸 얼굴에 붙였다가 떼야 돼.. 그럼 어떻게 될까? 베이지색 눈물이 얼굴 전체에 흐르는 거야. 이건 어때요?

재훈　대참사죠..

남배우　아네. 아시면서 이걸 붙이라고? 나한테 악감정 있어?!

당황한 재훈, 모니터 앞에 감독을 보며 도움을 요청하지만.. 외면하는 감독. 더 이상 요구하지 못하고 에센스 뚝뚝 떨어지는 마스크팩을 들고 돌아서는 재훈.

15.　드라마 세트장 2 밖 복도 / 낮.

계단에 쪼그려 앉아있는 한주.
곧 눈물이 날 것만 같지만 애써 누르고 있다.
코너 쪽에서 걱정스레 그녀를 바라보고 있는 재훈.
한주에게 주고 싶은 커피가 이미 식은 듯하다.
재훈, 돌아서려는데..

한주　나 주려는 거 아니에요?

재훈　(다시 돌아서) 아... 그.. 식어버려서 다시..

한주　식은 게 좋을 것 같아요 지금은.

Cut To

한주　(슬쩍 웃음) 기분 좋기 싫은데. 좋아져 버렸다.

재훈　(슬쩍 기분 업) 저 태권도 4단이에요. 말했었나…?

한주　?

재훈　근데 무도 정신은 없어요. 그니까 한마디로, 싸움을 한다는 거죠. 그것도 아주 잘. 안 그래 보이죠?

한주　그게 갑자기 무슨··

재훈　혹시 팀장님 괴롭히는 무언가가·· 이, 힘으로 제압할 수 있는 거라면 말씀하시라구요. 혼내 주게. 난·· 싸움을 잘하니까. 하하. 말씀하세요! 누구에요!

한주　인국이요.

재훈　아···· 졌네···

한주　(재미있다는 듯 웃으며) 마스크팩은 잘 찍었어요?

재훈　아니요.

16.　드라마 세트장 2 / 낮.

인서트

드라이기로 마스크 팩을 말리고 있는 한주.

마른 손수건 같은 마스크 팩을 남배우에게 건네는 한주.
옆에서 어색하게 웃고 있는 재훈.

마스크 팩을 받아들고 만족하는

남배우　오… 천잰데?

Cut To

침대에서 화장대까지 마른 팩을 붙이고 이동하는 남배우. (연기 중) 마른 팩이 떨어질까 고개를 치켜들고 우스꽝스레 도착해선, 붙어있지도 않던 팩을 떼어내며 거울 보고 얼굴을 토닥이는

남배우　으음~ 이뻐졌네~ 화사해졌어~ 안티에이징~

거울 앞에서 요염 떠는 남배우의 연기를 모니터 앞에서 보고 있는 감독.. 감흥이 없다.. 옆에서 눈치 보고 있는 스크립터.. 감독의 뒤에서 어색하게 웃고 있는 한주와 재훈.. 그때 한주의 핸드폰 진동이 울린다.
진동 소리에 괜히 화풀이하는 감독.

감독　누구야!! 나한테 왜 그러는 건데?! 누구야!!
한주　죄, 죄송합니다!

급히 핸드폰을 끄려는데.. 발신자를 확인하고 갸우뚱.

17. **인국의 초등학교 교무실 / 낮.**

인국의 짝꿍 소영이와 소영이의 엄마가 미안한 얼굴로 앉아있다. 인국과 한주가 마주 앉아있다.

인국의 얼굴이 엉망이다. 그 가운데 담임이 어색한 미소로 앉아있다.

소영 모 죄송해요 인국이 어머니··
어머니라고 하기에 너무 젊으시네··

한주 소영아·· 인국이 왜 이렇게 때렸어?

소영 (울먹이며 인국이를 째려보기만)

담임 아·· 그게·· 인국이가·· 소영이한테 헤어지자고 했대요··

한주 아니·· 반 친구끼리 뭘 헤어져…?
그건 어떻게 헤어지는 건데?

담임 요즘 애들이 그래요. 조숙하잖아요.

한주 그래서 그냥·· 맞고만 있었던 거야?

인국 아니야. 싸웠는데 진 거야. 주먹 한 번 휘둘렀는데 피하더라.

소영 모 얘가 합기도를 배워가지고·· 죄송해요, 인국이 엄마··

한주 너·· 싸움을 못하는구나··

인국 달리기를 잘해. 도망가면 돼.

한주 ·······

인서트

승효의 러닝화 CF.

승효　*매일 두 시간씩 달립니다. 싸움을 못하니까 언제 어떤 상황에서도 도망갈 준비가 되어 있어야죠! 아하하하하.*

18.　인국의 초등학교 운동장 / 낮.

한주와 인국이 운동장을 가로질러 걸어 나온다‥
앞장선 인국의 뒷모습을 가만히 보고 있는 한주‥

한주　그럼… 도망을 가지, 왜‥
인국　잡혔어.
한주　그럼 달리기도 못하는 거네.
인국　소영이가 빠른 거야. 오늘 학원 안 갈래.
한주　갑자기?
인국　소영이한테 맞았다고 놀릴 거 아니야.
한주　그건 걱정이 되시고? 왜 그런 걸 골라서 닮는 거야 왜? 자주 보지도 않는 아빠를!
인국　‥자랑이다.
한주　(아차 싶은….)

속상한 한주 그대로 쪼그려 앉아 눈물을 참는다. 앞서 걷던 인국, 그런 엄마를 뒤돌아보곤, 똑같이 쪼그려 앉아 뿌루퉁. 두 모자의 쓸쓸한 모습. 겨우 추스르며 인국의 쪼그린 뒷모습을 바라보던 한주 야, 너 아빠 보고 싶어?

아무 말이 없는 인국…

19. 아랑의 프로덕션 / 낮.

노트북 몇 대가 놓인 책상 하나와 낡은 응접용 소파가 있는 작은 집무실. 책상에 앉아 인터넷 댓글을 찾아보고 있는 은정의 선배 아랑(40대 여)과 소파에 앉아 차를 마시는 은정.

아랑 이소민 의외의 인맥.. 이은정 감독과 절친 인증.. 두 언니 케미 쩔어요.. 두 사람이 나오면 본방 사수.. 얼마나 반응이 좋으면 재방 시청률이 더 높게 나오니.. 야 그냥 이거 너가 쭉 해야 되는 분위긴데?

은정 아 됐어. 언니 일 끝냈으면 복귀해. 난 안 해.

아랑 그게 니 맘대로 되니? 시청자 반응이 이런데 채널에서 널 그냥 두겠어?

은정 아.. 골 아프네..

아랑 근데 니네 진짜 친해 보인다.. 의절한 거 맞아?

은정 의절이고 말 것도 없어. 그냥 지 혼자 연락 잘 안 되고.. 조금 뜨더니 아예 안 되고.. 그랬지.

아랑 조심해야 될 게 많아지면 그런 거지 뭐.

은정 근데 다시 봐도 참 모르겠어, 같은 여잔데.. 무슨 생각을

하고 어떤 의도를 가지고 말하고 행동하는지··
어떨 땐 왜 순수해 보이기도 하고··

아랑 (뭔가 떠오른 듯) 은정아! 궁금하지? 지금 호기심 생겼지?

은정 뭔 소리야?

아랑 너 이번엔 사회적인 문제보다 사람 자체에 접근해보고 싶다며?

은정 응? 그치. 근데 뭐·· 이소민?

아랑 응. 좋은데 아이템? 제목은·· 여자 사람 배우. 어때?

은정 좋네. 좋은데. 생각해 봐. 배우는 연기하는 사람이야. 카메라가 앞에 있으면 거의 본능적으로. 대중을 즐겁게 하는 게 직업이니까. 그건 다큐가 아니라 예능이지. 그럴 거면 그냥 나 혼자 산다 같은 거 보면 되는 거야.

아랑 은정이 많이 약해졌네. 진짜를 찍는 게 우리가 하는 일이지. 그럼 진짜가 나오게 하는 것도 우리 일이지. 안 그래?

은정 음·· 그래도 정리가 안 되는데?

아랑 우리가 언제 정리된 상태에서 일 시작했니? 너 언제까지 쉴 거야? 작품 할 때 됐어. 내가 제작 맡고 이소민 쪽 섭외까지 해볼 테니까 너만 마음 정해.

은정 에이··

19-1. 소문으로 들었소 녹화장 앞.

택시에서 내려 제이비씨 녹화장으로 들어가는 은정.

19-2. 소문으로 들었소 녹화장 복도.

지나는 스태프들과 인사하며 걸어오는 은정.

그러다 소민의 대기실을 지나고··

문득 어떤 생각이 스쳐 다시 소민의 대기실 앞으로 가서 서는 은정. 잠시 고민하다가·· 문을 열고 들어간다.

20. 소문으로 들었소 대기실 / 낮.

소민과 민준이 대기실 소파에 마주 앉아있다. 분식과 인스턴트 배달 음식이 테이블 위에 한가득. 힘겹게·· 꾸역꾸역 음식을 먹고 있는 민준. 그런 그를 평소답지 않은 온화한 미소로 바라보고 있는 소민. 어울리지 않는 소민의 일관된 미소가 귀찮고도 불편한 민준.

소민 (피자 말아 주며) 피자 식겠다. 이것도 먹어. 많이 먹어 우리 민준이.

민준, 음식 입 한가득·· 와중에 트림이 새고··

다시 피자 한 입을 물다가·· 툭– 내려놓는다.

소민 (온화하지만 초점 없는 눈) 왜, 왜? 우리 민준이 왜?

민준 (콜라로 입을 개우고) 후···· 소민아··

소민 (온화하지만 초점 없는 눈) 응 민준아.

민준 먹는 모습만 봐도 배가 부른 경우는 없어.

소민 (온화하지만 초점 없는 눈) 아니, 그건 가능한 거야. 이것 봐, 난 벌써 배가 부른걸?

표정 변화 없는 소민의 배에서 꼬르르륵— 소리가 우렁차다. 아무런 표정 변화 없는 소민.

민준 아니야.. 그런 건.. 지극한 사랑을 초월했을 때, 그러니까.. 이를테면, 부모가 자식 입에 밥 들어가는 거 볼 때, 농부가 밭에 물 들어가는 거 볼 때..

소민 (온화하지만 초점 없는 눈)
배우가 매니저 입에 탄수화물 들어가는 거 볼 때.
난 널 지극히 사랑하는걸? 나 너무 배불러 죽을 지경이야.

꼬르르륵— 더욱 우렁차게 울리는 소민의 뱃소리(?).

민준 이렇게 미칠 거면.. 그냥 먹자.. 너 지금도 너무 말랐어. 당장 드라마도 없잖아. 먹으라고 그냥!

소민 (온화하지만 초점 없는 눈) 녀석. 먹다 말고 왜 열량 소비하고 그래.. 난 배불러 죽겠대두..

꼬르르륵—
가만히 바라보던 민준. 애처로운 한숨…
다시 피자를 먹는다.

민준　어떻게? 갈릭디핑소스 이거 찍을 먹을까?

소민　음 맞다, 맞다. 찍어야지 듬뿍.

민준　(쏟아붓고 문대며) 아예 그냥 칠해서 먹을게.

소민　핫바도 먹을래?

민준　까.

핫바를 까서 민준에게 건네는 소민. 받아먹는 민준.

소민　어우 배불러. 배 터지겠다··

꼬르르르르르륵~ 그 모습을 가만히 지켜보던 은정과 초점 없던 소민의 눈이 마주친다.

소민　(가만히 보다가) …뭐? 왜?

은정　(혼잣말) 궁금하긴 하다··

소민　왜? 뭐?

21.　소문으로 들었소 녹화장 / 낮.

분주하게 방송 준비 중인 스태프들과 단장하거나 대본을 숙지하는 출연진들. 만들어진 미소로 사람들에게 친절히 인사하고 자리로 향하는 소민.

소민　안녕하세요~ 안녕하세요, 기자님.

패널1 응~ 많이 쉬고 왔지? 오늘은 쉬지 말고 하자~

소민 에이~ 뭘 그런 걱정을 하세요~?

패널1 에이~ 어떻게 그런 걱정을 안 해요~?

소민 호호 귀여우셔.

패널1 호호 무서우셔.

소민 안녕하세요, 오빠~

뭔가 괜히 긴장하며 인사를 받아주는 남MC.

남MC 네 안녕하세요.

소민 오빠라고 불러도 되죠?

남MC 아 그럼요. 하하.

소민 왜 얼굴 빨개지세요? 좋으신가보다~ 오호호호호~

남MC (아닌데. 절대 아닌데. 패널2에게) 나 빨개요?

패널2 아니요.

혼자 웃고 있는 소민을 카메라 옆에서 지켜보고 있는 은정. 그 옆에 홍대.

은정 배우가 다 저런 건 아니잖아.. 쟤가 좀 특이한 거잖아. 그치?

홍대 재밌는 캐릭터 같긴 해..

은정 너무 상업적인 접근처럼 느껴지지 않겠어?

홍대 너만 그렇게 접근 안 하면 되지..

은정 진짜를 뽑아도 가짜로 보일 것 같아‥

홍대 아직 하기로 한 것도 아니잖아.

은정 그치‥ 아니면 안 하면 되는 거니까.

작가 (다가와) 은정 감독님 마이크하고 들어가실게요.

은정 아, 네.

작가 잘 부탁드립니다. 우리 피디님 얼굴 좀 보세요.

작가가 가리키는 곳을 보면‥ 한쪽에 좀비 얼굴을 하고 있는 피디. 해보라는 듯 쪼개며 노려보고 있다.

작가 지난주 방송 편집하면서 심장을 잃으셨어요. 저게 좀비지, 어디 사람으로 보여요?

은정 아‥ 네‥ 걱정 마세요.

자리로 향하는 은정. 준비됐다는 듯 쪼개 보이는 다크서클 강렬한 좀비 피디의 얼굴에서‥

디졸브.

언제 좀비였냐는 듯 화사하고 밝아진 피디의 얼굴.

환하게 웃으며 박수 치는

피디 오케이!! 수고하셨습니다~!!!!

화면 넓어지면 기분 좋게 방송을 마치고 박수 치며 인사하는 스태프들과 출연진들. 한쪽에서 구경하고 있었는지 박수 치며 피디에게 다가오는 아랑. 세트에서 마이크 등을 정리하는 은정, 멀리 아랑을 발견하고 손 인사.

피디 어? 김 감독님. 언제 오셨어요?

아랑 인사도 할 겸. 아까부터 와서 구경했어요.

피디 아 감독님 우리가 감독님 뺀 거 아닙니다. 우린 은정 씨랑 감독님 다 같이 갈 생각이었어요.

아랑 아 알죠. 제가 사정상 빠진 건데요 무슨. 근데 오늘 방송 잘 된 거죠?

피디 네. 두 사람이 뭔가 합의가 된 건가. 안 싸우니까 좀 어색한 것도 있네.

오디오 팀에 마이크를 넘기고 은정의 앞을 지나는 소민.

소민 (조금은 누그러진) 야. 너 오늘 나한테 왜 착해?

은정 (왠지 여유 있고 자상한) 착한 게 불만이야?

소민 왜 공격 안 하냐고.

은정 난 공격적인 사람이 아니야. 방어적인 사람이지.

소민 말만 하면 트집 잡고 그랬었잖아.

은정 트집을 잡은 게 아니라 틀린 걸 잡은 거지.

소민 넌 너 빼고 다 삐뚤어져 보이지?

은정 아니 너만 삐뚤어져 보여.

소민 이 씨··

그때, 달려와 소민을 에스코트하는 민준.

민준　아이고 우리 배우님 늦었습니다. 가시죠.

소민　뭘 늦어 스케줄도 없는데.

민준　아 차 막혀 이제.

피식 웃는 은정에게 찡끗 윙크하고 소민을 데려가는 민준. 세트장을 빠져나오는 은정에게

아랑　은정아 나 작가님들한테 인사 좀 하고 갈게.

은정　응. 대기실에서 기다릴게 그럼.

아랑　그래~

아랑, 작가들에게 다가가 인사를 나누려는 순간 혼자 옆쪽을 보며 뭐라 웃으며 얘기를 나누는 은정의 모습을 발견한다. 스태프들을 둘러보고 불안함이 엄습한다. 재빨리 은정에게 달려간다.

은정　소민이는 그냥 성질 나쁜 느낌이 아니라, 조금 떼 잘 쓰는 어린이 느낌? 우쭈쭈 받아주면 재밌는 구석도 있고··

슬쩍 은정의 옆에서 함께 걷는 아랑.

은정　왜? 인사 안 해?

아랑 다 했어.

은정 뭔 인사를 그렇게 정 없게 해? 그럴 거면 문자로 하지.

하고 옆을 보면 홍대가 보이지 않는다. 주위를 둘리보며 홍대를 찾는 듯한 은정을 유심히 살피는 아랑.

22. 도로 소민의 차 안 / 낮.

운전 중인 민준과 뒷좌석에서 민준을 무심히 바라보고 있는 소민. 왜 자꾸 쳐다보나 불안스레 룸미러로 소민의 눈치를 보는 민준.

민준 아… 벌써 막히네..

소민 올림픽대로가 왜 이렇게 맨날 막히는 줄 알아?

민준 음.. 못 맞출 것 같은데.

소민 올림픽은.. 축제니까.

민준 역시.. 못 맞추는 거였어.. 어떻게? 웃을까?

소민 아니. 니가 고생이 많다.

민준 뭐야..? 왜 그래?

소민 뭐가 인마.

민준 왜 나 격려해? 더 불안해. 그러지 마.

소민 그냥. 너한테 음식 가지고 학대한 거 같아서.

민준 깨닫지 마. 이상해. 더 불안해.

소민 항상 니가 희생하는 거. 알고는 있어. 그냥 알고만 있을게.

민준 그럼… 너도 딱 한 번만 희생해 주든가.

소민 뭐? 딱 한 번만 해줄게.

민준 같이 백반집 가서. 밥 한 그릇 뚝딱 해치우고 싶다.
나만 말고… 같이.

소민 ….

23. 아랑의 프로덕션 / 낮.

책상에 앉아 멀거니 생각에 빠진 아랑.
이내 어딘가로 전화를 건다.

24. 플랜D 스튜디오 / 낮.

부스 안. 녹음 전 각자의 악기를 튜닝하고 있는 효봉, 상일, 솔비, 승균. 부스 밖에서 컨트롤하던 문수가 신호를 주고.

문수 자, 맞춰보자~

악기를 다잡는 멤버들, 레디… 지휘하듯 던지는 문수의 수신호에 하나~ 둘~ 연주가 시작되려는 직전, 우렁차게 울리는 핸드폰 벨소리.

일동 (짜증) 아아아아~~~

문수 누구니이~?!

효봉　어머어머.. (주머니를 뒤지며) 우렁차기도 해라. 미안. (폰을 끄려다 발신자 보고 갸우뚱) 응..?

문수　누구야? 남자야?

효봉　여자.

문수　응 그럼 괜찮아.

일동　(야유) 우우우우~~

효봉　받아야겠는데? 미안.

부스 유리 앞쪽으로 와서 전화를 받는 효봉.
그 와중에 문수와 너그러운 눈빛을 교환하고.

효봉　여보세요?

아랑의 작업실과 교차.

아랑　효봉이 오랜만이네?

효봉　네 누나. 어쩐 일이세요?

아랑　저기.. 은정이 말인데.. 아직... 그러니..?

효봉　(순간 그늘이 지는) 아... 그게... 네.. 지켜보고 있어요..

아랑　후... 그래... 너희도 힘들겠지만.. 걱정이 돼서..

효봉　고민하고 있어요..

아랑　그래 우선 알았어. 나도 고민 같이 할게.

효봉　네.. 고마워요 누나.

아랑　그래. 나중에 얼굴 보고 얘기하자.

효봉 네··

전화를 끊고도 잠시 생각에서 빠져나오지 못하는 효봉. 그런 효봉의 모습을 보고 걱정이 되는 듯 뒤에 멤버들에게 복화술 하듯 속삭임.

문수 10분만 쉬자~

효봉 아니야. 안 쉬어도 돼.

자리에 와서 앉는 우울한 표정의 효봉에게 깐족이며 장난 거는 솔비.

솔비 효봉이~ 왜 우울해졌어? 안 어울리게? 왜에에~? 좋아하는 누나야? 여자가 좋아졌어??

효봉 (익숙하다는 듯 흔들림 없이) 우리 누나 친구가 드라마 작간데, 이번에 손범수 감독이랑 작업을 한다네. 손범수 감독이 무슨 사연이 있는지 누나가 작사한 봄꽃노래만 들으면 급격히 우울해진다고 하더라. 아 맞다? 누나 근데 연애 못 한 지 되게 오래됐지?

언제 깐족였냐는 듯 급격히 우울해지는 솔비. 닥치고 악기를 매만진다. 영문을 모르는 멤버들…

효봉 자 갑시다~~

25. **제이비씨 구내식당 / 낮.**

식판을 앞에 두고 마주 앉아있는 범수와 진주.

뭔가 여유 있는 진주의 표정과 마음을 다잡아보려는 범수.

범수 어디? 기타는 또 이제 어디서 나오는 건가?

진주 먹을 땐 안 하죠. 입과 손이 바쁘니까.

범수 아 그럼 먹으면서 얘기를 해야겠네.

진주 해요. 다 먹고 몰아서 불러줄게.

범수 많이 들었습니다. 자… 이제 나 많이 놀려 먹었으니까‥

좀 편해졌죠? 우리 이제‥ 어색해하지 말자구요.

진주 ……(진지하고 난리야…) ……알았어요‥

환동 (소리) 안녕하십니까?

순간 식판을 들고 와 범수의 옆에 앉는 환동.

남친 룩에 남친 눈빛으로‥

환동 안녕하세요, 작가님.

진주 아… 어‥ 네‥

다시 드리우는 어색한 기운이… 불편한 기운이…

다미 안녕하세요.

순간 다가와 진주 옆에 앉는 다미.

다미 안녕하세요, 감독님.

범수 아.. 어..

환동 다미 씨, 이번 주 식단 우리 어머니가 짜 놓은 거 같아요.

다미 어머니가 바르게 먹여서 감독님이 이렇게 바르게 컸구나?

환동 그게 그렇게 되나? 아하하하하! 아~ 내가 바르구나~ (범수에게) 제가 그렇게 바릅니까?

범수 어.. 바르지.. 응.. 바르다 김 감독. 선생님 했으면 김밥집 같았겠다, 야..

환동의 웃음 사이.. 굉장히 어색한 젓가락질을 하게 된 진주와 범수. 그때, 범수의 핸드폰 진동이 울리고. 전화를 받는

범수 네, 국장님. ········에? 그게 뭔···? ····아 잠시만요. 제가 지금 올라갈게요.

환동 뭐 안 좋은..?

범수 아니야, 아니야. 작가님, 천천히 드시고, 조감독이랑 잠시만 계세요. 얘기 좀 하고 올게요.

진주 아.. 네.

범수가 일어서 가고.

화기애애한 환동과 다미 옆에 더더욱 어색해진 진주.

26. 제이비씨 드라마 국장실 / 낮.

범수 그니까 임진주 작가 작품을 여기서 하면 정혜정은 여기서 안 한다?

책상에 나른하게 앉은 인종과 그 앞에 어리둥절한 표정으로 서있는 범수.

범수 뭐야‥? 너무 유치해서 몸 둘 바를 모르겠어‥

인종 야. 너랑 하는 작가가 정혜정 보조였다며? 나라도 기분 뭐 같겠다. 그거 내 남자친구가 내 딸래미랑 바람나서 데리고 나간 느낌 아니야?

범수 뭐 그런 더러운 비유를 하세요? 견해 차이로 고사한 거고. 임진주 작가 작품도 그 후에 본 거에요.

인종 그게 팩트건 아니건 정 작가 입장에서 니 생각처럼 받아들여지겠어? 야 그냥 딴 거 해. 그거 우리 공모전 입상작도 아니고, 우리가 제작하는 거 명분도 없잖아.

범수 제가 명분이죠. 저 손범수에요.

인종 난 성인종이고. 우린 제이비씨야. 조직의 명분은 개인을 따라가지 않는다.

범수 지금 정혜정 개인을 따라가겠다는 건데 무슨‥

인종 야, 정 작가 이 작품 끝으로 FA야. 지금 여기저기 장기계약 들이미는데, 여태 공들이고 딴 데로 보내면? 다 병신 된다고.

범수 저는요? 정 작가 자존심 때문에 저를 뭉개요?

인종 후… 아무리 날고 기는 작가라도 작가는 외부 사람이고 너는 우리 사람이야. 조직이, 돈 좀 벌어주는 외부 사람 잡자고 우리 사람 버릴 것 같아?

범수 네.

인종 그건 그래… 아… 씨… 야 그럼 어떡해?

범수 전체 회의하시죠. 곧 3부 수정고 나옵니다. 헤드급 전체가 모인 자리에서 저랑 임진주 작가 둘이 들어갑니다. 피티할게요. 이 드라마가 어떤 경쟁력을 가지고 있는지, 왜 이 채널에서 해야 하는지. 그 자리에서 결정하시죠. 의미 있는 작품이 일개 작가의 치졸한 농단으로 채널에서 밀려난다? 제이비씨 자존심이 있지!

인종 …….

범수 그렇게 알고 나갑니다.

27. 제이비씨 앞 벤치 / 낮.

나른하게 벤치에 앉아 하품하는 진주.

왜 연락이 없어? 시계 보고 돌아보면 환동이 스크류바 두 개를 들고 옆에 앉는다. 스크류바 하나를 건네는 환동.

환동 좋아하는 거잖아.

진주 (받아서 봉지 뜯으며) 아는척하지 마. 좋아한 척한 거야. 더 엄밀히 말하면 괜찮은 척. 난 서른한 개 중에 골라 먹는 거 좋아해. 예나 지금이나.

환동 ….7년 동안을 괜찮은 척했다고?

진주 응. 그래서 니 생각만 하면 주름 생길까 봐 안 하는데. 지금 내가 턱 밑에 괴고 있나 아주. 목주름 늘지 싫어.

환동 넌 어렸을 때부터 목주름 있었잖아.

진주 아는 척하지 말라고. 니가 내 목주름 역사에 대해서 뭘 알아?

환동 그래. 모르지.. 어쨌든 그럼에도 불구 같이 작업해줘서 고맙다.

진주 내 생존 문제였어. 니가 고마울 건 없지. 니가 나 먹여 살려줄 것도 아니고. 예나 지금이나.

다소 기분이 상하지만 스크류바나 빠는 환동.
그러다 내친김에

환동 넌 아직도 내가 밉니? 미우면 헤어진 게 아니라던데..

진주 미운 상태에서 헤어졌으니 당연히 미운 거고. 다시 만날 생각이 없으니 그게 헤어진 거고. 어디서 본 건 있어가지고.

환동 너 말을 꼭 그렇게 밉게 해야 사는 맛이 나니?

진주 니가 먼저 밉니 어쩌니 드립쳤잖아.

환동 여전하네. 니가 하는 심한 말에 당위를 부여하는 치사한 방식.

진주 뭐? 치사?

환동 응. '너도 전에 그랬잖아' '니가 먼저 그랬잖아' 이렇게 시작되는 거. 상대방이 한 지난 실수 기어코 소환해서 기어코 방패 삼아 버리는·· 그 치사한 방식.

진주 너도 여전하더라. 여자가 웃으면 따라 웃는 거. 조금만 칭찬하면 헤벌쭉해서는·· 너 다미 씨랑 사귀는 것도 아니라며?

환동 친하다고. 친하면 안 되는 거야?

진주 되지. 왜 안 돼? 같이 웃으며 장난치고 자상 떨고. 다정 떨고. 문제는 넌 여자친구가 있어도 그런다는 거야. 늘. 항상. 누구에게나.

환동 내가 그래서 뭐 실수한 적 있니?

진주 그 자체가 실수라고. 뭐가 문젠지도 모르지, 그게 왜 안 되는 건지. 아 됐다, 내가 너랑 7년을 싸웠던 내용을 가지고 이유 없이 또 이러고 있네. 내 미쳤지·· 인연이란 게 참 별로인 게 더 많아.

환동 또 말을··· 후··· 그래·· 니 말대로 7년을 만난 사람인데·· 그냥 예의 좀 지켜주면 안 돼?

진주 7년이 무슨 의미가 있는데? 그 7년 중에 5년은 지옥이었어.

환동 그래도 2년은 좋았네.

진주 그 2년은 니가 군대에 있었지.

환동 (미간에 주름 잡히고)·······너 정말···

28. **제이비씨 입구 / 낮.**

심란한 얼굴로 입구를 빠져나오는 범수. 문득 멈춰서 멀리 투닥거리고 있는 진주와 환동의 모습을 본다. 한층 더 심란해지는 범수. 탄식 같은 한숨과 함께 다시 돌아선다.

29. **제이비씨 드라마국 / 낮.**

심란하고 심란한 범수.. 책상에 앉아 넋 잃고 영혼 잃고.. 그 모습을 건너편 책상, 자신의 자리에서 유심히 관찰하고 있는 동기.

동기 그래.. 니가 이 방송국에 안겨 준 시청률이 5만 프로는 될 텐데.. 스타 작가가 뭐라고... 기분 잡치지.. 아무렴..

30. **제이비씨 앞 벤치 / 황혼.**

말다툼이 일단락된 후.. 찝찝한 얼굴로 하드 막대나 만지작거리고 있는 진주와 환동.

환동 ....사람들 사는 게.. 싸우려고 사나... 매일 싸우고 사는 거 굳이 또 이래. 전철에선 어깨로 싸우고.. 출근해서는 입으로 싸우고.. 인터넷에선 손으로 싸우고.. 지구가 배틀장이야..

진주 (V.O) 사랑했을 땐 왜 굳이 싸움이라는 방식을 택했을까? 일상 탓인가? 싸울 준비가 되어 있는 일상에서.. 관성처럼 굳이..

31. 홍미유발 엔터 앞 / 황혼.

털레털레 회사로 향하는 한주.

32. 홍미유발 엔터 복도 / 밤.

기운 없이 엘리베이터에서 내리는 한주. 심란한 가운데.. 회사 안쪽에서 소란스러운 소리가 들린다. 무슨 일이지? 순간 쾅— 문이 열리고 광기를 뿜어내며 소리치는 하윤을 뜯어말리며 나오는 재훈. 하윤은 재훈의 따귀며 가슴팍 등에 막무가내로 주먹을 휘두르며 소리친다.

하윤 놔!! 놔!! 왜!! 깽판 치라며!! 와서 깽판 쳐 보라며!! 내가 못할 줄 알았어?! 나 몰라?!! 모르냐고!!

재훈 그만해… 그만!!!

분노 가득한 재훈의 모습을 처음 보는 한주..

놀라 넋이 나간다.

하윤 그래 그만하자, 그만해! 헤어지자고?! (계속해서 저항하며)

니가 감히 헤어지자고?!! 그래 헤어져!! 개새꺄! 사람들이 너 세상 착한 줄 알지?! 여자 실컷 데리고 놀다가 버리는 새낀 거 아무도 모르지?!!! 놔!!!

순간 한주와 눈이 마주치는 재훈.. 무력해진다..
겨우겨우 날뛰는 하윤을 엘리베이터까지 밀고 가는

재훈 그만… 알았어.. 그만.. 나가서 얘기해..

하윤 (얼굴을 할퀴며) 놔!! 놔!! 놔!!! 시발!!!!

엘리베이터 문이 닫히며 재훈과 한주의 걱정스런 눈빛이 마주친다..

33. 홍미유발 엔터 안 / 밤.

한주가 겁먹은 표정으로 들어서면,
직원들 두 명이 바닥에 흐트러진 서류들을 주워 정리 중이고. 대표실 앞에 소진도 정리를 돕고 있다.
한주와 눈이 마주쳤다가 다시 정리하는

소진 난.. 이해한다. 그냥.. 이해가 된다, 난… 모두.
여기 정리 끝나면.. 이건 없었던 일인 거다.

한주 …네..

34. 홍미유발 엔터 휴게실 안 / 밤.

재훈의 얼굴에 난 상처에 연고를 발라주고 있는 한주.

그저 덤덤하고.. 조용하게..

한주 ....싸움... 못하네...

재훈 ....

한주 내가 좋아하는 남자들은.. 왜 다 싸움을 못할까..

재훈 제가.. 좋아하는 남자 쪽에.. 속하나요..?

한주 ...그럼요.. 혹시라도 미안해하거나 쪽팔려 할 필요 없어요. 다 없었던 일이라는 대표님 지시에 따라..

재훈 .....고맙습니다....

34-1. 밤거리 / 밤.

도심. 퇴근하는 사람들 사이 쓸쓸하게 걷고 있는 하윤.

가라앉지 않은 화가 스치다가도 후회가 스치고.. 복잡한.

34-2. 과거 / 회상 / 동네 공원 내 벤치 / 낮.

한적한 주말 오후. 벤치에 마주 앉아있는 재훈과 하윤.

가만히 재훈을 보고 있던 하윤, 검지와 중지를 편 손을 올린다. 응? 뭐 하려는 거지 싶은

재훈 응? 왜?

하윤　나 걸스카우트였던 거 알지?

재훈　응.

하윤　선서.

재훈　아.. 선서..

하윤　나는 나의 명예를 걸고 다음의 조목을 굳게 지키겠습니다.

재훈　.....

하윤　첫째, 하느님과 재훈이를 위해 나의 힘을 다하겠습니다.
둘째, 항상 재훈이를 돕겠습니다.
셋째, 우리 두 사람의 규율을 잘 지키겠습니다.

재훈　(빙긋 웃으며) 저도 따르겠습니다. 그리고.. 우리의 규율은 서로를 존중하는 것입니다.

하윤　네.

재훈　근데…

하윤　응?

재훈　손가락 세 개 아니야?

하윤, 자신의 손을 본다. 두 개뿐.. 슬쩍 약지를 편다.
재밌게 웃는 두 사람. 행복한 미소의 하윤.

34-3. 현재 / 홍미유발 엔터 휴게실.

모두 퇴근 후 혼자 남은 재훈. 멍.. 하니.. 있다가 핸드폰을 꺼내 하윤과 찍었던 지난 사진을 들여다보는

34-4. **현재 / 밤거리.**

표정이 없는 하윤. 쓸쓸히 걷는.

35. **패스트푸드점 앞 / 밤.**

입구에서 누군가를 기다리는 진주. 이내 멀리서 언니~! 하며 달려오는 지영. 그리고 지영을 뒤따라오는 공시생 남자친구 정환(26세).

지영 자, 여기 내 남친. 정환이.

정환 (씩씩하다) 안녕하세요! 누님!!

진주 들어가자.

36. **패스트푸드점 안 / 밤.**

우걱우걱— 나란히 앉아 맛있게 햄버거를 먹고 있는 지영과 정환. 갓 만난 연인인 듯 다정해 보이는··

그 모습을 냉정하게 바라만 보고 있는 진주. 대뜸.

진주 너 가난하지?

정환 (당황했지만 여유 있게) 아·· 네··· 막 쩔어 있는 정도는 아니고··

지영 동생 남친한테 하는 첫 질문이 너무 상쾌한데?

진주 만난 지 얼마나 됐다고?

정환 20일 됐습니다! 하하.

진주 지영이 좋아해?

정환 사랑하는데요.

진주 너 지금 주머니에 얼마 있어?

정환 (당황…) 3천 원…

진주 너 그거 지영이한테 다 줄 수 있어?

정환 그럼요.

진주 3억이면?

정환 줄 수 있습니다!

진주 (한 호흡에) 그거 달라고 하지도 않아. 그냥 그런 마음만 있으면 돼. 상대가 그 마음을 몰라주는 거 같으면 알아줄 때까지 표현해. 이렇게도 해보고 저렇게도 해보고 왜 이렇게 몰라주지 답답해하지 말고 초조해하지 마 어디 안 도망가. 니 맘 알고 있으면서 모른 척하는 경우가 더 많을 거야. 왜 그러는지 이해가 안 될 수도 있을 거야. 이해하려고 하지 마. 니가 감히 이해할 수 있는 동물이 아니야 여자는. 묵묵히 니가 해야 할 것을 해. 최선을 다해…

Dissolve To

계속해서… 쉬지 않고 열변을 토하고 있는 진주.

입에 있는 음식을 씹지도 못하고 멍하니 듣고 있는 지영과 정환.

진주 돈 없는 거 쪽팔리다고 들키지 않으려 하지 마. 남자로써의 자존심? 어차피 다 알고 있어. 감추려고 애쓰면 그 알량한 자존심이 지켜진다니? 천 원짜리 하드 하나밖에 못 사주는 거 미안해하지 마. 천 원짜리 하드 하나로 어떻게 재밌게 해줄 수 있을까 고민하는 게 훨씬 이득이야. 웃기는 데 실패하면 그런대로 귀엽고 성공하면 겁나 멋있고. 그래.

Dissolve To

계속해서.. 쉬지 않고 열변을 토하고 있는 진주.

영혼이 없어진 지영과 정환…

진주 너무 논리적이지 마. 니가 한 지난 실수 끄집어내며 자기 잘못 감추려 해도 이해해줘. 논리로 이기고 지고 사랑하는 사이가 어떻게 그래? 누가 그거 몰라? 말도 안 되는 것 같으면 어때? 꼭 이겨 먹어야 돼? 그냥 용서해달라는 말로 이해하고 넘어가면 돼. 안아주면 돼. 사랑한다며.

지영 언니.. 제발 그만해… 귀에서 피가 날 것 같아..

진주 (아랑곳 않고) 화가 나도! 당장 미워도. 미안하다고 사과하지 않아도.. 그 말 들어야 속이 시원해지면 그건 사랑하는 거 아니야. 예뻐 보이고 싶어 여자는. 미안해, 용서해 줘, 다신 안 그럴게, 이런 말 하고 있으면 예뻐 보이지 않는단 말이야! 니 눈엔 그것도 예쁘다고 말하지 마. 그 말이 사실이 아닌 것만 같아 무서워한다고! 뭐 하러 좋아하는 사람 무섭게 해? 그런 거야.. 그런 거라고.. 제발 모르지 좀 마.. 헤어질 거 아니면!

갑자기.. 갑자기 진주의 두 눈에서 눈물이 주룩.. 흐른다.
당황하는 지영과 정환.

진주　헤어질 거 아니면.. 정말 헤어지려고 작정한 거 아니면…
쫌.. 쫌.. 모르지 좀 마..

무슨 말을 어떻게 해야 할지 몰라 그저 보고만 있는 지영과 정환.

37. 백반집 / 밤.

사람들로 북적이는 백반집.
사람들의 시선 아랑곳하지 않고 열심히 밥을 먹고 있는 소민. 마주 앉은 민준, 괜히 불안하다.

민준　야.. 다 안 먹어도 돼…

소민　알잖아. 나 안 먹는 건 잘해도. 먹다가 멈추는 건 못 해.

민준　……

Cut To

한 그릇 뚝딱 비우고 배를 두드리고 있는 소민.
츤데레하지만 은근히 뿌듯한

민준　와.. 우리 인어공주.. 식성이 참 좋아.. 잘 먹었어?

소민 응. 나 하고 싶은 거 있어.

민준 뭐?

소민 트름.

민준 너 트름 소리 크잖아. 평소처럼 할 거야?

소민 응. 시원하게 하고 싶어.

민준 사람 많은데·· 그럼··· 하나 둘 셋 하면 해.

소민 응.

민준 하나·· 둘·· 셋!

소민 끄어어억—

민준 (소민과 동시에 괴성을 지르는) 으아아아아아!!!!!!

깜짝 놀란 사람들의 이목. 일순 조용해진 식당.
벌떡 일어나 소리 지르던 민준이 테이블에 무언가를 유심히 살핀다.

민준 아··· (사람들에게) 죄송합니다! 벌렌 줄 알았는데 콩자반이네요. 아~ 죄송합니다!

아무렇지 않게 입을 닦는 소민.
원래의 복작거림으로 돌아가는 식당.

38. 진주의 본가 / 밤.

거실에 앉아 과일을 먹으며 드라마를 보고 있는 진주 모.

진주 부. 이내 털레털레 지친 몸을 이끌고 지영이가 들어온다. 엄마 옆에 조용히 앉은 지영.

아직 넋이 나간 듯 멍…

지영　엄마‥ 엄마에겐‥ 두 명의 딸이 있잖아‥?

진주 모　있지‥

지영　애석하지만‥ 그중 한 명은 미친년 같아‥

진주 모　알아‥ 그게 니가 아니란 것도‥

드라마를 보며 아내의 어깨를 도닥여주는 진주 부.

38-1.　은정의 집 단지 내 산책로.

털레털레 걸어가고 있는 진주의 모습.

39.　은정의 집 / 밤.

소파에 나란히 앉아 드라마를 보며 맥주를 마시는 그녀들과, 아무 말 없는 그녀들이 뭔가 또 불안해 눈치 보고 있는 효봉.

효봉　요즘 들어 말 없는 밤이 많아지네‥

아무 말 없는 그녀들‥

효봉　　안 물어볼란다. 충격받기 싫어.

시끄럽게 떠드는 드라마 소리만… 페이드아웃.

40.　　한주의 방 / 밤.

곤히 잠든 인국. 침대에 기대앉아있는 한주. 생각이 많다. 핸드폰을 만지작.. 만지작거리다가.. 어딘가로 전화를 건다. '인국아빠' 몇 번의 신호음 후… 그냥 끊는 한주.

41.　　은정의 방 / 밤.

어두운 방. 침대에 누워 멀뚱히 눈을 뜨고 있는 은정.
몸을 돌려 옆으로 누워 방 안을 둘러본다.
홍대가.. 보이지 않는다..

42.　　진주의 방 / 밤.

침대 위 잠든 진주.. 아직 잠이 들지 않은 건지 작은 뒤척임.. 이내 이불을 뒤집어쓰고 몸을 작게 웅크리는 진주.
페이드아웃.

43. 범수의 방 / 밤.

페이드인.

어두운 방. 침대 위 잠이든… 것처럼 보였던 범수.

갑자기 벌떡 상체를 일으키더니 옆에 두었던 핸드폰을 켠다. 어딘가로 전화.

범수 야. 묻는 말에만 대답해.

동기 갑자기? 나 자는데?

범수 어.

동기 너 정혜정 건 때문에 여태 그러고 있는 거야?

범수 헤어진 지 2년이 넘은 남녀가 왜 만나서 투닥투닥 싸우는 거야?

동기 응?

범수 헤어진 지 2년이 넘은 남녀가 왜 싸우고 있는 거냐고.

동기 감정이 남았나 보지. 아 나 왜 대답하고 있냐….

범수 그치…? 감정이 남은 거지…

동기 어떤 내용으로 싸우는데?

범수 몰라. 그건.

동기 다른 걸 수도 있지. 돈 문제라든지 술 취해서 그냥 꼴아 봤다든지..

범수 ……(생각…) 야 돈 문제면 법정에서 싸워야지! 취해서 꼴아 봤으면 술집에서 싸워야지! 왜 회사에서 난리야?!

동기 왜 화를 내 나한테?!

범수 끊어 새끼야!

동기 이런 미친…

전화를 끊어 버리고 뭔가 토라진 느낌으로 다시 자리에 눕는 범수. 뾰로통한 표정 그대로 잠을 청하려 하는 그때.. 울리는 깨톡. 번쩍 눈을 뜨고 바로 확인하면, 솔비의 깨톡. '잘 지내? 여전히 개새끼고?' 미세하게 느껴지는 불쾌함.. 대화창에 들어가지 않고 그냥 폰을 덮어버린다.
다시 잠을 청하려다가… 다시 폰을 열어 솔비의 깨톡 대화창에 들어간다. 그리곤 다시 폰을 끄고 덮어버린다.

범수 읽씹이다.

대수롭지 않게 다시 잠을 청하는 범수..
눈 감은 상태 그대로 짜증. 에이 씨…

44. 제이비씨 내 커피숍.

*** 플래시백 - 12씬.**
음치 자랑하듯 '봄꽃노래'를 부르고 있는 진주를 가만히 바라보고 있는 범수. 이제 대수롭지 않은 듯 연주 중인 진주의 기타를 빼앗아 연주 자세를 잡는다. 진주가 뭐라 할 새도 없이 연주를 시작하는 범수. 진주와 비교도 되지 않

을 만큼 수준급 기타 실력.. 그리고.. 가수 못지않은 범수의 노래가 시작된다.. '봄꽃노래'
짜증스레 진주를 흘겨보던 주위 사람들의 반응이 대비되고.. 자기도 모르게 멍하니 바라보게 되는 진주..
세상 멋들어진 범수의 노래가 끝나고 다시 기타를 진주에게 쥐어주는

범수 …사랑은 변하는데 사실이 변하질 않네. 겁나 아퍼. 사랑하는 사람을 만났다는 건 어마어마한 기회거든. 기회를 놓치면 어때요? 당연히 아프지. 뼈가 저리다고. 이런 걸로.. 사람 놀리기나 하고.. (일어서며) 밥 먹으러 갑시다.

대수롭지 않게 돌아서 가는 범수를 그저 멍하니 바라보는 진주..

"헤어지는 이유가 한 가지일 수는 없지.
한 가지 이유로 사랑했던 건 아닐 거 아냐…

어쨌든 사랑은 자동차 소모품 같은 거야.
소모가 덜 됐으면 굴러가고.
다 됐으면 안 굴러가고."

_ 진주의 말 중

· 5부 ·

5

1.　　과거 / 명원대학교 강의실 / 낮.

진주　(V.O) 사랑이었다.

강의 중. 앳된 모습의 신입생 환동의 모습이 보인다. 강의에 집중하는 듯 보였던 환동이 창가 쪽으로 슬쩍 시선을 옮긴다. 햇살 닿은 진주의 맑은 얼굴이 보인다. 진주는 문득 어느 곳으로 시선을 옮긴다. 환동과 눈이 마주친다.
잠시 바라보던 두 사람. 진주의 모습에 빠져 있던 환동은 재빨리 시선을 거둔다. 의식은 한 것인지 대수롭지 않게 다시 창밖이나 내다보는 진주. 다시 슬쩍 진주를 보는 환동.

Cut To
수업이 끝나고.. 가방을 챙겨 밖으로 나가는 환동. 무슨 일인지 부리나케 가방을 챙겨 들고 나서는 진주.
그때, 진주에게 다가와 팔짱을 끼는 대학생 소민.

소민 밥 먹자.

진주 나 다이어트.

소민의 팔짱을 빼고 발 빠르게 앞문으로 빠져나가는 진주.

2. 과거 / 명원대학교 복도 / 낮.

강의가 끝나고 우르르 몰려나오는 학생들 사이에 환동.

별생각 없이 가방을 고쳐 들고 가던 그때 앞문에서 나온 진주와 마주친다.

환동, 눈도 제대로 마주치지 못하고 피해 가려는데,

진주 (대뜸) 밥 먹을래?

환동 (당황) 어‥ 저요? 아니‥ 나‥?

진주 (돌아서 걸으며) 같이 밥 먹는 친구가 오늘 안 나와서. 가자.

환동 (얼떨결에 따라가며) …응‥

진주 뭐 좋아해?

환동 어‥ 떡볶이.

3. 과거 / 분식집 / 낮.

흔한 대학가 떡볶이집. 마주 앉아 함께 떡볶이를 먹는 환동과 진주. 진주는 작은 물통에 싸온 음료를 빨대로 마시고 있다.

진주　매운 거 좋아하는구나.

환동　응? 응‥ 매운 거 좋지.

진주　밀떡?

환동　응. 밀떡.

진주　국물 좀 자작자작하고.

환동　그치. (노른자 풀며) 삶은 계란 노른자 풀어서‥

진주　조미료 맛이 확실히 나야 되고.

환동　단무지랑‥

다소 어색하던 분위기 슬쩍 풀리고‥

진주　혼자 밥 먹을 뻔했는데.

환동　나두.

진주　친구 없어?

환동　많진 않아. 근데 왠지‥ 몇 년 후엔 혼자 밥 먹구 혼자 술 먹구‥ 뭐 그런 게 트렌드가 될 것 같은 생각 안 들어?

진주　뭐 유행할 게 없어서, 혼자 먹는 걸‥ 그럼 혼자 먹는 식당 혼자 마시는 술집도 나오게?

환동　에이~ 그건 좀 그렇고. 유행이라기보다 익숙한 풍경이 되는‥?

진주　너무 정 없다.

환동　그래‥ 그건 좀 그렇지. 같이 먹자고 해줘서 고마워.

진주　같이 먹고 싶었어.

환동　(슬쩍 좋은)‥‥아‥‥ 그래‥? 왜‥‥라고 물어봐도 되나‥?

진주 (대뜸) 너 왜 동아리 탈퇴했어?

환동 응?

진주 내가 탈퇴했으니까.

환동 (슬쩍 당황) 아…

진주 너 왜 교양수업 바꿨어?

환동 (안절부절) 그…

진주 나 따라온 거잖아.

사레 걸린 환동. 자신이 마시던 음료의 빨대를 뽑아 마시라며 건네는 진주. 급하게 건네받아 마시면 인상이 묘하게 구겨지는 환동.

환동 어.. 이거.. 소주?

진주 아까부터 마시고 있었어.

환동 쓴 거 좋아하는구나..

진주 응. 쓴 거 좋지.

환동 쓴 걸.. 낮부터…?

진주 용기가 안 날 것 같아서.

환동 ….

진주 내가 이 정도 했으면.. 너도 뭘 좀 했으면 좋겠는데.. 얼마큼 마시면 살짝 취해?

환동 음… 반 병?

진주 몇 모금 더 마셔봐.

환동 (주춤하다.. 몇 모금 마시고)

진주　　자, 이제 나한테 할 말 있으면 해.

침을 꼴깍 삼키는 환동. 뚫어지게 자신을 바라보는 진주의 시선을 피하지 않는다. 이내 다짐을 마친 환동.
소주를 몽땅 마셔버린 후

환동　　(거침없이) 좋아해. 너.

환동의 말이 끝나기 무섭게 입을 맞춰버리는 진주.
화면 위에 자막. *'오늘부터 1일'*

진주　　(V.O) 사실.. 떡볶이는 맵기보다 달다.. 소주도 쓰기보다 달다.. 하지만 우리가 나눈 키스가 달달했던 이유가 그 때문만은 아니었겠지.
..사랑이었다.

4.　　과거 / 명원대학교 캠퍼스 일각 / 낮.

운동장이 바로 보이는 벤치 혹은 계단. 날 좋은 오후.
환동의 무릎을 베고 누워있는 진주.

진주　　여자가 남자 좋아할 때 눈빛이 어떤 줄 알아?
환동　　..응?

자기 눈을 검지로 톡톡— 가리키며 웃는 진주.
기분 좋게 미소 짓는 환동.

환동　남자가 여자 좋아할 때 콧구멍이 어떤지 알아?

진주　응?

콧구멍을 벌렁거리는 환동. 재밌게 웃는 두 사람··
좋은 한때·· *자막 '50일'*

진주　(V.O) 우리가 주고받은 그 수많은 말들은·· 멋대가리 없는 단어들을 아무렇게나 조합해 놓아도 세상 달콤한 속삭임이 되었으며··

5.　과거 / 명원대학교 강의실 / 낮.

교수의 수업이 한창이고. 진주의 딴짓이 한창이다. '진주 쿠폰'을 만들고 있는 진주. 명함 크기의 작은 메모지에 아기자기한 그림을 그려 넣은 후. '뽀뽀 10회' '무릎베개 10분' '용서 1회' 등 눈 뜨고 보기 힘든 문구를 적어 넣고 있다. 이내 수업이 끝나고. 거의 반사적으로, 교수보다 빠르게 강의실을 뛰쳐나가는 진주.

진주　(V.O) 세상 유치한 것이라 분류되는 모든 행위에 세상 정당한 명분을 부여받았다.

6. **과거 / 명원대학교 캠퍼스 일각 / 낮.**

건물 앞 가로수 아래 기다리고 있던 환동. 전력으로 건물을 빠져나와 달려오는 진주를 발견한다. 익숙한 듯 야무진 표정으로 자세를 잡는 환동. 세상 행복한 진주가 달려와 환동에게 번쩍 안긴다. 잘도 받아내는 환동. 강의실 창문에서 그 모습을 내려다보고 있는 대학생 은정과 한주.

은정 (무덤덤하게 바라보다.. 돌아선다) 나, 토하고 올게.

한주 같이 가.

진주 (V.O) 세상 불편한 건.. 목격자들의 몫이었을 뿐.

진주와 환동의 오그라드는 모습에서 자막. *'100일'*

7. **과거 / 거리 / 낮.**

진주 (V.O) 우린 항상 그랬고. 그 항상은 시간이 흘러 종종이 되었다. 종종.. 그랬고.. 종종.. 싸웠다.

대학가 어느 혼잡한 거리. 노기 가득한 낯빛의 진주. 화난 발걸음. 겨우 감정을 억누르고 있는 환동이 달려와 진주의 팔을 잡는다. 거세게 뿌리치고 걸음의 속도를 늦추지 않는 진주. 다시 한번 진주를 잡아채는 환동. 뿌리치려는 진주의 팔을 힘으로 제압해 돌려세운다. 주변 사람 신경 쓸 것 없이 환동의 얼굴과 가슴팍을 마구 때리는 진주. 그저 받아내는 환동. 겨우 손을 멈추고 환동을 노려보는 진주.
애써 참고 고개 숙이고 있던 환동이 주머니에서 무언가를 꺼낸다. 진주가 준 쿠폰들.. 그중 한 장을 골라내 진주에게 건넨다. '용서 1회' 어이없고 한심하게 느껴지는 진주.
그대로 쿠폰을 찢어버린다. 인내가 다한 듯 어금니를 물고 고개를 주억거리던 환동. 손에 쥐고 있던 나머지 쿠폰들을 박박 찢어 아무렇게나 던져버린다. 그대로 돌아서는 환동.
금방 눈물이 쏟아질 것 같은 눈으로 멀어지는 환동을 노려보는 진주. 자막. *'300일'*

8. **과거 / 커피숍 / 낮.**

- 다른 날.
창가 테이블에 마주 앉은 진주와 환동. 어느 정도 누그러진 듯 보이지만 아직 불편한 기색이 남아있는 진주.
환동도 마찬가지.

진주 (V.O) 다툼이 헤어짐은 아니란 것을 서로 암묵적으로 믿게 된 어느 시기. 우린 그 믿음에 안심하게 되고, 아이러니하게도 그 안심 안에서 이미 알고 있던 서로의 다름을 처음과는 다르게, 용인하지 않았다. 그렇게 다툼은 반복되어가고 더욱 치열해졌다. 아니… 치사해졌다.

테이블에 올라와 있는 진주의 손에 슬쩍 손을 올리는 환동. 시선은 창가 너머에 둔 채. 그런 환동을 보다 손을 빼버리는 진주. 창가 너머에 시선을 둔 채 슬쩍 일그러지려는 환동. 한마디 하려는데, 덥석 환동의 손을 잡는 진주.

진주 뭘 또 한마디 하려고 미간에 주름을 잡아?!

환동 내가 뭔 말 할 줄 알고 덥석 또 짜증이야?!

진주 덥석 손을 잡았지 뭘 덥석 짜증을 냈다 그래?!

환동 내가 먼저 잡았잖아! 언제 니가 먼저 사과한 적 있어?

진주 누가 먼저니 누가 더 잘못이니 그거 따지는 게 그렇게 재밌어? 왜? 통계학을 하지? 너 금요일에 들어가서 문자도 안 했잖아? 왜 안 했는데?

환동 아니 왜 또 얘기가 거기로 튀어? 너 짜증 잘 내고 사과 안 하는 얘기를 하고 있는데, 니 잘못들 얘기가 나왔으면 정리를 하고 내 잘못으로 넘어가든가!

진주 내가 그랬을 땐 피곤해서 그런 걸 괜한 의심하고 그렇게 뭐라고 하던 애가 내가 한 번 그런 거 가지고는…

환동 아니 너 잘못한 얘기를 정리하고 넘어가라니까!

진주 너 그 새벽 시간까지 술 먹고 다음 날 열두 시 넘어서, 그것도 내가 연락해서 받고.

환동 너 내 말이 안 들리냐? 니 얘기 먼저 끝내고 내 얘길 하라고!

진주　　그게 뭐가 그렇게 중요하냐고?!

환동　　그게 왜 안 중요하냐고?!

진주　　그게 이렇게 손잡은 상태에서 따질 일이야?!

환동　　(손 뿌리치며) 놔 그럼!

진주　　아 이.. 개새끼 진짜… (일어나려는 환동에게) 일어나기만 해. 끝이야.

그냥 앉아서 다시 창밖이나 쳐다보는 환동.
그냥 앉아서 그냥 창밖이나 쳐다보는 진주.
자막 *'500일'*

시간의 흐름. 다른 날. 디졸브.

비가 내리고 있다. 카페 안에 진주와 환동, 주위 사람 아랑곳없이 다투고 있다. 참지 못한 진주가 자리를 박차고 일어난다. 우산이 없는 진주는 그대로 비를 맞고 화난 걸음을 재촉한다. 달려 나온 환동. 우산이 없다. 진주를 돌려세운다.
노기 띤 얼굴로 서로를 노려보는 진주와 환동. 짧은 한숨을 내쉰 환동이 자신의 점퍼를 벗어 진주의 머리를 덮어주고 보자기 싸듯 묶어버린다. 그냥 돌아서 간다. 진주, 모양새가 조금 우습다. 아랑곳없이 돌아선다. 자막 *'800일'*

진주　　(V.O) 붕대가 필요한 상처를 반창고로 겨우겨우 막아내며…

9. 과거 / 한적한 공원 / 낮.

평일인 듯 한적한 서울의 어느 공원 산책로. 나른한 낮빛으로 앞서 걷는 환동. 한 발자국 뒤처져 걷는 진주.
뭔가 지친 기색.

진주 그만 좀 걸어.. 산책은 벚꽃 피고 그럴 때 하자고.

환동 그냥 말을 하면 되지 왜 짜증을 내..

진주 뭔 짜증이야 그냥 말하는데.

환동 미간에 주름 잡힌 거 뭔데? 내가 너 짜증 섞인 툰지 그냥 말하는 툰지 그걸 몰라? 뭐가 그렇게 불만이야?

진주 말했잖아. 불만. 그만 걷자고.

환동 불만 있다는 거네. 짜증 냈다는 거네. 근데 뭘 그냥 말했대?

진주 내가 짜증 냈다는 거 인정하는 게 그거 듣는 게 지금 니 목적인 거야?

환동 매사 그렇게 짜증을 내잖아. 왜 그래? 집안 내력이냐?

진주 (어금니 앙..) 집안.. 내력..? 넌 키 작은 게 집안 내력이냐?

환동 !!!!

진주 너 앞서 걸으면 정수리가 보여. 그거 보기 싫어서 그만 걷자고 그랬어.

환동 ..정..수리... (어금니 앙) 그럼 아예 만나질 마.

진주 헤어지자 말한 거지 지금?

환동 니가 말한 거지.

진주 아니야. 딱 말해. 헤어지잔 거잖아.

환동 니가 딱 말해. 헤어지고 싶은 거잖아.

진주　　니가 말하라고.

환동　　(폭발) 그래 헤어지자. 제발 헤어지자!

진주　　헤어지자 그런 거지?

환동　　어! 어! 어! 못 알아들어? 이제 한국말도 못 알아들어? 영어로 해줄까?!

진주　　해봐. 영어로 해봐!

환동　　아이원트투브레이크업위드유! 렛츠브레이크업!!

진주　　꺼져!

환동　　땡큐. (돌아서며) 바이.

진주　　(먼저 돌아서려다 순간 열이 오르는) 야, 뭐? 땡큐?

들은 채도 안 하고 돌아서 가는 환동을 우악스럽게 돌려세우는

진주　　다시 말해 봐. 고마워?

별 표정도 없이 진주를 뿌리치고 돌아서는 환동.
그를 다시 돌려세우는 진주.

진주　　다시 말해보라고! 고마워? 고마워? 그게 니 입에서 나올 말이야?!

환동　　니 입에선 되고 내 입에선 안 되냐?! 너 저번에 헤어질 때 니가 나한테 한 말이야!

할 말은 없지만 분이 가라앉지 않는 진주. 눈물 기운도 없이 노기 가득한 눈으로 노려보다가 무섭게 돌아서 간다. 역시 돌아서는 환동. 돌아보지 않고 걷는 두 사람의 모습 분할. 자막 *'900일 하고.. 며칠 즈음이었나..?'*

진주 (V.O) 겨우·· 겨우 막아내며·· 이유도 기억나지 않는 헤어짐과 만남을 반복했고. 단 한 마디로 헤어짐을 완성하는 경지와···

10. 인서트

분할화면. 서로의 핸드폰 문자.

'쫑'

'쫑'

11. 인서트

분할화면. 서로의 핸드폰 문자.

'야'

'왜'

진주 (V.O) 단 한마디로 재결합을 완성하는 경지에 도달하기 이르러··

12. 과거 / 혼밥집, 낮 / 혼술집, 밤.

혼밥집에서 혼자 밥을 먹는 진주.
혼술집에서 혼자 술을 마시는 환동.

진주 (V.O) 혼자 먹는 밥집과 혼자 마시는 술집이 등장했을 무렵.. 우린 진정한 의미의 헤어짐을 맞이했다.

13. 과거 / 커피숍 / 1부 3씬 / 카페 장면 몽타주 / 낮.

마주 앉은 진주와 환동. 표정 없는 두 사람.

진주 그저께 밤에 내 친구가 너 봤대. 모텔에서. 할 말 있니?

진주 (V.O) 사랑이.. 아니었다고 생각했다..

14. 진주의 거리, 밤 / 환동의 거리, 낮.

다시 분할.

일상적인 느낌으로 거리를 걷고 있는 진주.
일상적인 느낌으로 거리를 걷고 있는 환동.

진주 (V.O) 이젠 상처도 나지 않을 것만 같은 상대의 마음을 애써 할퀴어가며 헤어졌던 그때도. 얼마의 시간이 지나 무감각해졌다 느꼈던 그때도, 아니었다 확신하고픈, 내 안의 솔직하지 못한 고집을 믿고 싶었을 뿐. 사랑은 변해도… 사실은 변하지 않는다. 사랑이었다. (내레이션 톤에서 일상대화 톤으로 급변) 하지만~ 어제 내가 흘린 눈물의 이유는…

15. **은정의 집 / 밤.**

늘 그렇듯 둘러앉아 드라마를 보며 맥주를 마시는 그녀들과 효봉.

진주 그놈을 잊지 못해서가 아니야. 고생했던 내 마음을 잊지 못해서지. 그러니까 그가 아니라 나를 잊지 못한 거고, 20대 대부분의 시간을 한 남자와 보내버린 그 가엾음이 문득 떠올라서였다. 뭐 그거지.

은정 그러고 보니 외적으로 가장 아름답던 시절의 너는, 가장 비루했던 시절의 환동이와 함께했구나.

진주 난 지금이 가장 아름다운데?

은정 어딜 보고 그런 생각을 한 거야?

진주 음… 마음가짐?

한주 뭔가… 보상이 필요해.

효봉 보상? 그 시간 안에서 어쨌든 행복이란 감정도 느꼈을 거 아니야? 보상이 필요한 문제는 아닌 거 같은데? 그리고 20대의 아름다움이 여자한테만 있는 건 아니지. 환동이 형도 외적으로 가장 아름다웠던 시절 아니었을까?

한주 게이의 입장에서 보면 그렇지.

효봉 아니. 그 형도 자기 집에선 얼마나 귀하고 예쁜 아들인데.

진주 넌 내동 우리 편들다가 잘생긴 남자 욕하면 괜히 편들더라.

은정 너 그러는 거 문수 씨는 알아?

효봉 응. 그래서 좋아하지.

진주 그래 뭐 보상이 필요한 문제는 아니라고 치자. 다만, 여성의 가치평가 기준이 외형에 기인한다 여기는 야만적인 인식에 대해 오늘 밤 나는 문제제기를 해보려 한다.

효봉 갑자기?

진주 그런 식의 접근으론 절대 아름다운 여성을 가질 수 없음을 여전히 외적으로도 아름다운 우리가 가슴 깊이 새겨주도록 하자. 준비해.

갑자기 일어서 각자의 방으로 향하는 세 여자.

효봉 뭐야.. 뭘 준비해?

한주 (방으로 향하며) 아무래도 클럽으로 갈 것 같아.
인국이 좀 부탁해.

효봉 (!!!) 이 언니들 진짜.. 아니 옛사랑 얘기하다 갑자기 클럽을 가?!! 뭔 전개가 이래? 원래 가기로 했었던 거지? 너네 양아치니!!

16. 클럽 / 밤.

나름의 스웩으로 열심히 춤을 추고 있는 세 여자. 은정, 몸을 흔들며 자연스레 돌아보면 홍대가 그녀를 보고 웃고 있다. 홍대와 함께 몸을 흔들다 다시 돌아 진주, 한주와 춤을 추고, 다시 뒤돌아보면, 홍대가 아닌 다른 남자가 마주 보고 있다. 어디 갔지? 둘러보는 은정. 열심히 몸을 흔들던 진주가 다가와 은정의 귀에 대고 소리친다.

진주 　은정아!! 왜 남자들이 우리한텐 말을 안 걸어?!!

은정 　몰라!! 어디 신청을 해야 되는 건가?!!

한주, 의외의 스웩을 보여주다가 어느 곳에서 시선이 멈춘다. 어떤 남녀의 수위 낮지 않은 볼 부비부비를 보고 있다. 다소의 민망함을 느끼지만 힐끔힐끔 시선을 놓지 않는 한주. 그런데… 낯이 익은 여자의 얼굴.. 자세히 보니.. 하윤이다.

인서트 – 4부 32씬.

회사에서 재훈에게 난리 치던 하윤의 모습.

찝찝한 생각에 빠진 엉성하고 느릿한 몸짓의 한주.

..어떤 멋들어진 한 남자, 진주에게 다가와 귀에 대고 소리친다.

클럽남1 뭐해요?!!

진주 (V.O) 물었어! 이 멍청한 물고기들에게 나의 외적 아름다움은 거부할 수 없는 떡밥. 이것이 진정한 도시어부.
근데.. 춤추고 있는 사람한테 뭐하냐고 물어보면.. 뭐라고 대답해야 되는 거지…?

진주 (클럽남의 귀에 대고 굉장히 둔탁한 외침) 일탈!!!

귀에 묻은 침을 닦으며 그냥 가는 클럽남.

..어느 매력남, 은정에게 다가가 귀에 대고 소리친다.

클럽남2 누구랑 왔어요?!

은정 남친!!

..어느 귀여운 남자, 한주에게 다가가 귀에 대고 소리친다.

클럽남3 같이 놀래요?!!

한주 저 애 엄마에요!!

17. 큰집설렁탕집 안 / 밤.

과식하고 있는 세 여자.

설렁탕이 정말 맛있는 모양.

진주 뭐지.. 이거 왜 맛있어? 24시간 영업하는 주제에.

은정 그치? 우리 맛집 찾았다 야.

한주 처음부터 이거 먹으러 나온 거 같아.

진주 수육도 먹을까?

Cut To

김이 모락모락 나는 수육을 핸드폰 카메라에 담는 진주와 한주. 소주잔을 부딪치고 기분 좋게 원샷. 그리고 수육 한 점 입으로 쏘옥— 기분 좋은 세 친구.

18. 큰집설렁탕집 앞 거리 / 밤.

너무 많이 먹은 세 여자. 배를 두드리며 나란히 걷는다.

진주 우리 나이 먹은 건가..?

은정 우린 밥을 먹었지. 아우 배불러..

진주 클럽에서 남자가 말 거는 게.. 뭐랄까.. 거슬려.

은정 음.. 신뢰감 있는 관계에만 반응하는 그런 사회적 나이에 접어든 걸 수도 있어. 줄어들고 있는 수명을 인지하고 있던 감각이 신호를 보내는 거지. 신뢰 없는 관계에 시간을 할애하지 말게~ 그게 체력적으로도 유리하다네~ 하고.

한주 장소에 대한 편견 아닌가.. 클럽에도 좋은 사람들이 있을

수 있잖아.

진주 놀지도 못하는 것들이 괜한 분석이나 하고 있고‥
누가 보면 우리 되게 웃기겠다.

그게 뭘 또 좋다고 장난스럽게 웃는 세 친구. 그때 건너편 호텔로 남자와 들어가는 하윤을 보게 되는 한주. 생각이 많아진다.

은정 어쨌든 피곤하구만‥ 괜히 클럽에 가자고 해서는‥

진주 그냥 일탈 비스무레한 걸 하고 싶었어. 일종의 환기지.

은정 그냥 남자를 사겨.

진주 사랑은 없다.

은정 사랑 없는 만남. 고정적인 일탈. 의미 있다 야.

진주 글쎄‥ 남자친구는‥ 앞머리 같은 거야.

은정 미친년‥

진주 (생각 많은 한주를 보곤) 왜 니가 또 뒤숭숭해졌어?

한주 고민 생겼어.

진주 갑자기?

한주 응. 방금 생겼어.

은정 이거 또 심각한 얼굴을 보니‥ 별거 아니겠구만.

진주 왜? 클럽에서 남자랑 손잡았냐?

한주 (혼잣말‥) 헤어졌구나‥

은정 응?

한주 아‥ 헤어진 거야‥

19. 홍미유발 엔터 휴게실 / 낮.

재훈 아니요. 그게 어디 쉬운 일인가요?

마주 앉아 커피를 마시고 있는 한주와 재훈.

한주 (생각이 더 복잡해지는) 아… 그렇죠…

재훈 그날… 헤어지자고… 했었죠…

20. 재훈의 집 / 밤 / 플래시백.

현관문을 열고 천천히 들어서는 재훈. 얼굴엔 한주가 붙여줬던 작은 반창고. 도둑이 들었던 집처럼 엉망진창인 방 안을 둘러본다. 처음이 아닌 듯 크게 동요하지 않는다.

침대에 앉아있는 하윤. 술 탓인지 운 탓인지 붉은 낯빛에 부운 눈. 미친 사람처럼 무서운 눈빛…

재훈, 천천히 다가가 옆에 앉는다. 하윤, 무섭게 노려보다가 덥석 안긴다. 재훈, 그녀를 안아준다.

하윤, 그에게 키스하고… 눕힌다.

21. 홍미유발 엔터 휴게실 / 낮.

한주, 프린트된 용지를 꺼내 건네면, 받아서 정리하는 재훈.

재훈 헤어지자고.. 했었죠..

한주 (하윤의 행동을 알고 있는가 싶어서 떠보는) 왜… 헤어지자고 했어요?

재훈 제가 좀.. 치사해서요..

한주 (답답한) …응?

재훈 하윤이가.. 아 이름이 하윤이에요.

한주 (조급한) 네. 하윤 씨가.

재훈 한참 취업 준비하느라 고생했는데.. 계속 실패하고..

한주 아.. 취업..

재훈 그러다 작은 옷가게를 했는데.. 그것도 잘 안되고..

한주 (힘 빠지는) 아…

재훈 그래서 스트레스가 늘고.. 그래서 술 먹는 날도 늘고..
힘들면 나를 찾게끔 해야 하는데.. 술을 찾게 했네요..

한주 그게 치사한 거예요?

재훈 여자친구 흉 되는 말만 또 늘어놓고 있죠, 제가..?
치사한 거 맞죠?

한주 그 정도 치사함도 없이 어떻게 살아요.

재훈 (웃음…) 바보 같은 질문 같지만.. 사랑하는 사람이 힘들 때.. 안아주는 것만으로 힘이 되지 않는다면.. 뭘 할 수 있을까요?

한주 (고민고민) 음…

22. 카페 / 낮.

진주 돈을 줘. 안아주는 건 위로고. 문제 해결을 원하면 돈을 써야지.

커피와 조각 케이크를 놓고 마주 앉은 한주와 은정과 진주. 진주는 작업을 하고 있었던 듯 옆에 노트북.

한주 (한숨)… 말을 말자.

진주 야, 너는 남에 걱정을 니 걱정하듯이 하고 살지 좀 마.
니 걱정하기 안 바빠? 남에 일 가지고 왜 이렇게 고민해?

한주 하.. 사실.. 나 그 여자 봤거든. 클럽에서. 이걸 말해줘야 되나..

은정 클럽도 갈 수 있고 그런 거지, 뭘 그래?

한주 거기서 다른 남자랑 막.. 뽀뽀를..

진주/은정 와우..

진주 뭐 할 수 있어. 할 수 있지. 클럽에서 만난 남녀가 뭐 판문점에서 만난 남북 정상도 아니고, 양손 꼭 부여잡고 인사하면서 '제 친구들 쪽으로 같이 넘어가 볼까요?' 뭐 그럴 거야? 할 수 있어.

한주 그.. 우리 설렁탕 먹고 나오는 길에.. 그 여자가 그 남자와 호텔에 들어가는 걸 봤는데..

진주/은정 와아아우..

은정 그래, 뭐. 잘못 들어갔을 수도 있지.

진주 야. 남친이, 너 어제 다른 남자랑 호텔 들어가는 걸 봤는데, 설명해줄래? 라고 했을 때 여친이, 아 그거? 잘못 들어간 거야, 전철역인 줄 알고. 그럼 남친이, 아 그랬구나, 전철역인 줄 알았구나~ 전철역이 5성급인 줄 알았구나~ 아우~ 괜히 걱정했네. 의심해서 미안해. 사랑해. 하겠다? 응? 헤어지라 그래 그냥.

한주 넌 자꾸 그렇게 남 일처럼 말하니?

진주 남이니까 이년아.

한주 아… (고민고민) 아니.. 그래서.. 이거 말해야 돼 말아야 돼?

진주 아 바로 말하고 비난을 쏟아부어야지. 대신, 그 옆에 있던 남자새끼도 같이. 세상이 샹년 옆에 있던 샹놈은 잘 안 봐요. 샹놈은 원래 샹놈이었으니까 세상에 널린 게 샹놈이니까. 어쩌다 샹년 하나 보면 샹년이 대단한 샹년처럼 느껴지고, 그게 뭔 자랑이라고 샹놈은 샹년만 열나게 샹년이라 욕하고..

한주 야! 조용. 그만! 어우 정신병자 같애. 은정아, 니 생각은 어때? 나 죽겠어.

은정 자, 좋아. 인문학적으로 접근해보자.

한주 (아이고 두야..)

은정 난 역사와 예술이 인문학에 포함된다고 생각하는 입장인데, 예컨대 여자는 역사적으로 수많은 전쟁에서 전리품 취급을 받았지만 사실 역설적으로..

한주 아 그만!

은정 아니.. 난 샹년과 샹놈의 존재 가치가 있다 없다보단 그 수

의 균형이 더 중요하다, 그 이해를 위해선 역사적으로 거슬러··

한주 그만! 에휴·· 됐다·· 됐어·· (일어서는) 갈래.

진주 야 니 인생이나 걱정하라고. 너한테 딸린 짐이 30키로야.

은정 30키로?

진주 인국이 몸무게.

휙 뒤돌아 째려보는 한주.

진주 (의연하고 익숙한) 그렇다고 너무 쫄진 말고. 니가 아직 두 배는 더 나가니까.

한주 미쳤나 봐?! 나 56키로거든!! (헉)

스스로 입을 틀어막고 억울하다는 듯 째려보는 한주.
휙 돌아서 나가고.

진주 (다시 노트북을 끌어오며) 자·· 나도 이제 내 걱정을 좀 해볼까··

은정 3부 아직 못 썼어?

진주 다 썼어.

은정 근데?

진주 작가의 걱정은 탈고 후에 새로운 국면을 맞이하지.

23. 제이비씨 드라마국 / 낮.

직원들이 거의 없는 드라마국. 범수의 자리. '서른 되면 괜찮아져요' 3부를 읽고 있는 범수. 그 앞 파티션에 턱을 괴고 태평하게 음악을 듣고 있는 진주. 범수의 표정은 심각하고, 그 표정을 캐치했지만 이제 대수롭지 않다. 다 읽은 대본을 덮어 놓는 범수. 이어셋을 떼고 범수를 나긋이 바라보는 진주.

진주 표정을 보아하니 길어지겠군. 자~ 마음껏 까보세요. 내 오늘 단 걸 많이 먹어서 쓰러지지 않을 자신 있어.

범수 나쁜데 좋아요.

진주 뭐지? 새로운 타법인가?

범수 나빠서 할 말 많은데 큰 문제는 아니라 이 문제를 뒤로 좀 미뤄놔도 되겠단 뜻이었어요.

진주 왜 뒤로 미뤄요? 우리 밀렸어요?

범수 네. 이 대본 우리 채널 공모전 당선작도 아니고, 국장급에서 까면 할 말 없어요.

진주 우리 까였어요?

범수 네. (꽤 두툼한 프린트물을 건네는)

진주 (뭔가 싶어 넘겨보며 옆자리에 앉는) 응?

보면, '서른 되면 괜찮아져요' 기획 의도를 포함한 파워포인트 PT 자료.

진주 오~ 기획 의도…

범수 작가님 기획안에 있던 거 좀 더 있어 보이게 제가 수정했는데, 보시고 작가님이 다시 수정하고 싶은 부분 있으면, 건들지 마요. 내가 한 게 더 좋아.

진주 음. 아무렇지 않다. 감독님 재수 없는 거 이제 적응이 좀 됐어요.

범수 작가님 글재주 없는 거 이제 적응이 좀 됐어요.

진주 (범수의 목 뒷덜미를 후려치는 액션을 취하며) 왜 영화에서 이렇게 빡! 치면 픽— 기절하고, 그게 실제로 되나? 참 쓸모 있을 거 같은데.

범수 드라마 잘되면 한 번 하게 해드릴게.

진주 콜. (두 사람 자연스레 새끼 걸고 약속) 근데? 이건 갑자기 왜요? 우리 기획안 다 있는데.

범수 발표해야 돼요. 더 정확히 말하면, 설득.

진주 아~ 우리 편성 못 받았지‥

범수 아직 제작사도 없는데 편성은 무슨. 재밌지만 서글픈 소식이 있어요.

진주 오호‥ 마음가짐이 중요하겠구만요. 해봐요.

범수 정혜정 작가가…

진주 오호‥ 재밌는데?

범수 우리 작품 이 채널에서 하면 자긴 안 하겠다고 합니다.

진주 오호‥ 서글프군‥

범수 놀랍겠지만 충격에 헤매고 있을 만한 여유 없어요.

진주 충격이라기보단‥ 와‥ 부럽다‥

범수 뭐가요?

진주 누가 봐도 유치한데. 그런 유치한 짓을 이렇게 거리낌 없이 하며 살아갈 수 있다는 게… 그 자신감. 와우… 나도 빨리 성공해서 유치하게 살고 싶다. 난 성공하면 사람 확 변할 거야. 유치하고 건방지게.

범수 어느 쪽으로 변하든 지금보단 좋을 거 같긴 하네요.

진주 (이런 샹…)

범수 뭐 아무튼 작가님은 흔들림 없이 하시던 글쓰기 하시면 돼요. 피티는 내가 하니까.

진주 뭐지 이 자신감은?

범수 왜 드라마 보면 낄따란 회의실에 임원들 좌우로 쫙 앉아 있고.

인서트

범수의 말에 맞춰 실현되는 장면들.

범수 빔 프로젝터 쫙~ 쏘고. 주인공은 비현실적으로 말 너무 잘하고 그런 거 있잖아요? 그 비현실적인 인물이 실제 존재하거든. (자신을 가리키며) 나. 후후… 놀랍죠?

진주 이 정도 잘난 척이 현실에 존재한다는 게 더 놀라워… 와아… 이런 인물을 다큐로 찍어야 되는 건데.

24. 소민의 회사 대표 사무실 / 낮.

소민 다큐요?

소민의 회사 대표(40대 초반, 남)와 아랑.
소민과 민준이 마주 앉아있고.

아랑 음·· 그러니까·· 이해하기 쉽게·· 워낭소리 알죠?
소민 소 나오는 거?
아랑 그렇죠. 그런 영화용 다큐멘터리죠.
소민 그럼 나 죽을 때까지 찍는 건가?
아랑 아니, 아니.
소민 농담이에요. 그럼 뭐 나 혼자 산다, 같은?
아랑 혼자 살고 있으면 혼자 사는 모습도 나오겠죠. 물론 동의하에.
소민 그럼 남자친구 집에 못 데려오잖아.
대표 너 요즘 남자 만나니?

슬쩍 신경 쓰는 민준.

소민 아니. 생길 수도 있잖아.
아랑 있지도 않은 걸 벌써부터 고민해요?
소민 재밌겠다. 그럼 나 막 문란하게 노는 거 방송 나가도 돼?
대표 너 문란하게 노니?

소민 아니. 사람이 변할 수도 있잖아.

아랑 변하기도 전에 고민 먼저 해요?

소민 그럼 감독님이 카메라 들고 나 따라다니는 거?

아랑 아, 저는 제작을 맡았구요.. 감독은... 이제 올 시간이 됐는데.. 이은정 감독이 할 거에요.

소민 은정.. 이은정?

아랑 이은정 감독도 흥미롭게 생각하고 있어요.

소민 내가 흥미롭지 않은데?

아랑 방송 같이하면서 사이도 많이 좋아지셨던데요 왜?

소민 그거는 비즈니스니까..

은정 (문 열고 들어오며) 한 개 더 하자. 비즈니스.

대표 아이구 안녕하세요, 방송 잘 보고 있습니다. 이쪽으로 앉으시죠.

소민 (일어서며) 야 앉지 마. 얘기 좀 해.

25. 공원 산책로 / 낮.

앞서 걷는 소민. 한 발치 뒤에 따르는 은정.

몇 발치 뒤에 따르는 민준.

은정 (말없는 소민을 살피고. 대수롭지 않음) 거절하지 마.

나 설득 같은 거 안 할 거야.

소민 뭐 너 말고도 배우는 많다 그런 거야?

은정 배우가 많지는 않지만 매달릴 정도는 아니야.

소민 절박함이 없네.

은정 응. 일을 하는 중엔 일한 게 아까워서 절박해지기도 해. 매달리기도 하고. 근데 시작하기 전엔 굳이 안 그래. 시작부터 지는 느낌이 싫어서 아예 안 해.

소민 포기를 잘한다는 걸 길게 말한 거지?

은정 포기하고 나면 부자 된 느낌도 들지. 그거 아무나 못 하는 거거든. 난 포기를 즐기는 편이야.

소민 삶이 아주 윤택하시네.

은정 생각이 윤택한 거지.

소민 후… 그래라. 그래. 좋아. 비즈니스. 나를 찍고 싶은 이유는?

은정 너 재밌어.

소민 내가 재밌어?

은정 인간적인 구석이 많아. 귀여운 허점들.

소민 (걸음을 멈추고 은정을 마주 보곤)‥? 멍청하단 말을 돌려 말한 거지?

은정 아주 그렇진 않아.

소민 …?? 어느 정도는 그렇단 얘기지?

은정 일정 부분 염두에 두지 않았던 건 아니야.

소민 ‥??? (민준을 보며) 이건 무슨 뜻이야?

민준 너가 매력 있단 뜻이야.

소민 (은정을 보며) 맞아?

은정 맞으면 할래?

소민 처음부터 거절할 생각 없었어. (다시 걸으며) 제목은 뭐야?

은정 여자 사람 배우.

소민　'내가 이소민이다.'라고 하면 안 돼?

은정　안 돼.

소민　나 요즘 힙업 운동해서 엉덩이 장난 아닌데. 샤워하는 것도 찍어주면 안 돼?

은정　안 돼.

소민　전 남친들…

은정　(말 자르며) 안 돼.

소민　브라질리언 왁시…

은정　안 돼.

26.　헤어숍 / 낮.

염색하고 있는 소민. 옆에 앉아 잡지 보는 은정.

소민　그래가지고 장사가 되겠니. 남들은 자극적인 거 못 뽑아서 안달인데.

은정　너 좀 신비로운 거 좋아하고 그럴 줄 알았는데?

소민　이미 신비하지가 않아.

은정　어쩐 일이래. 셀프디스를 다 하시고.

소민　나처럼 드라마 예능 여기저기 소비됐던 애가 안 보이기 시작하면 신비한 게 아니라 그냥 인기 떨어져서 안 팔리는 거라 생각한다니까.

은정　오호… 고마워. 그런 고민을 담고 싶어.

27. 은행 창구 / 낮.

예금 창구에 나란히 앉아있는 소민과 은정. 창구 직원과 통장, 신분증 등을 주고받는 소민의 익숙함.

소민 그러니까. 이왕 하는 거 장사가 되게끔 해야지.

은정 그렇다고 장사가 중요하단 건 아니야.

소민 그럼 뭐가 중요한데?

은정 사람을 담고 사람들에게 보여주고, 같이 생각하고, 같이 얘기하고··

소민 그걸 왜 해야 되는데?

은정 같이 윤택해지는 데 도움이 될까 해서.

소민 니가 왜 도움이 되려고 하는데.

은정 세상에 나쁜 사람도 많아서. 덜 나쁜 사람이 더 많이 말해야 다음 세대가 덜 나쁜 사람의 영향을 받고 자라겠지.

소민 그럼 더 많이 말하는 것보다 더 많이 보게 하는 게 중요하네.

은정 음··· (얘 말 잘하네?) 더 많이도 중요하겠지만, 어떤 말을 어떤 마음으로 또 어떤 형식으로··

소민 (말 끊고) 뭐? 너도 예술하고 싶은 거야? 근데 니 말대로라면 예술은 나쁜 거 아닌가? 알아본다, 알아듣는다 싶으면 감춘 거 아니냐고? 대중적인 소통보다 자신은 더 고귀해야 한다, 더 특별한 위치에 있어야 한다. 뭐 그런 거 아니냐고?

은정 그들의 생각도 맞고 니 생각도 맞아. 근데·· (신기하네) 야. 너 근데 말 되게 잘한다? 대본도 없는데. 왜 그래?

28.　도로 소민의 차 안 / 낮.

민준이 운전하는 승합차. 뒷좌석에 소민과 은정. 출처를 알 수 없는 가면을 쓰고 휴대용 노래방 마이크로 요란하게 노래를 부르고 있는 소민. 익숙한 민준과 표정 없이 인내하고 있는 은정. 1절이 끝나고 간주가 시작되자…

민준　이제 가면을 벗고! 정체를 공개해주세요!

가면을 벗고 머리카락을 휘날리는 소민.

민준　꺄아아아악~! 카니발 안전벨트 소녀는 바로! 이소민 양이었습니다!!!

소민　민준아! 왜 난 복면가왕에서 연락이 없는 거야?!!

민준　소문난 거 같아!!

소민　뭐가?!!

민준　노래 못하는 거!!

간주가 끝나자 아랑곳없이 이어지는 소민의 듣기 힘든 가창.

Cut To

조에서 울로 바뀐 소민. 그저 말없이 초점 없는 눈빛을 창밖으로 흘려보낸다. 확실히 미친년임을 감지하는 은정.

Cut To

잠들어버린 소민. 신기하지만 의연하게 소민을 바라보는 은정. 침을 닦아주려는데··

민준 괜찮아요, 놔두세요.

침이 어느 정도 흐르자 스읍— 닦아내는·· 잠든 소민.

민준 절대 턱 밑으로 침을 흘려보내지 않아요.

은정 아··· 근데요·· 얘, 나한테 왜 이래요?

민준 뭐·· 일종의 자기소개 같은 거죠.

은정 자기소개?

민준 공원 산책을 좋아해요. 빡센 운동하면 주름 생긴다고 걷기 운동만 하거든요. 헤어샵은 거의 매일 가는데, 거울 앞에서 누가 머리를 만져주면 마음이 편안해진대요. 그래서 솔직한 말은 샵에서 자주 나와요. 은행가는 것도 좋아해요. 자기 돈 누가 빼가는 것 같다고 인터넷 뱅킹도 안 하고 약관 같은 것도 다 읽고. 은행에선 이상하게 냉철하져. 되게 어색하죠. 차 안에선 온갖 거를 다해요. 신인 땐 차에서 스물네 시간 대기한 적도 있고. 한참 잘나갈 땐 지방 스케줄도 많으니까.

은정 아··· 근데 왜 그걸··

민준 좋아하는 거예요.

은정 나를?

민준 아니. 자기가 주인공인 다큐를 찍는다는 거.

은정 아… 역시 재밌네‥

29. 홍미유발 엔터 소진의 사무실 안 / 낮.

용건이 명확한 듯 보이는 소진과 고민에 갈피 잃은 영혼의 한주. 마주 앉아있다.

소진 (얘 왜 이래? 한주를 살피다) 뭐지? 내 용건이 있어서 부른 건데‥ 니 고민을 털어놓을 것만 같은 이 불길한 느낌?

한주 (다짜고짜) 만약에, 가정인데요. 대표님 남자친구 중에‥ 그러니까 남자 사람 친구. 친한. 아끼는. 그 친구한테 여친이 있는데. 우연히 대표님이 그 남친의 여친이 다른 남자와 있는 모습을 본 거예요. 손도 잡고. 뽀뽀도 하고. 뭐‥ 또‥ (머뭇) 그러니까‥ 5성급 지하철역에도 가고. 그럼 대표님은 친구한테 그 사실을 알릴 건가요? 알리지 않을 건가요? 그 선택의 이유는?

소진 그 남자친구가 재훈이구나?

한주 (!!!!) 대표님도 보셨어요?

소진 그럴 리가.

한주 (!!!!!) 대표님. 절대! 절대 재훈 씨한테 말하면 안 돼요!

소진 그게 고민이야?

한주 네.

소진 그 고민의 답을 자기 입으로 말했는데 벌써.

한주 네? 제가요?

소진 절대 말하지 말라며.

한주 아‥ 그죠‥

다시 길 찾는 영혼의 모습으로 일어서 가는 한주.

소진 저기. 좀 전에도 말했지만‥

한주 네‥

소진 내가 용건이 있어서 부른 건데.

한주 (아차 하곤 다시 자리에 앉는) 아‥ 죄송합니다. 귀중한 업무시간에.

소진 그래서 난 간단히 할게. 황 팀장 너 승진해라.

한주 (??)…네? 뭐‥ 미션인가요?

소진 통보야. 제작 파트까지 맡아서 실장 역할을 해줬으면 좋겠어.

한주 어… 제가‥ 제작을요? 제작‥ 프로듀싱을 말하는 건가요? 저는 마케팅만 8년‥

소진 알려진 사실을 말하자면 황 팀장만큼 성실하게 이 바닥 생리를 잘 이해하고 견뎌낸 사람이 어디 있겠나 싶고. 숨겨진 사실을 말하자면 능력이 검증된 팀장급 피디를 영입하는 데 실패한 것도 있지.

한주 아‥ 와닿네요.

소진 야, 나 지금 대단한 내용을 말한 거야. 그에 걸맞는 리액션을 좀 하지?

멍하니 바라보던 한주. 우울해진다.

소진 (당혹스런) 야… 걸맞지 않아‥ 야… 이런 미친‥ 야…

30. 한주의 고민 / 몽타주.

사무실. 낮.

업무 중인 재훈을 살피는 퀭한 한주. 간소한 승진 축하 파티. 대여섯 명의 직원들에게 축하를 받고 있는 한주.

다른 직원들과 담소를 나누며 웃고 있는 재훈을 살피는‥

퀘에엥한 한주.

거실. 밤.

늘 그런 맥주 타임에 곁들인 승진 축하가 이어지는 가운데‥ 맥주를 질질 흘리는 한주를 보며 고개를 절레절레 흔드는 은정과 진주.

은정의 집. 욕실. 밤.

거울 앞에 인국과 나란히 선 퀘에에엥한 한주. 양치하던 인국이 이 엄마 왜 이러나 바라보다가 툭 치면—

반사적으로 양치질을 시작하는 퀘에에엥한 한주.

한주의 방. 밤.

침대에 누워 뜬 눈으로 천장이나 바라보고 있는 좀비 한주.

30-1. 범수의 집 거실 / 낮.

홈 트레이닝 영상을 틀어놓고 홈트 중인 범수. 조금 과하다 싶은 하드 트레이닝을 하며 땀을 뻘뻘 흘리고 있는

30-2. 진주의 방 / 낮.

기지개를 켜며 책상에 앉는 진주.

작업을 좀 시작해보려는데 범수에게서 톡이 온다.

'점심은 저희 집에서 하시죠.'

30-3. 범수의 집 주방 / 낮.

보글보글 끓고 있는 사골곰탕.

Cut To

뜨끈한 사골곰탕을 그릇을 담아 진주 앞에 놓아주는 범수.

진주　　출근 안 하셨어요? 오늘이 피틴데? 준비는?

범수　　(자신의 그릇에 곰탕을 담으며) 피티 준비하느라 못 갔죠.

진주 응? 손은 왜 떨어요?

범수 아… 운동을 세 시간 했어요.

진주 엥? 운동하는 타입이 아닐 텐데…

범수 오늘 같은 날 해요. 오늘 우리가 마주 앉아서 상대할 사람들이 어떤 사람들인지 알아요?

진주 윗사람.

범수 위에 올라가서 권력이 생기면 진짜 인성을 드러내는 게 인간이에요. 그리고 우리 회사의 윗사람들이 드러낸 인성은 꽤나 드럽기로 유명하죠. 뭐 타사 윗사람들이랑 경쟁하나 봐? 누가 더 드럽나. 그런 그들에게 지지 않으려면… 내가 강해져야지.

진주 그게 하루 속성으로 되는 건가? 그 강함이?

범수 (가슴에 손을 올리고) 마음가짐. 난 강하다. 몸을 단련했다기보다 나를 믿을 수 있게끔 마음을 단련시킨 거죠. 자, 밥도 이렇게 든든하게 먹고. 드세요. 제가 직접 우렸어요.

진주 음…. 뽀얘…

30-4. 소민의 집 / 낮.

민준이 문을 열어주며 인사한다.

민준 안녕하세요. 들어오세요.

은정 아 민준 씨도 계셨구나.

민준 네. 첫 촬영이니까.

카메라 가방을 들고 따라 들어오는 병삼을 소개하는

은정 여기. 촬영 같이 해주실 촬영 감독님이에요.

병삼 안녕하세요~

민준 네 안녕하십니까 잘 부탁드립니다. 들어오십시오!

집을 둘러보는 은정. 아직 소민은 보이지 않고.

민준 이제 막 씻어서요, 곧 나올 겁니다. 가장 내추럴하고 인간적인 모습으로..

그때 드레스 룸에서 나오는 풀 메이크업 드레스 자태의 소민.

민준 나오기로.. 했었는데.. 저희랑 생각이 다를 수는 있어요. 뭐.. 관점에 따라 굉장히 내추럴.. 하게 볼 수…

잠시 정적의 순간.

소민 내 잘못인 거지?

은정 응.

소민 (돌아서 가며) 갈아입을게.

은정 고마워.

민준 착한 사람이에요. (드레스 룸에 대고) 소민아.. 뭐 2번 드레스, 3번 드레스 그런 느낌으로 갈아입는 거 아니야. 알지~?

Cut To

편안한 가내복을 입고 안방에서 나오는 소민. 기지개를 켜며 욕실로 향한다. 꼼꼼히 세안을 하고 젖은 수건으로 얼굴을 감싸고 나온다. 카메라 가까이 다가와 민낯을 들이대며 장난친다. 거실 소파에 앉아 드라마를 보며 과일을 먹고 있는 소민. 일련의 모습들을 카메라에 담아내고 있는 은정과 병삼의 모습.

31. **제이비씨 복도 / 낮.**

의기양양 나란히 회의실로 향하고 있는 범수와 진주.

범수 (진주를 슬쩍 살피더니) 긴장할 거 없어요.

진주 뭔 소리야.. 긴장 안 하는데 난.

범수, 지가 긴장하고 있는 것 같다.

진주 아까 청심환 드시던데.

범수 (눈 하나 깜빡 안 하고) 오늘 까먹고 비타민을 안 먹고 나와서. 대신 먹은 거예요.

진주 뭔 소리야.. 누가 청심환을 비타민 대신 먹어?

범수 조용해요 좀.

진주 자기가 말 걸어 놓고.

32.　　제이비씨 대회의실 / 낮.

기다란 대회의 테이블에 줄지어 앉아있는 부장, 국장급 중진들과 인종. 드라마국 직원들 네댓 명. 범수가 진주에게 눈짓하면 빔 프로젝터 불빛이 켜지며, 괜히 놀라는 범수. 긴장한 듯. 왜 저래? 괜히 더 불안한 진주.

범수　　(버벅버벅) 서른 되면 괜찮아져요. 음.. 저는 서른다섯인데.. 안 괜찮은데..

중진들의 반응샷. 뭐라니..? 진주의 반응샷.. 처 돌았나...? 알고 있었다는 듯 눈을 감아버리는 인종.

범수　　하하하. 이 하이코드 유머. 이 드라마의 이무기.. 아니 주무기.. 음.. 기획 의도. 자 보시다시피.. 음.. 읽으시면 됩니다. 파워포인트 글꼴 함초롱바탕체.. 하하하. 이 하이코드 유머. 이 드라마의 이무기.. 아니 주 무기..

중진들의 반응샷. 처 돌았나..? 진주의 반응샷... 낮은 패를 잡은 타짜의 눈빛..

진주　　(V.O) 서늘하다.. 공중파 채널 에이스 감독이라는 자의 예상치 못한 빙구미가.. 비수처럼 꽂힌다..

범수　　(갑자기 땀이 비 오듯) 음.. 우리 드라마의 간단한 시놉시스

는·· 이렇습니다. 음··· (말없이 파워포인트를 넘기는··)

그냥 읽어야 되는 건가 당황하면서도 일단 읽는 중진들·· 너무 빨리 넘어가 바쁘게 읽는 중진들·· 그러다 내가 왜 이러나 싶어··

중진1 (손들고) 저, 저기·· 다 못 읽었어.

중진2 나두.

범수 아, 네 죄송합니다. (다시 앞으로 넘기고) 여기서부터?

중진1 (반갑게) 응, 응. 거기! (대답해놓고 뭔가 이상한) 음··

진주 (V.O) 말려든다·· 멀쩡한 사람도 바보로 만들어 버린다·· 무엇을 초월한 것인가·· 이성으로 허물기 힘든 벽을·· 감성으로 공략한다. 바·· 보·· 감·· 성··

시간의 흐름··

땀 삘삘 범수의 모습··

범수 아·· 네·· 그래서·· 음··

진주 (V.O) 읽기만 해·· 그냥 읽기만 해··

범수 음·· (읽는다) 이렇듯 저희 드라마는 서른을 맞이한 평범한 세 여성의 일과 사랑, 그리고 엄습한 여성으로서의 불안감.

진주 (V.O) 그렇지·· 그렇··

범수 어? 잠깐만 뭐가 단어가 빠졌는데? 그쵸?

진주 (V.O) 그걸 누구한테 묻는 거야? 야··

범수 아, 사회. 사회. 사회적으로 엄습한. 여기 사이에 이 단어가 빠졌어요.

진주 (V.O) 티 안 나! 자수하지 마 이 빙구야!!

33. 진주의 본가 / 밤.

식사 중인 진주 모, 진주 부, 지영.

진주 부 진주 그 드라마는 잘 돼가는 건가··?

진주 모 오늘 프레젠테이션 한다던데? 어련히 잘하겠어. 감독이 한다는데.

진주 부 아 그 감독이 유명하다고 했지?

지영 유명해?

진주 모 히트작이 많지.

지영 뭐?

진주 모 시아버진 사춘기, 바람 잘 날 남편, 김사장이 왜 그럴까··

진주 부 재밌어?

진주 모 난 안 봤는데? (지영에게) 재밌어?

지영 난 모르는데?

진주 부 (말없이 밥을 먹다가) ···안 유명한데?

34. 제이비씨 대회의실 / 밤.

진주와 범수 나란히 앉아있고‥ 나른하게 바라보는 진주의 시선을 능름하게 받아내는 범수. 한층 병신다운 범수의 모습에 눈빛으로 박수를 건네는 진주‥

중진1 매회 다른 에피소드로 미니를 풀기에는 한계가 있지 않겠어요?

진주 회별 시놉시스를 보시면 아시겠지만 이미 16부를 가득 채울 에피소드는 준비가 되어 있구요. 재미없으면 갈아 끼울 스페어도 충분합니다. 유의미한 평가를 받게 될 경우 생각해볼 수 있는 시즌제에 대한 여지는 이 드라마의 큰 장점이라고 생각되고요.

중진2 드라마는 모름지기 다음 회가 궁금해야 되는데, 주 5회 20분짜리 시트콤도 아니고, 우린 주 5일을 기다리게 해야 되잖아? 한 회 정도는 안 보고 넘겨도 될 것 같은 시리즈? 뭔가 불안하지 않아?

범수 드라마의 묘미는 재방이죠. 그거 보면 되지.

진주 (조용해 새끼야… 범수 툭 치고) 흔한 말로 낚시질이라고 하죠. 시청자로 하여금 궁금증을 유발하고 당장 다음 씬을 기다리게 만드는. 저희 드라마가 지향하는 바는 비슷하지만 조금 다릅니다. 당장의 떡밥이 아닌 감정의 이입. 공감. 바로 캐릭터의 힘입니다. 상황이 아닌 사람을 궁금하게 만드는 힘이 여기 캐릭터들에겐 충분하다고 생각합니다.

중진3 그런 힘이 있을까? 여자들 이야기에 너무 치중된 거 아니야?

중진1　그러네. 여자는 힘이 없네. 작가님 힘 쎄요?

진주　(뭐라는 거야…) 저요?

중진1　(피식—) 네. 작가님.

진주　물건 들 때 쓰는 그 힘이요?

중진2　(피식)

진주　제가 지닌 힘과 지금 편성 회의와 어떤 연관성이 있나요?

중진2　드라마 이거 체력전이에요.

진주　드라마 작가는 여자가 많은 걸로 알고 있습니다.

중진1　아 작가들 쎄긴 쎄지. 힘은 모르겠고. 기가 쎄. 우리 작가님도 보통이 아닌 것 같네요. 하하.

진주　(기분 상한) 하‥ 네‥

범수　(기분 더 상한) 부장님‥ 드라마 얘기하시죠.

중진1　하잖아. 아니 뭐 여자만 나와‥ 왕자님 없어?

중진2　거기다 좀 투박해. 누가 투박한 여자 좋아해?

진주　인물들이 투박하단 건가요? 글이 투박하단 건가요?

중진3　질문은 우리가 하죠. 여기 질문에 질문으로 답할 수 있는 자리 아닌데? 그러니까 기 쎄다는 말을 한 거예요.

중진1　유연해야죠. 신인이잖아요?

중진2　혼자 다 이끌어갈 수가 없다고!

중진3　드라마 쉬운 거 아니에요.

살짝 어금니를 물었다가 금세 여유를 되찾는 진주.
이깟 것들에게 지지 않겠다는 듯 코웃음.

진주 저는 이 자리에 드라마가 어렵다 쉽다를 논하기 위해 온 것이··

그때 탁! 테이블을 내리치고 벌떡 일어서는 범수.
화들짝 놀라 말하다 삑사리 난 진주.

범수 신인이 왜 유연해야 합니까? 그럼? 기성은 뻣뻣해야 돼요? 뻔한 이야기 뽑아내는 비결이 뻣뻣함이었습니까?
이 자리에서 여자 힘 센 얘기, 작가 기 센 얘기가 왜 나옵니까?! 부장님은 힘이 없어서 부장님 하고 계신 거예요?
그래서 야유회 가면 아이스박스 하나 안 들고 그늘막에서 썰어 드리는 수박이나 냠냠 드신 거예요?! 뭐 힘없는 거 부러워하란 겁니까 뭡니까?

진주 (당황·· 뭐 멋있겐 한데·· 범수의 옷고름을 슬쩍 잡아 내리며) 됐어요··· 괜찮아·· 그만··

범수 (멈출 수 없는) 도대체 왜! 이 신성한 편성 회의 자리에서! 왜 이렇게 시대착오적인 말이 아무렇지 않게 난무하는 겁니까? 이런 수준밖에 안 되는 채널이라면 저도 여기서 작가님 작품 하자고 당당히 말씀드릴 수가 없겠네요. 안 하면 그만입니다!

진주 (!!! 이 미친·· 뭐라는 거야··!!!) 저기요·· 그만··

범수 (진주에게) 나 손범수에요!

인종 그래. 손 감독. 그만하지.

범수 네~ 그만하겠습니다! 지난 5년 동안 하루도 쉬지 않고 채널이 원하는 시청률 만들어 드렸습니다. 그런데 돌아오는 게 이런 모멸감이라니요! 좋아요! 어디 한 번 부장님들 스타일로 얘기해 보죠! 자! 여기 임진주 작가님! 힘 쎄냐구요? 더럽게 쎄요!

진주　(이 병신이….) 저기..

범수　생맥주를 한 자리에서 열두 잔을 원샷 때리고!

진주　야…

범수　(멈출 수 없는 흥분) 술은 쏘맥이라며 그때부터 말아먹기 시작해요! 생맥 열두 잔이 웜업이었다구! 그 사이 안주를 얼마나 먹었는지 알아요? 부장님들은 감히 하루 내에 소화시킬 수 있는 양이 아니었어! 그렇게 마시고도 마감일 하루 안 밀리고 글을 써냅니다! 눈 밑에 다크서클이요?! 보통은 까맣죠? 아니요! 보세요! 눈 밑에 어리굴젓을 달고 다닙니다!! 이렇게 고생해요!!

진주　이.. 개..

범수　기가 쌔다구요?! 네~ 맞습니다! 작가님 대본 제가 열심히 까고 있으면 어디선가 저~ 멀리서 개새끼 소새끼 하는 소리가 들려요. 저를 욕하는 소리가 들립니다! 어? 어디서 나는 소리지?! 뭐야 이거? 아빠? 인터스텔라야? 무슨 소리야? 하고 보면! 작가님이 나에게 하고 있는 마음의 소리였어! 얼마나 기가 쎄면 속으로 욕하는 소리가 귀로 들립니다! 그게 뭐요?! 그게 문제가 됩니까?! 인터스텔라 보셨어요?! 그..!!

진주　이얏!

순간 벌떡 일어나 전광석화로 범수의 목덜미를 후려치는 진주. 억— 소리도 내지 못하고 그대로 쓰러져 기절해버리는 범수. 아까부터 당황 중이었던 중진들.. 경악을 금치 못하고.. 제풀에 놀란 진주, 사람을 기절시킨 자신의 손날을 리스펙트한 눈빛으로..

진주　오…!!! 오..!! 됐어.. 진짜 됐어..!! 오..!!! (그러다 범수를 흔들어 깨우며) 감독님!! 감독님!!!!

35.　제이비씨 전경 / 밤.

메아리처럼 울려 퍼지는…

"감독님!!! 숨 쉬어 봐!!! 감독님!!!!"

36.　제이비씨 휴게실 / 밤.

나란히 앉아 병 토마토 주스를 마시고 있는 범수와 진주. 그저 앞만 바라보며.. 정적…을 이어가다가..

진주　잘한다매.

범수　못하네.

진주　처음 해봐요 혹시?

범수　작가님 작품으론 처음 해보죠.

진주 아 내 문제구나.

범수 그쵸. 작가님 작품은 문제가 많아요.

진주 ……이제 와서?

범수 난 그 문제가 좋은 거고.

진주 ……?

범수 드라마는 만들어낸 이야기죠. 멋진 거짓말이에요. 거짓말이 멋지다니, 얼마나 어려운 일이야 이게. 그 어려운 걸 작가들은 해내지만 그 결과물은 이곳에 와서 갖은 수모를 다 당해요. 시청률이라는 압박, 경쟁의 필연. 성공하려면 이기는 수밖에 없단 절대적 방식이 어떤 공식을 따르죠.
성공하는 드라마의 공식. 대부분의 드라마는 그 공식을 따르고, 그런 작품은 저들 앞에서 굳이 할 거짓말이 없어요. 이미 멋진 거짓말 상태거든. 근데 작가님 작품은.. 안 멋져.

진주 ….(그래라) 계속하세요.

범수 이기려는 강박도 없고, 공식을 지키지 않아. 하고 싶은 말들을 아끼고 숨기지 않아. 바로 뱉어버려. 이렇게, 거짓말이 부족한 작품은 저들 앞에서 굳이 할 거짓말이 있어. 구라.

진주 구라? 약 팔기?

범수 그치, 그치. 아네. 저들의 혼란을 야기시킬 구라. 우리 방식으로 대중과 소통하기 위해 우선 저들을 속이는 거지.

진주 왠지.. 우리 작품 망할 거란 얘기를 듣고 있는 기분이에요.

범수 쉽진 않겠지만 그래서 엄청 재밌을 거예요. 모험이 다 그렇지. 잘해 봐요 우리.

진주　(좋은 건지 나쁜 건지.. 가만히 범수를 보다가)… 변명할 꺼리는 준비를 잘하셨네.

병신같이 웃는 범수.

36-1. 방송국 앞 거리 / 밤.

나란히 걷고 있는 진주와 범수.

누구에게서 난 소린지 꼬르르륵..

진주　든든하게 먹었는데 정말 진이 쫙 빠졌나 봐요. 밥 먹어요 우리.

범수　내가 밥 먹을 자격이 되나 모르겠네.

진주　밥 먹는데 자격을 왜 따져요.

범수　그게 양심이다.. 하고 올드한 생각을 해봤어요.

진주　그럼 좀 싼 거 먹어. 싼 거.

범수　편의점에서 삼각 김밥이라도…

진주　음.. 오늘은 뭔가 여의도 직장인이 되어 상사에게 실컷 깨지고 나온 느낌이니까… 포장마차 잔치국수 어때요?

범수　음.. 뭔가 지금 정서랑 어울려.

36-2. 포장마차 / 밤.

따뜻한 잔치국수 국물을 마시는 범수와 진주.

범수 음… 기분 좋아진다.

진주 음.. 기분.. 좋아진다.

범수 소주 한 잔 곁들이면 이거 우리가 이긴 기분 들겠어요.

진주 하시죠.

범수 한 병 시켜서 반띵?

진주 아니요 각 일병.

범수 오케이. 사장님 여기 소주 한 병 주세요~

진주 두 병이요~

범수 한 병씩 시켜요, 술 식잖아.

진주 한 병씩 두고 먹는 게 간지야.

범수 뭐 그게 간지야..

37. 흥미유발 엔터 휴게실 / 밤.

마주 앉아 커피를 마시고 있는 한주와 재훈.

영혼 없는 한주.. 눈빛이 닿은 곳이 어딘지 모를..

그런 한주를 덤덤히 보고 있는 재훈.. 그러다 재미있다는 듯이 웃음을 터트리는 재훈.

한주 …응?.. 뭐라고 했어요?

재훈 아니요. 웃었어요.

한주 아… 웃었구나..

재훈 며칠 전에 하윤이 봤죠? 새벽에.

한주 …?? ….!! 대표님이 말했어요?!!

재훈 (싱긋) 선배님 봤대요. 눈 마주쳤다는데?

한주 누가? 하윤 씨가?

재훈 네. 미국에 사는 사촌 동생이 놀러 왔어요. 삼겹살도 사주고 클럽도 데려가고 호텔도 잡아주고.

한주 …….

재훈 왠지 선배님이라면 며칠 후 이런 얼굴이 되어 있지 않을까.. 해서 말 안 했는데.. 역시 이런 얼굴이 되어 있으시네요. 죄송합니다..

한주 ..아니요.

재훈 …네?

먹먹한 얼굴로 천천히 재훈에게 다가간다…
그리고 살며시 안아주는..

한주 감사합니다…

재훈 (헉…)

한주 감사합니다…

눈물을 흘릴 듯 재훈을 끌어안고 흐느끼는 한주.
몸에 와닿는 한주에게 옅은 설렘을 느끼는 재훈.
멀어지는 두 사람의 모습에서…

38. **은정의 집 / 밤.**

각종 분식과 함께 맥주 타임.

진주 허무하다.

은정 야. 뭐 치정극 쓰니? 뭘 허무해 잘 됐지.

효봉 그래. 우리 한주 씨 얼마나 시름시름 앓았는데.

한주 시름이 내려가니까 식욕이 올라온다..

은정 그만 먹어. 괜히 또 죄 없는 체중계 바퀴벌레 만들지 말고.

효봉 먹어. 먹어. 체중계 밖으로 못 나오게 내가 다 약 쳐놨어.

한주 고마워.. 하.. 근데 정말 바람 핀 거면 어쩔 뻔했어..?

효봉 그만~ 뭘 또 가정까지 해서 고민을 할라 그래? 그만.

진주 (떡볶이 하나 집어 가만히 쳐다보는)

은정 (얘 또 왜 이러나..) 왜? 너 떡볶이 안 좋아하잖아.

효봉 근데 떡볶이를 어떻게 안 좋아할 수가 있는 거야? 사람이?

한주 어렸을 때 학교 앞 분식집에 서서 떡볶이 먹고 있는데 얘 좋아하던 남자애가 장난친다고 뒤에서 밀어버린 거야.

효봉 으.. 그래서? 그 뜨거운 데 막 데이고 그런 거야?

은정 떡볶이가 코로 나왔대.

효봉 (충격.....) 젠장..

진주 뜨겁고 매운 양념과 매끈한 떡이 한데 어우러져 콧구멍을 빠져나올 때 그 느낌이 아직 생생해. 그 순간 난 사람이 아니었고.. 그 후론 괴수 영화를 보면 동족으로 느껴졌으며, 아직도 냄새만 맡으면 중국산 고춧가루를 분간해.

효봉 그렇게 아픈 과거가 있으면서 왜 여태 말을 안 했어...

진주 근데… 결정적으로 싫어하게 된 건.. 김환동이지.

한주 환동이가 떡볶이를 좋아했어.

진주 그때 있잖아.. 헤어졌을 때.. 나 아는 언니가 그 자식 모텔에서 나오는 거 봤다고..

한주 아~ 맞다. 너네도 그랬지.

39. 과거 / 13씬의 장면 / 낮.

진주 그저께 밤에 내 친구가 너 봤대. 모텔에서.
…할 말 있니?

진주 (V.O) 나 사실.. 아닌 거 알고 있었거든..
근데… 중요한 건 그게 아니더라..

환동 …아니.

아무 표정 없이 바라보고 있는 두 사람의 모습.

진주 (V.O) 헤어지는 이유가 한 가지일 수는 없지.
한 가지 이유로 사랑했던 건 아닐 거 아냐..

40. 은정의 집 / 밤.

한주 만약 사랑한 이유가 한 가지뿐이라면?

진주 둘 중 하나 아닐까? 금세 증발되어 버릴 그 하나에 대한 짧은 호기심. 혹은.. 불결한 목적을 지닌 접근? 아 몰라, 어쨌든 사랑은 자동차 소모품 같은 거야. 소모가 덜 됐으면 굴러가고. 다 됐으면 안 굴러가고. 디졸브.

41. 재훈의 집 / 밤.

약간 술이 취해서 들어오는 하윤.

TV를 보다가 주방으로 향하는 재훈.

재훈 …밥은..?

하윤 며칠 전에. 나 안 들어온 날..

재훈 ……

하윤 (재훈 앞에 다가가 서며) 남자랑 있었어.

재훈 ……

하윤 너무 취했었나 봐.. 나.. 오빠네 회사 사람.. 봤는데..

재훈 …!!!

하윤 내가 먼저 말해야 될 거 같아서…

감정을 누르고 노려보던 재훈, 돌아선다. 그를 잡는 하윤. 밀쳐내는 재훈. 넘어지는 하윤. 주저앉아 울기 시작하는 하윤　　미안해.. 미안해.. 나도 내가 왜 이러는지 모르겠어..

재훈　　나가…

하윤　　재훈아…

재훈　　나가.. 나가.. 넌 그냥 쓰레기야..

하윤　　미안해. 재훈아.. 미안해.. 나 헤어지기 싫어….

재훈　　나가!!!!!

그동안 볼 수 없었던 재훈의 분노 가득한 모습..

41-1. 흥미유발 엔터 / 낮.

안색이 좋지 않은 채로 넋 놓고 앉아있는 재훈.

곧 한주가 더 안 좋은 낯으로 출근한다.

재훈, 일어나 인사한다. 애써 웃으며 재훈에게 인사하는 한주. 자리에 앉아 업무 준비하는 한주의 모습을 물끄러미 바라보는 재훈.

저 근심의 원인이 나였다니… 미안한 마음..

41-2. 휴게실 / 낮.

커피를 내리고 있는 재훈.

표정 없는 한주가 다가오자 커피를 건네는 재훈.

한주　　아니에요. 제가..

재훈 아니요 이거 제가 실장님 드리려고 내린 거예요.

한주 저요?

재훈 네. 남자 후배가 좋아하는 여자 선배한테 커피 건네주고 그런 거 있잖아요. 광고에서 보던 거.

한주 아.. 네…

농담에도 바뀌지 않는 한주의 표정.

넋 나간 채 커피를 받아 자리로 돌아간다.

재훈 (망설이다가) 저.. 저기..

한주 (돌아보며) 네?

재훈 아… 아닙니다.

41-3. 흥미유발 엔터 / 낮.

업무 중인 한주를 살피는 재훈. 한참 바라보는데.. 피식— 웃음이 샌다.

42. 37씬의 장면 / 플래시백.

재훈을 안아주고 있는 한주.

한주 감사합니다…

재훈 (헤헤) 뭐가 감사해요?

한주 몰라요. 그냥 감사해. 그 사촌분께도 감사하고.
아 나 배고프다. 저녁 먹을래요?

재훈 아뇨. 저 약속··

한주 네 네. 약속~ 난 그럼 퇴근~~

눈물 훔치며 밝게(?) 휴게실을 빠져나가는 한주.
그런 한주를 보며 쓸쓸히 미소 짓는 재훈··

43. 한주의 방 / 밤.

홀가분한 표정으로 침대에 누워 불을 끄는 한주.
피식— 괜히 웃음이 샌다.

44. 재훈의 방 / 밤.

어두운 방. 침대.
돌아 누운 재훈에게 안겨 얼굴을 부비는 하윤.
화면 분할. 천진하게 미소 띤 얼굴로 잠든 한주.
한주를 보고 있는 것처럼 느껴지는 재훈.
재훈을 꼭 끌어안는 하윤.

"옵~ 빠아아~~~~
옵빠. 옵빠. 이거 봐요 옵빠.
발꼬락으루 옵빠! 하고 누르면!
이이잉~~ 옵빠 신기하죠? 옵빠! 봐요
옵빠! 옵빠!"

_ 한주의 말 중

· 6부 ·

6

0-1.　진주의 방 / 밤.

열심히 글을 쓰고 있는 진주.

진주　(V.O) 드라마 작가가 되고 싶은, 더 정확하게는 이야기를 쓰고, 재밌는 드라마를 만들고 싶은 작가 지망생은 열심히 글을 쓴다. 기획 의도와 주제.

16부작 전체 이야기 줄거리에 해당하는 시놉시스와 인물 소개를 포함한 기획안과 2부 분량의 대본을 완성한다.

노트북 모니터를 보면 한글 파일 '2부 끝'이란 타이핑을 마치고 기지개를 켜는 진주. 뿌듯하면서도 불안한.

Cut To

채널 사이트 양식에 맞춰 대본 파일을 업로드하고 있는 진주.

진주　(V.O) 그 미완의 결과물을 방송국 공모전에 출품한다.

0-2. 은정의 집 / 낮.

어딘가로 전화를 걸고 있는 진주.

진주 (V.O) 또한 원하는 제작사에 보내 제작의뢰 검토를 요구한다. 정확하게는 제발 내 글을 원하길 바라며 검토를 읍소한다.

거실을 배회하며 제작사에 전화를 하고 있는 진주의 모습이 연속 점프 컷으로.

진주 네 피디님 안녕하세요, 저 임진주 작가에요… 아… 저 모르시는구나… (점프) 대표님 안녕하세요, 작가연수원 강의 나오셨을 때 인사드렸었는데… (점프) 피디님 왜케 전화를 안 받아요? 저 대본 다 썼어요. 읽어봐 주세요. ‥벌써 보냈지. (점프) 신 대표님 안녕하세요~ 네? 신상윤 대표님 번호 아닌가요? (핸드폰 확인하더니) 아 죄송해요 안재현 대표님이구나! 아… 그렇구나… 왜 이름이 이렇게 저장된 거예요? 아 그렇죠, 제가 물어볼 건 아니죠.

0-3. 2부 42씬.

동기는 계속 멍 때리는 범수를 두고 자기 책상으로 간다. 책상 위 대본 하나를 들고 와 범수 앞에 올려놓는다.

범수 (무덤덤) 와~ 대본이다.

동기 얼마 전에 공모전 심사했다가 본 건데, 뭐랄까·· 깨.

범수 깨?

동기 응. 깨. 막 어수선하고 날 것 같은데 그냥 보다 보면 재밌더라고.

범수 상 받는 거야?

동기 나는 밀었는데 어르신들이 이게 대본이냐고.

범수 오호 그렇담 관심이 가는군.

범수, 대본을 들어보면 제목 '서른 되면 괜찮아져요'
글쓴이 '임진주'

가만히 진주의 대본을 보다가·· 넘겨보는 범수.

진주 (V.O) 공모전에 간 작가 지망생의 글은 정말이지 안타깝게 어르신들의 취향에 적합하지 않아 탈락.

0-4. 2부 42-3씬 범수의 집 / 밤.

침실. 다시 불을 켜고 읽는다.
10분 동안 읽는다.

진주 (V.O) 하지만 꽤 잘나가는 감독의 눈에 들어가게 되는, 꽤 드라마틱한 작은 기적이 일어난다.

0-5.　2부 46씬 제이비씨 내 커피숍 / 낮.

범수　나 그거 흥미롭던데. 가슴이 폴짝폴짝.
나랑 한번 해보는 거 어때요? 그거.

진주　(V.O) 그 감독은 제안은 진심이었고.

0-6.　3부 9씬.

이전에 본 적 없는 진지한 눈빛의 범수.

범수　나.. 말은 막 해도 일은 막 안 해요. 난 택배 받는 것도 너무 좋아하고. 식당에서 메뉴판 보는 것도 너무 좋아하는데. 그거랑은 비교도 안 될 정도로 이 일이 좋아요. 무엇보다 소중한 이 일을.. 작가님과 하고 싶다는 거예요. 막 아니고. 잘. 나 한번.. 믿어 봐요.

진주　……(멋있어 보이려 해…)….

진주　(V.O) 작품을 대하는 마음도 진심이었다.

0-7.　3부 11씬.

진주에게 더욱 깍듯이 인사할 준비를 마치고 허리를 숙이는데, 옛 연인의 얼굴을 마주하곤 아주 어정쩡한 각도에서 멈춘다.

진주 (V.O) 그리고 바로 위기는 연속됐다.

0-8. 3부 37씬.

술이 목구멍까지 차오른 범수.

욕이 목구멍까지 차오른 진주.

범수 그러게 왜 술을 맥여! 들어요! 나도 지난 풋사랑 있어!

진주 사랑 같은 거 없다매! 뭐 말이 랜덤으로 막 나와?

범수 있는 줄 알았지! 누가 날 때부터 사랑 같은 거 없구나~ 하고 나와?

0-9. 3부 39씬.

거나하게 취한 진주와 범수.

진주 집으로 가자 집으로! 방술이 편해!

범수 방술 콜!

0-10. 4부 0씬.

맥주잔이 있다. 소주가 4분의 1가량 채워진다.

그리고 그 위에 맥주가 가득 채워진다.

흔들리는 술잔… 고속.

0-11. 4부 1씬.

그냥 걷다가… 갑.자.기.

진주 으아아아아악!!!!!

미친년 포스 뿜내며 내달리는 진주.

0-12. 4부 2씬.

천천히 창문을 열고… 갑.자.기. 확 뛰어내리려다…

당연히 바로 다시 서서는…

0-13. 4부 3씬.

진주 미친새끼.

범수 미친년.

진주 씨발놈.

범수 씨발년.

진주 개새끼.

0-14. 5부 32씬, 34씬 화면에서.

진주 (V.O) 편. 성. 편성이 되지 않은 대본은 드라마로 만들어질 뻔했던 단순한 활자일 뿐. 작가 지망생의 그 글은, 그 꿈은 노트북 외장 하드 깊숙한 어느 곳에서.. 긴 잠에 빠지게 된다. 절체절명의 위기에 할 수 있는 건 결정권을 가진 어르신들, 정확히는 내 글이 취향에 맞지 않는 어르신들의 결정을 기다리는 것뿐이다.

1. 은정의 집 거실 / 낮.

진주가 소파에 앉아있다. 그냥 앉아있다. 그냥. 표정이 없다. 고요하다. 출근길의 효봉이 그녀를 무심하게 살핀다.

효봉 너무 오래 가만히 있는 것 같아.

진주 응. 다이어트 중이야.

효봉 가만히 있는 게 다이어트야?

진주 응. 많이 먹고 많이 움직이는 것보다 적게 먹고 적게 움직이는 게 더 효과적이야.

효봉 다이어트는 적게 먹고 많이 움직이는 거 아니야?

진주 (갑작스레 미친년의 눈빛으로 돌변) 니가 뭔 상관이야아아아!!

효봉 (익숙한. 동요치 않는) 괜찮아?

진주 (갑작스레 다시 고요해지는) 응.

효봉 굉장히 안 괜찮군. 내가 도울 일은?

진주 돈을 줘. 한 100억쯤.

효봉 (세상 진지) 100억이면‥ 당신을 가질 수 있는 건가요?

진주 (세상 우울) 아니요, 그 정도의 돈으론 나와 함께할 수 없어요.

효봉 왜‥ 도대체 왜?!

진주 당신에게 그 돈이 있다면 나 말고 어리고 예쁜 놈 줄 테니까요‥

효봉 으윽… 대체‥ 난 대체 어떡해야 하는 건가요?

진주 조건 없이 100억을 주거나 가던 길 가시면 돼요.

효봉 (일상으로의 회귀) 응. 갈게. 누나 난 누나 100억 만큼 사랑해.

진주 가라고, 새끼야.

효봉 응.

시간의 흐름…

가만히 있는 진주. 그냥. 고요하다.

진주 (V.O) 문제를 풀기 위한 방법은 더 노력하는 것. 성공은 땀을 배신하지 않는다는 수학적인 답안지가 때로는 추상적으로 느껴진다. 노력은 당연한 것. 그 당연한 게 잘 안 되고, 그 당연한 게 어쩌면 당연한 게 아닌 거구나. 당연한 걸 타고난 어떤 우월한 유전자가 당연한 척 뱉어 놓은 말이 아닐까 의심이 들 때‥ 가만히 있어 본다. 그저 체력이라도 비축해야 하는 본능적인 육체의 자각일지도 모르겠다.

꼬르르륵―

고요한 곳에 울리는 굶주린 내장의 울림.

진주 (V.O) 먹지 말자. 일하지 않은 자 먹지도 말라. 근로 악법으로 느껴지는 협의안이 때로는 표준 근로기준법으로 느껴진다. 살만하지도 않은 삶에 살만 가지고 살아가는 것에 거부감을 느낀 본능적인 정신의 자각일지도 모르겠다.
먹지 않겠다.

그때 진주의 핸드폰이 울린다. 진동.
발신자 확인하면 범수. 잠시 망설이다가 받는다.

진주 여보세요.
범수 (V.O) 밥 먹읍시다.
진주 누구세요?
범수 (V.O) 그쪽으로 갈게요.
진주 전화 잘못 거셨습니다.
범수 (V.O) 동네에 맛집 좀 있나?
진주 후….

2. 은정의 집 현관 / 낮.

띵동― 문이 열리면 범수가 서있다. 약간 놀란 진주.
왜 느끼한 표정을 짓고 있는지 짜증 난다.

범수 식음을 전폐한 모양새로 있으면 식상하다 하려 했는데. 역시.. 잘 먹고 계셨네.

진주 (V.O) 안 먹었다 이 새끼야..

범수 짠. (대파 한 단을 꽃다발 건네듯 건네고는) 받아요.

진주 뭐.. 뭐지?

범수 파. 대파.

진주 아니 이걸 왜 꽃다발 주듯 주냐고.

범수 뭐 대파 주듯 주는 방법이 따로 있나? 세워둘 거예요?

들어오라는 듯 길을 열어주는 진주.

3. 은정의 집 거실 / 낮.

둘러보며 들어서는 범수.

파를 들고 따라 들어오는 진주.

범수 힘을 내야 되니까. 이미 겁나게 힘을 낸 거 아는데 어쨌든 또 내야 되니까. 파 먹읍시다.

진주 그니까.. 파가.. 뭐..

범수 파 먹으면 힘이 나요. 아침 드신 건 아는데.

진주 (V.O) 안 먹었다고 이 시끼야..

범수 배가 불러도 먹어야지. 그게 인류애지. (주머니에 있던 떡볶이용 떡과 어묵 한 봉지 꺼내 보이며) 떡볶이에 파 넣어 먹으면 정말 맛있는 거 알아요?

4. 은정의 집 주방 / 낮.

식탁. 먹음직스런 떡볶이를 사이에 두고도.

아무런 감흥이 없는 진주와 범수.

범수 떡볶이를 싫어한다고요?

진주 네.

범수 그걸 왜 지금 말해요? 여태 했는데. 것도 남에 집에서.

진주 파 먹으라면서요. 파 먹을라고요.

범수 음.. 그치. 그럽시다. 파를 먹어봅시다.

손가락 두 마디 크기 어묵에 같은 크기로 썰어 넣은 대파를 돌돌 말아 진주의 앞 접시에 가져다주는 범수.

행복에 맞닿은 표정을 유지하고 있던 진주의 입으로 쏙.

진주 (V.O) 음… 음? 맛있다. 아.. 파가 맛있네..

떡볶이의 주객전도.

스스로 어묵에 파를 말아 먹기 시작하는 진주.

뿌듯하게 자신의 앞 접시에도 어묵과 파를 올리는 범수.

진주 음~~

범수 음~~~

진주 파가 이게.. 맛있네..

범수 떡볶이는 싫어해도 떡볶이 소스는 인정해줘야 돼.

진주　소스는 고추장이지. 대한민국이 그게 좋아.

범수　(파 건져 주며) 많이 먹어요.

진주　근데 나한테 왜 이래요? 좀 잘해주는 감이 있네?

범수　할아버지께서 항상 말씀하셨죠. 먹이지 않은 자 일도 시키지 마라.

진주　아.. 먹고 일하라고?

범수　네. 나는 일하지 않고 있으면 막 죄책감이 느껴져.
열심히 먹고. 열심히 일합시다.

5.　은정의 집 거실 / 낮.

가만히 앉아있는 진주. 가만히 앉아있는 범수.
그냥.. 가만히.. 가만히…

진주　(V.O) 죄책감 느끼지 말아요. 겉보기엔 언뜻 아무것도 안 하고 있는 것 같지만, 보이지 않는 곳의 상황은 그렇지 않으니까. 우리의 장기가.. 섭취한 음식을 열심히 소화시키고 있잖아요. 우린 지금 절대적이고도 숭고한 일을 하고 있는 중이에요.

시간의 흐름…
가만히 앉아있는 진주. 범수.. 그냥.. 가만히…

범수　(V.O) 단순 노동 같기도 하네요..

진주　(V.O) 인체가 그리 단순하던가요?

범수　(V.O) 아니요··

진주　(V.O) 가만히 계세요.

범수　(V.O) 네··

범수　아니 근데. 우리가 지금 제작사를 구해야 되는 거 알죠? 그 얘기를 좀··

너무나 그대로인 진주···
다시·· 그냥··· 가만히·· 있는 범수.

5-1.　소민의 집 / 낮.

침대에 가만히 앉아 멍 때리고 있는 소민. 좀이 쑤시는지 침대에 엎어져 기지개를 켜더니 한 바퀴 굴러 베개 위에 있는 폰을 집어 들고 다시 앉는다. 민준에게 전화를 건다. 신호 연결 음과 함께 바로 전화를 받는

민준　(F) 응. 소민아.

소민　민준아.

민준　(F) 응.

소민　오늘 나 스케줄이 어떻게 돼?

민준　(F) 다큐.

소민　아 그건 맨날 찍는 거고.

민준　(F) 없어.

소민　스케줄이 아무것두 없어?

민준　(F) 응. 아무것두 없어.

소민　그렇구나… 그럼 오늘 되게 바쁘겠네?

5-2.　민준의 집 / 낮 / 교차.

나갈 채비를 마치고 양말을 신으며 통화 중인

민준　응. 안 그래도 준비 다 했어.

소민　응. 빨리 와 늦겠다.

민준　응.

6.　은정의 편집실 / 낮.

아랑의 사무실 내 작은 방을 편집실로 꾸민. 소민의 아침을 담은 영상을 보고 있다. 화면 안에 소민은 자신의 방에서 기지개를 켜고 나와 욕실로 향한다.

꼼꼼히 세안을 하고 젖은 수건으로 얼굴을 감싸고 나온다. 카메라 가까이 다가와 민낯을 들이대며 장난친다. 그걸 보고 있는 은정의 눈은 냉정하고 그녈 보고 있는 홍대의 눈은 따뜻하다.

은정　위태롭다.

홍대 어디가?

은정 너무 솔직해.

홍대 그건 좋은 건데?

은정 저런 솔직함이 오히려 뭔가를 의식하는 것처럼 보여.

홍대 편견 아니야?

은정 그것도 저 사람의 일부라 생각하고 접근했어. 근데.

홍대 아니구나?

은정 응. 자연스러운 게 부자연스러운 모순이라니.. 어떡할까?

홍대 음… 난 소민 씨가 너랑 있을 때 편해 보였거든?

은정 그래?

홍대 널 싫어하지만 좋아하는 거 같아.

은정 뭔 소리?

홍대 관심 분야가 다를 뿐 소민 씨는 사실 똑똑해. 평생 예쁘게 살아온 탓에 방어본능으로 안 그런 척하는 것뿐이지.
똑똑한 사람은 질투와 존경을 동시에 할 수 있는 사람을 좋아하거든.

홍대를 가만히 쳐다보는 은정.
뭔가 잘못됐음을 알 것 같은 홍대.

홍대 미안.

은정 뭐 잘못했어?

홍대 너 앞에서 다른 여자의 아름다움을 언급했어.

은정 자주 그러지 마.

홍대 응.

은정 하려던 말 해.

홍대 응. 그래서 난 니가 같이 출연하면 어떨까 싶어.

은정 응?

홍대 유명인이 갖고 있는 특유의 분위기를 희석하는 효과도 있고. 대담 형식으로 질문도 하고 돌발 상황도 만들어 보고 제어도 하고. 그걸로 논쟁하는 일련의 모습들도 사실적으로 담아내는 거지.

은정 형식이 바뀌는데·· 모험 아닌가?

홍대 모험하는 사람은 섹시해.

은정 음·· 섹시라면 좀 욕심이 난다.

힘내고 일어나는 은정.
편집실 문을 열고 나가려다 문득.

은정 (획 돌아보며) 지금까지의 난 안 섹시했어?

홍대 사실 난 너 섹시해서 좋아.

만족스런 미소를 보이고 나서는 은정.

7. 아랑의 프로덕션 / 낮.

사무실 소파에 누워 자고 있는 한 남자,
카메라맨 병삼(33세 남).

은정　　오빠 카메라 챙겨. 일하러 가자.

잔 적 없던 사람처럼 자연스럽게 일어나 카메라 가방을 챙기는 병삼.

병삼　　응.

8.　　썰매장 / 낮.

썰매에 몸을 싣고 바람을 가르며 신나게 미끄러져 내려가는 소민. 꺄아아— 어린아이 같은.

병삼이 들고 있는 카메라에 거칠게 담겨지는. 이내 덤덤한 표정의 은정이 슝— 하고 카메라와 소민의 사이를 지나쳐 내려간다.

9.　　썰매장 도착점 / 낮.

아무 재미가 없는 은정. 늦게 도착한 소민이 뒹구르르 구르고 벌떡 일어나 달려간다. 꺄아아— 어린아이 같은.

익숙한 민준이 소민의 썰매를 받아 들고 힘차게 올라간다.

그들의 뒷모습을 멀뚱히 바라보는 은정과 너무 지쳐버린 병삼.

병삼　　아니 몇 번을 타는 거야? 저러다 죽겠어.

은정　이건 그만 찍자.

인서트

신나게 바람을 가르는 어린아이 같은 소민의 얼굴.

10. 눈썰매장 휴게실 / 낮.

우울 모드로 급변한 은정의 얼굴.

모여 앉아 차를 마시는 소민, 은정, 민준.

그리고 그들을 카메라에 담고 있는 병삼.

은정　그거 알아?

소민　몰러…

은정　넌 표정과 감정의 변화가 너무 급격해서 편집을 어떻게 해도 잘 안 붙어. 자연스럽게 시간의 순서를 지켰는데 모르는 사람이 보면 중간에 장면 하나가 삭제된 줄 알 거야.

소민　이쪽 일하는 사람들 다 비슷하지 않나? 작가도·· 감독도··

은정　정도의 차이가 있는데 넌 어디에 정붙여야 할지 모르겠어. 썰매 탈 땐 스무 살짜리 애 같고 지금은 여든 살 할머니 같아.

민준　치약이네. 스무 살부터 여든 살까지.

은정　썰매를 좋아하는 거야?

잠시 넋 놓고 창밖을 바라보는

소민 한창 일이 바쁠 때.. 일이 너무 하기 싫은 거야. 그런 날.. 스케줄 가기 전에 민준이 졸라서 썰매장을 와.
신나게 몇 번 타고 시간이 흐르면 위기감이 밀려온다. 그렇게 죄책감을 느끼고 나면 일이 하고 싶어져.
자 재미있게 놀았으니까 이제 빨리 일하러 가야지.

은정 죄책감을 동력 삼는다?

소민 응. 그랬는데.. 지금은.. 갈 데가 없어. 스케줄이 없거든.

민준 ·······

은정 ·······

소민 민준아.. 넌 위기감이 느껴지면 어떻게 하니?

민준 글쎄.. 내 위기는 대부분 너한테서 오기 때문에.. 몸을 최대한 낮추지. 그러다 들켰을 땐 싸움 못하는 척하면서 빙그레 한 번 웃어주고.. 뭐.. 그래.

소민 (병삼에게) 카메라 감독님은?

병삼 비슷해요. 월급쟁이라서.. 일단 되게 쫄려요. 쫄리고, 참아요. 그러고 가만있으면 위에서 지시가 내려와요. 그럼 해요. 뭐 그렇죠.

소민 (은정에게) 넌.

은정 나라고 다를까? 해결하기 위해 무언가를 하긴 해. 다 똑같아.

소민 그럼 난… 뭘 해야 할까…

은정 지금 너가 하고 싶은 게 뭔데?

소민 ……연기? 옛날처럼 프로필 돌리러 다녀야 하나..

먼 곳을 바라보는 소민에게 서서히 들어가는 카메라.

소민 어? 우울해진다. 안 되겠어.

병삼 (오 쉬엣… 제발‥)

소민 (일어서며) 민준아 한 번 더 타러 가자.

민준 (따라나서며) 치약 같은 여자. 백 번 타. 이가 하얘질 때까지 타!

11. 썰매장 / 낮.

꺄아악 — 신나게 썰매를 타고 달리는 소민과 민준.

카메라를 들고 그들을 뒤따르는 병삼.

아래서 그 모습을 물끄러미 바라보고 있는 은정과 홍대.

은정 조울증인 줄 알았는데‥ 정상이네‥

홍대 조증이 오면 울증을 찾아가고 울증이 오면 조증을 찾아가고‥

은정 찾아가는 게 아니라 피해 가는 거지. 정상이라‥ 힘들겠다‥

꺄아악 —

도착점에서 몸을 뒹구는 소민과 민준.

벌떡 일어나 민준의 팔짱을 끼는

소민 민주나! 우리 파주 왔잖아~ 왔으니까 아울렛 어때?

민준 뭘 물어봐. 니 맘대로 할 거.

소민 오호호호~

민준 으하하하하~

11-1. 혜정의 작업실 / 낮.

자리에서 일어나 스트레칭 중인 수희.

수희 (V.O) 우리의 위기는 매일 일정한 시간에 찾아온다.

자리에 앉은 요가 자세로 앉아 명상 중인 미영.

미영 (V.O) 우리에겐 그 위기에 대비할 시간이 주어진다.

헤드셋을 끼고 박태환 경기 전 모습으로 음악을 듣고 있는 사랑.

사랑 (V.O) 몸의 긴장을 풀어, 위기에 대응하기 위한 최적합의 상태로 컨디션을 끌어올린다.

비어있는 혜정의 책상. 현관문 열리는 소리가 들린다.
혜정이 들어온다.

수희 (V.O) 위기가 시작됐다.

하던 것을 멈추고 일제히 일어나 인사하는 보조 작가들.
'안녕하세요~' 인사도 받지 않고 방으로 들어가는 혜정.
표정이 좋지 않다.

미영　(V.O) 인사를 받지 않는다.

자리에 앉으며 예리하게 혜정을 주시하는 보조 작가들.

사랑　(V.O) 오늘의 위기는 수위 높음이 예상된다.

Cut To

11-2. 혜정의 방 / 낮.

작업 중인 혜정.

글이 잘 써지지 않는지 마른세수를 하다가··

수희　(V.O) 가끔 이 위기가 일찍 끝나는 날도 있지만··

그냥 자리에서 일어난다. 가방을 챙겨 나가는

11-3. 혜정의 작업실 / 낮.

방에서 나와 현관으로 나서는

혜정　나 먼저 들어갈 테니까, 알아서들 퇴근해.

일동　네~ 들어가세요~

일제히 인사를 하지만 별로 기대하지 않는 보조 작가들.
현관. 나서려던 혜정, 뭔가 떠오른 듯 멈칫 선다.
잠시 생각 후 뒤돌아 다시 방으로 향한다.
익숙한 듯 혜정을 보는 보조 작가들.

미영 (V.O) 우리의 캡틴은 의외로 성실하다.

11-4. 혜정의 방 / 낮.

다시 열심히 타이핑하는 혜정의 모습.

사랑 (V.O) 우린 위기에서 벗어나기 위한 노력을 따로 하지 않는다. 우린 그냥…

11-5. 혜정의 작업실 / 낮.

열심히 일하는 보조 작가들.

일동 (V.O) 존. 버. 정. 신.

12. 은정의 집 / 낮.

가만히 있는 진주와 범수. 그때 삐삐삐삑— 현관문 번호키 누르는 소리. 빈집에서 주인 기다리던 개처럼 빠르게 반응하는 범수. 누군가 문을 열고 들어오는데.. 진주 모. 반찬 한 보따리 싸들고 온. 벌떡 일어나 너무나 반갑게 반기는

범수　어머니!!!

진주 모　어머 깜짝이야. 아이구.. 감독님 계셨네?

범수　네네! 와아 왜 이렇게 반갑지?! (진주에게) 이보세요, 작가님! 어머니가 오셨는데 그 가만히 자세를 유지하고 계시다니요! 어서 와 예를 갖추세욧!

흐트러짐 없는 진주.

진주 모　(주방으로 이동하며) 아니야, 아니야! 난 재가 가만히 있을 때가 제일 좋아. 내가 딸래미 하나 정말 잘 낳았구나 생각이 들 때가 저렇게 가만히 있을 때야. 제발 내비 둬.

범수　(젠장…)

진주 모　(냉장고에 반찬을 채우며) 아우~ 혼기 꽉 찬 남녀가 아무도 없는 집에 단둘이…. 아우~ 아무 일도 안 일어날까 봐 걱정이네. 내가 후딱 갈게.

범수　(헐….)

진주 모　(웃음기 없는 덤덤함) 농담, 농담. (멀뚱히 서있는 범수 보곤) 뭐해요? 가서 가만히 안 계시고? 어여 앉으셔 다시.

범수　(후…… 가서 다시 앉는)

13.　　드라마 세트장 2 / 낮.

4부 14씬의 남배우. 그의 꼬장이 한층 성장한 모양새.

촬영 중단.. 그의 발밑에는 물걸레 청소기가 부서져 있고.

남배우　안 해!! 마누라가 바람났는데 물걸레 청소기 성능을 읊어 대고 있어?! 심지어 감동해??!! 미쳤냐 너네!!!

세트장 밖에서 나란히 서있는 한주와 재훈.

되레 초월하여 빙그레 웃고 있는 석고상.

남배우　오지 마!! 이쪽으로 오지 마!!

뭐 설득하려고 하지 마!!

모니터 앞. 익숙하여 별 표정 없는 감독과 스크립터.

감독　그럼 하겠다고 하질 말든가 꼭 하겠다고 한 다음에 저 지랄이야.

스크립터　지가 대사 못 외워서 저러는 거예요..

감독　그치?

한주와 재훈이 나란히 감독을 향해 몸을 돌린다.

빙그레 웃고 있는 석고상.

감독　아 몰라. 오지 마. 오지 마요, 이쪽으로.

한주와 재훈이 나란히 촬영감독을 향해 몸을 돌린다.
빙그레 웃고 있는 석고상. 외면하는 촬영감독.
한주와 재훈이 나란히 남배우의 매니저를 향해 몸을 돌린다. 외면하는 매니저.
그저 빙그레 웃고 있는 석고상.

14. **드라마 세트장 2 복도 / 낮.**
빙그레 웃는 얼굴로 나란히 세트장에서 나오는 한주와 재훈.

15. **드라마 세트장 2 분장실 / 낮.**
남배우 사진을 벽에다 거는 재훈. 돌아서 몇 걸음 가면, 한주를 비롯한 분장 의상 팀 대여섯이 다트 화살을 들고 서있다. 누가 먼저랄 것도 없이 남배우의 사진에 살을 날리는 무리들.

16. **세트장 2 옆 분장실 / 낮.**
분장 수정하고 있는 남배우. 갑자기.

남배우 아!!! 따가워!!

당황한 분장팀. 손에 든 것은 부드러운 브러시.

남배우　　……(아무 말 못 하다가… 다시 브러시를 가져다 대면‥) 아!!!

17.　　드라마 세트장 2 식당 / 낮.

밥차. 스태프들 사이 식판에 음식을 담고 있는 한주와 재훈, 멀리 밥 잘 처먹는 남배우를 빙그레 웃으며 바라본다.

재훈　　밥 잘 사 먹는 나쁜 형아‥

반찬 집게를 다트 던지듯 자세를 잡아보는 재훈.

한주　　음… 꼭 잘 먹는 사람한텐 먹을 게 안 들어오고‥

재훈　　이번엔‥ 이 위기를 어떻게 극복할까요? 실장님.

한주　　전엔 꼬박꼬박 선배님이라고 부르더니.

재훈　　음‥ 실장님이 실장님 되니까‥
드라마에 나오는 실장님 같아서‥

한주　　응?

재훈　　뭔가 그냥‥ 실장님과 로맨스를 이루는 주인공이 될 것 같달까‥

한주　　(부끄‥) 그런 건 보통 신데렐라형 여주인공 아닌가?

재훈　　신데렐라가 꼭 여자일 필요는 없죠.

한주　　오와‥ 뭔가 내가 멋진 실장님 된 것 같아.

우리 사귀어요, 그럼!

생각 없이 뱉은 농담. 주변의 시선 모여들고.
잠시 얼어붙었다가는 이내 큰 소리로 웃는.

재훈/한주 으호호하하호호~!!!

국 퍼주는 밥차 이모에게 깍듯이

한주/재훈 국물만 주세용~······· 찌찌뽀··옹···

생각 없이 찌찌뽕. 주변의 시선 다시 모여들고.
잠시 뻘쭘하다가는 이내 국을 받아 들고 자리로 향하는.

18. 드라마 세트장 2 휴게실 / 낮.

앉은 건지 누운 건지 나른하게 쉬고 있는 감독과 촬영감독. 그들의 앞에 아이스 아메리카노를 내려놓고 마주 앉는 한주와 재훈.

한주 (뭔가 결판을 낼 기세) 감독님.

감독 (그저 핸드폰만 보며 대꾸가 없는)

한주 그래요. 대꾸를 바라는 건 사치죠. 매번 반복되는 일이지만 또 해야겠죠?

감독　쉬는 시간입니다. 쉽시다, 거 좀.

한주　저도 쉬고 싶어서 이래요. 일을 끝내야 쉬죠.

감독　가서 일 끝내세요, 그럼. 쉬는 사람 괴롭히지 말고.

한주　사실 제 일은 끝났었죠. 피피엘 따왔고, 모두 협의했고요. 제작비 지원받았고요. 근데 상품이 약속대로 노출이 안 되면? 누가 누굴 괴롭히는 문제가 아니라 계약 위반이잖아요.

감독　아 어쩌라고 계속 나만 가지고 그래. 배우가 저러는걸.
거 한두 번도 아니고.

한주　한두 번도 아닌 게 아니었어야죠.. 아니.. 모두가 합의해 놓고. 배우님도 외면, 감독님도 외면, 촬영 감독님도 외면, 매니저님도 외면, 제가 뭘 어떻게 할까요?

감독　후…… 오빠~ 해봐요.

한주/재훈　………(?)

감독　배우도 남자, 감독도 남자, 촬영 감독도 남자, 매니저도 남자. 다 오빠잖아. 언니 없잖아? 오빠~ 하면서 애교 좀 부려주면. 안 해주겠어?

한주　(V.O) 누구.. 이 오빠.. 언니로 만들어 주실 분…

감독　(툴툴 털고 일어서는) 왜 여자로서 할 수 있는 방법을 두고. 맨날 그렇게 죽는소리만 하는지 몰라..

어슬렁어슬렁 휴게실을 나가는 감독. 따라나서는

촬영 감독　같이 가 오빠~

잠시 넋이 빠진 한주와 재훈.
생수통을 집어 물을 받아 귀를 씻는

재훈 아직도 저런 사람이 있네. 귀 닦으세요, 실장님.
너무 드러운 말을 들었어…

그걸 또 같이 닦고 있는 한주.

19. 은정의 집 / 낮.

가만히 있는 진주와 범수. 메말라가는 범수.
흐트러짐 없는 진주. 그때 삑삐삐삐—
개처럼 반응하는 범수. 우당탕 뛰어들어오는 인국.

범수 (달려가 반기는) 자네가 인국이란 초딩이군!! 얘기 많이 들었네!!

범수를 본 척도 안 하곤 방으로 들어가 공룡메카드를 챙겨 다시 나가는 인국.

범수 이봐! 어디 가나?!! 이것 봐!! 난 그냥 얘기가 하고 싶네!! 이것 봐 학생!!!

띠리딩. 현관문 닫히는 소리만이…

다시금·· 자리를 찾아가 앉는 범수··

20. 제이비씨 구내식당 / 낮.

사람이 거의 없는 구내식당 안.

다미가 따로 차려준 음식을 먹고 있는 환동.

다미 바쁘지도 않으면서 왜 자꾸 늦게 와서 먹지?

환동 감독님 기다리다.

다미 아~ 요즘 감독님 잘 안 내려오네? 근처에 맛집 생겼나.

환동 아침부터 작가님 작업실에 가셨어요. 편성 문제 때문에 우리 지금 위기거든요.

다미 오호··· 아침부터··· 둘이?

환동 왜··? 아직 감독님 신경 쓰여요?

다미 신경은 안 쓰이는데 사랑은 하지.

환동 ····?

다미 그냥 그래보기로 했어요. 신경 안 쓰고 사랑하기.

환동 아··· 뭔가·· 유니크하다··

다미 (대뜸) 감독님이 작가님 좋아하는 거 알아요?

환동 응?

다미 내가 딱 보면 알거든.

환동 (신경 쓰임··) 뭘 보면·· 알죠?

다미 눈. 감독님은 솔직하고 자신감 넘치는 타입이라. 말하고 들을 때 항상 상대방 눈을 똑바로 쳐다봐요. 좀 사무적으로. 근데 작가님한텐.. 시선을 오래 두지 못하더라고.

21. **은정의 집 / 낮.**

무료하기 그지없어.. 아무런 감흥도 감정도 없는 눈빛으로.. 진주를 바라보고 있는 범수. 시선을 오래 두고 있는…

진주 나를 바라보고 있다는 것.. 그것은 에너지 소비량이 너무 높은 일입니다.

범수 왜죠..

진주 가슴이 설레일 테니까. 의미 없는 곳을 보세요.

범수 헛소리의 에너지 소비량도 만만치 않죠… 작가님.. 리슨. 우린 지금 소화라고 불리는 절대적인 일을 하고 있다지만.. 어찌 보면 내장은 분리된 영역이에요. 작가님 눈으로 직접 내장 본 적 있어요? 위 막에 용종 생기면 직접 꺼내서 핀셋으로 떼어내고 막 그러나? 우린 눈에 보이는 영역에서 해야 할 일이 따로 있어요. 가만히 있는다는 것. 이건 마땅한 명분이 필요한 일입니다.

진주 (손으로 가리키며) 저기 서랍을 열어봐요.

뭐야 또… 싶지만 하란대로 하는 범수.

서랍을 열어보면 명품 백 하나.

진주 난 명품 백을 좋아합니다. 근데. 그거 하나밖에 없어요.

범수　그게·· 뭐··

진주　갖고 싶은 것과 갖고 싶은 것을 갖고 있는 것의 차이.

그 간극을 줄이기 위해, 그 욕망을 자양분 삼아 열심히 일했는데·· 고작·· 그거 하나뿐이에요.

범수　무슨 말이 하고 싶은 거예요?

진주　세상이 뭔가 이상해. 이번엔 가만히 있어 보겠어요.

범수　(드디어 미쳤나··) 그래서 가만히 있겠다는 게·· 그 말이 더 이상해··

진주　노력해서 얻은 게 그 정도뿐이라는 걸 예상하지 못했듯이 가만히 있는데 예상치 못한 명품 가방이 떨어질지도 모를 일이죠. 어차피 이상한 세상인데.

한 번쯤 낮은 가능성에 기대를 걸어보는 것. 이것이 저의 오늘에겐 마땅한 명분입니다.

범수　존재하는 가능성이 아닌 것 같은데? 하늘에서 떨어진다고? 가만히 있는데 뚝?

진주　뚝 떨어지든 띵 떨어지든··

범수　띵····?

무감각하지만 조금 괜찮아진 표정의 범수··

다시 자리에 앉는다··

범수　와 씨··· 그래도 몇 마디 했다.

아·· 나 왜 이런 걸로 좋아하지··?

22. 제이비씨 구내식당 / 낮.

다미 원래 자세는 꾸부정한데.. 작가님 앞에선 허리가 곧고..
원래 짓궂은 농담 잘 치는데..

환동 (부정하고 싶은 맘에 말 자르듯) 농담 잘 치시는데? 작가님한테.

다미 치지.. 근데.. 작가님 앞에선 세련된 말투로 친다?

환동 세련된 말투...?

다미 여유는 보여주되 신뢰는 잃지 않으려는 거죠.
막 흐트러지고 애처럼 굴진 않는다는 거지.

23. 은정의 집 / 낮.

진주의 머리 위로 명품 가방이 떨어진다.. 툭— 이든 띵— 이든. 흔들림 없는 진주.. 식탁 의자 위에 올라가 있는 범수. 장난치곤 좋다고 웃고 있다. 애처럼..

범수 띵~ 떨어졌어! 떨어졌어!! 가방이 띵 하고 떨어졌어!! (내려와 가방을 주워보곤 탄식) 으아~ 이를 어쩐담? 꽝이네.. 있는 게 떨어졌어... 괜찮아요. 또 기다려 보죠. (가방을 들고 다시 의자로 올라가며) 다음엔 신상이 떨어질 거야. 으헤호헤호하흐흐..

24. **제이비씨 구내식당 / 낮.**

뭔가 개운치 않은 환동.

별로 개의치 않는 다미.

환동 그런 거 잡지에서 봤죠? 남자 심리.

다미 잡지가 왜? 얼마나 똑똑한 사람들이 만드는 건데. 무튼‥ 아직은 백퍼 모르겠어.

맘에 드는 여자 있으면 다 그러는 보통의 남자. 딱 그 정도 같아요, 아직.

환동 ……

다미 근데. 좋아하는 마음이 익숙해지면‥ 어떤 용건이나 목적 없이도 지그시 바라보게 되고. 신뢰고 뭐고, 같이 웃고 싶어서 애처럼 장난도 치고 그러겠죠.

환동 (생각…) 습….

다미 그러다 상대방이 피식— 하고 작은 반응이라도 해주면, 어마어마한 애정 호르몬이 좋다고 좋다고 널을 뛰지.

25. **은정의 집 / 낮.**

가만히 있는 진주와 범수. 슬그머니 한쪽 엉덩이를 들어 올리는 범수. 이내 적막을 깨는 단발 음. 뿡— 동요하지 않는 진주. 아무 일도 없었던 듯 다시 고요가 찾아들고‥

진주의 코에 냄새도 찾아들고‥

진주 (확!! 갑 티슈를 잡아 던지려다 마는) 아… 씨…

범수 (확 몸을 피하려다 마는) 흐헤흐하흐흐흐‥

진주 아씨… 파 냄새야 뭐야 이거‥ (어처구니없는 웃음이 피식—)

좋다고 아이처럼 웃는 범수.

26. 제이비씨 구내식당 / 낮.

환동 잡지가 그래요?

다미 네. 잡지가 학술지라니까 그러네.

생각이 많아지는 환동.

27. 홍미유발 엔터 소진의 사무실 안 / 낮.

한주가 건넨 서류 꾸러미를 대충 넘겨보는 소진.

한주 선우리조트는 15부 16부에 전경 2회 노출 조건이고요, 내부 레스토랑 씬 따로 섭외비용 없이 평일 낮 촬영 허가받았습니다. 일일 오육백만 원 정도 세이브된다고 보시면 되니까,

소진 그건 마케팅팀에 인계하고. 제작 업무에 더 집중해야 할 것 같아. 김경진 작가 계약 건 날아갔어.

한주 에? 아니 그렇게 공을 들였는데··

소진 도대체 작가라는 것들은 성격이 다 왜 그런다니? 누가 더 성격 안 좋단 소리 많이 듣나 경쟁하나 봐 지들끼리. 뭐 그런 걸로 마일리지 쌓아서 상금 받는다니?! 투자금은 들어왔는데 작품 하나 잡기가 이렇게 힘드니…

한주 요새 대형 제작사들 텃세도 만만찮죠·· 그 신인 작가분은··

소진 글이 엉망이야·· (생각하니 또 빡침) 야 걔는 글도 못 쓰는 게 자존심만 거장이야 아주! 작가 연수원 가면 자존심 부리는 거부터 가르치니?

한주 후… 저도 물걸레 건만 마무리하고 작가님들 만나볼게요. 신인 작가 작품들도 체크하구요.

소진 물걸레는 또 뭐야 그 진상 새끼·· 개새끼 맨날 지랄이야.

피곤한 듯 소파에 몸을 누이는 소진.
그런 소진을 가만히 애처롭게 바라보는 한주.

한주 그건 제가 해결할게요. 하던 건데요 뭐.

28. 흥미유발 엔터 / 낮.

제작팀과 마케팅팀으로 구분된 사무실 안. 한주가 대표실에서 나와 직원 서너 명이 일하고 있는 마케팅 라인으로. 팀장에게 서류를 건네는 한주 서류 인계요.

팀장 네 고맙습니다.

제작팀으로 넘어와 자리에 앉는 한주.

제작팀엔 바로 앞자리에 재훈뿐.

한주 얼굴에 근심을 읽은

재훈 대표님이 뭐라고 하세요?

한주 욕하는 거 처음 봤어요.

재훈 실장님한테요?

한주 아니.

재훈 (그렇지 설마)

한주 작아진 바지가 몸을 버티지 못하고 실밥 터지듯·· 투둑—

스트레스를 버티지 못하고 욕이·· 투둑—

우린 욕 안 하고 잘 버텨 봐요.

재훈 실장님이 욕하면 귀여울 것 같은데요?

한주 나 욕 잘해요.

재훈 에이··· 해봐요.

한주 진짜 잘한다니까.

재훈 에헤이···· 해봐요.

한주 재훈 씨 깐족대는 것도 할 줄 아는구나?

재훈 우우우··· 해보세요, 욕. 못 하면서.

한주 (빙그레 웃으며) 잘한다니까 개새꺄.

재훈 ……아……

모른 척하고 일이나 하는 한주가 귀여운 재훈.

29. 아울렛 / 낮.

민준의 팔짱을 끼고 아울렛 이곳저곳을 둘러보는 소민.

약간 지친 은정.

은정 그렇게 팔짱 끼고 다녀도 돼?

소민 너 있잖아. 카메라도 있고. 그리고 찍혀봤자 매니전데 뭐.

은정 그럼 항상 이렇게 민준 씨랑 다녀?

소민 우리 고딩 동창이야.

은정 아~ 친구면 매니저 하기 좀 불편하지 않나?

소민 안 친해.

은정 아.. 매니저로써는 친하고 동창으로썬 안 친하고..

소민 난 민준이 없으면 안 돼.

은정 놀라운데? 문장만 놓고 보면 애정이 넘치는데 애정이 안 느껴져.

민준 애정이 없으니까.

소민/민준 으하호호하하하호.

30. 게임장 / 낮.

펌프 종류의 게임을 하고 있는 소민을 카메라에 담고 있는 병삼. 뒤쪽에 확실히 지쳐버린 은정과 여유 있는 민준.

은정 정말·· 쉬는 날에도·· 이렇게 돌아다닌다고?

민준 1도 꾸밈없이 원래 저래요.

은정 와··· 저래서 살이 안 찌는구나.

민준 밥도 안 먹고.

은정 이건 다큐를 찍을 일이 아니라·· 병원 가서 CT를 찍었어야 되는 거였네·· 초인이잖아 이건.

게임 오버된 소민. 세상을 잃은 얼굴로 민준을 돌아본다.

소민 얘 죽여줘.

민준 나와!

Cut To

소민이 하던 게임을 이어받은 민준. 깔끔하게 클리어.

소리 지르며 좋아하는 소민.

두 사람의 모습을 가만히 바라보는

은정 잘 어울리네·· 은근··

31. 서점 / 낮.

신간 서적을 대충 넘겨보며 산보하듯 거니는 소민과 은정.

산문집 코너에서 책 하나를 골라 보는 소민.

소민 마음의 양식…

은정 (지치고 배고픈) 책 읽는 거 좋아해?

소민 아니. 사는 걸 좋아해.

은정 다행이다.

소민 왜?

은정 마음의 양식보다 그냥 양식이 필요한 시간 같아.

소민 넌 책 많이 읽지 않아?

은정 (지침) 일용할 양식을 먹고 읽지… 우리 오늘 이만 보 넘게 걸은 거 알아?

민준 어, 저기‥ 회사에서 연락 왔는데? 잠깐 들어올 시간 되냐고.

소민 왜?

민준 대본 줄 거 있대.

소민 (화색이 도는) 그래? 레쓰고빠레!

휭— 은정을 지나쳐가는 소민. 남겨진 은정을 담고 있는 병삼의 카메라. 빤히 카메라를 쳐다보며 걷는 은정. REC. 켜진 화면에 담긴

은정 후… 여자‥ 사람‥ 배우‥ 이소민은‥ 여자이고‥ 배우이지만‥ 사람은 아닐 수도 있어. 먹지 않고 이만 보를 걸은 상태에서 레쓰고빠레라는 말이 어떻게 나와‥? 근데‥ 자유로운 시간 안에선 저렇게 체력 넘치는 여자가‥ 카메라 앞에선 왜 그렇게 체력 모자란 배우가 될까?

병삼 음‥ 일하기 싫어서?

은정　아니. 눈에 보이지 않는 상태의 내가 카메라 앞에 서있을 때, 그 심적인 압박이 수백 키로의 모래주머니 역할을 하는 거 같아.

병삼　카메라가.. 모래주머니..?

은정　배우란.. 사실 어마어마한 체력을 가진 사람들이 아닐까? 나도 지금 카메라 앞에 있으니까 너무 힘들다.

32.　소민의 회사 사무실 / 낮.

병삼과 김밥을 먹으며 사무실 여직원 인터뷰를 따고 있는 은정. 피곤하지만 나름 TV용 표정을 잡아보는 여직원 선희.

은정　이거 TV 프로그램 아니니까 편하게 하셔도 돼요.

선희　그냥 소민 언니에 대해서..

은정　네네, 그냥 간단하게.

병삼　말씀하시면 돼요.

선희　(형식적인, 많이 해본, 다소 오버) 소민 언니 너무 예뻐요~~

그리고 아무 말 않는 선희. 기계적 일관성을 유지.

은정　끝이에요? 뭐.. 좀..

선희　(형식적인, 많이 해본, 다소 오버) 소민 언니 너무 예뻐요~~

은정　……아니 뭐.. 좀.. 다른..

선희　(형식적인, 많이 해본, 다소 오버) 소민 언니 너무 귀여워요~~

은정 뭐 동전 넣은 것도 아니고·· 평소에 하고 싶었던 말을 하세요.

선희 소민 언니 너무 귀여워요~~

여직원 말이 끝나기 전에 그냥 카메라 끄는 병삼.

카메라 정리하기도 전에 자리로 돌아가는 선희.

33. 소민의 회사 대표 사무실 / 낮.

병삼이 설치해 놓은 카메라 두 대. 구석에 세팅되어 있고.

소민 주말 드라마?

소민, 민준과 마주 앉은 소 대표. 폰을 보며 다소 분주한.

소 대표 감독님이 먼저 연락 온 거야. 소민 씨 스케줄 어떠냐고.

소민 웹 드라마에 이어 주말 드라마·· 난 주말 말고 월화수목금토 중에 하고 싶은데?

소 대표 토! 이거 토요일 2회 분량 나가는 거잖아.

소민 토만 나가는 거 말고. 월화. 수목. 금토.

소 대표 토토. 토토 드라마. 어감도 이게 훨씬 좋다 야. 토토.

민준 복권이네. 걸리면 대박.

소민 토토 확률이 얼마니?

민준 게임마다 달라. 패할 확률이 높은 팀이 배당률도 높은 거지.

소민 회사의 대박을 위해 패할 확률이 높은 팀에 날 거는 거네 지금?

소 대표 너의 영광을 위해 배당률이 높은 팀에 건 거지. 그리고.. 작가님도 (대본 내밀며) 주말에서 꾸준히 10프로 이상 하는 작가야. 일단 대본만 봐. 응? 읽고 다시 얘기하자.

소민 (휙 집어가며) 1회만 볼 거야.

소 대표 2회부터 재밌어~

소민 나가버리고. 민준 따라나서는데

소 대표 민준인 잠깐 얘기 좀 하자.

34. 소민의 회사 사무실 / 낮.

응대 소파에 앉아 컵라면을 먹고 있는 은정과 병삼.

소민이 대표 방에서 나와 짜증 섞인 걸음으로 사무실을 가로지른다. 걱정스레 바라보는 은정.

은정 소민 언니 너무 예뻐요~

그대로 나가버리는 소민.

병삼 안 따라가요?

은정 안 찍어. 앞으로 어떤 장면이 우리 앞에 떨어지더라도 밥

숟가락은 내려놓지 않는다. 새로 만든 원칙이야.

35. 소민의 회사 대표 사무실 / 낮.

소 대표　민준이 너 이제 소민이 그만해.

민준　…? 에?

소 대표　힘들잖아.

민준　아니요. 괜찮아요.

소 대표　너 짬밥이 얼만데 여태 소민이 로드를 뛰어?

민준　아니 자기가 사장이면서 그걸··

소 대표　해냄 이엔티로 가. 팀장으로 가는 거야.

민준　뭐지? 저 자르는 거예요?

소 대표　뭐라는 거야·· 내가 너 보내고 싶겠냐?
우리 회산 팀장만 네 명이고 너 머리 컸는데 챙길 방법이 없잖아. 해냄이 솔직히 회사 규모도 있고.
황 대표 깨끗하게 일하는 놈이니까··

민준　아니·· 너무 갑자기··

소 대표　나도 너 보내기 싫어 새끼야·· (괜히 아련해지는)

민준　뭐야? 왜 또 표정이 아련해지지··?

소 대표　그쪽에서도 경력되는 자기 사람 없어서 고민하다가 너 좀 보내 달라더라. 흔치 않은 기회야. 가서 잘해야 돼.

민준　간다고 안 했는데요··

소 대표　너 의리 있는 거 알아 새끼야·· 니가 나 생각하는 거 다 안다고·· 괜찮아 인마.

민준　뭐라는 거야·· 뭐야 왜 울어?

생각이 깊어지는 민준··

36.　제이비씨 드라마국 복도 / 밤.

느릿한 걸음의 환동. 뭔가 찌뿌둥한 생각에 잠겨··

엘리베이터 앞에 서서 중얼중얼. 동기가 다가와도 생각에 잠겨 인사를 못 하는. 동기는 자기가 먼저 인사해야 되나 고민하는.

37.　제이비씨 복도 엘리베이터 안 / 밤.

여전히 찌뿌둥한 생각에 잠긴 환동. 그러다 대뜸

환동　어우 이상해. 전 여친이 사모님이야. 그건 아니지.

동기　(이상하게 쳐다보는) 뭐야? 드라마야? 왜 혼잣말해?

환동　어이구 선배님. 언제 오셨습니까?

동기　엘리베이터에 뭘 언제 와? 전 여친이 사모님 됐어?

환동　아, 아닙니다. 드라마 대본 얘깁니다.

동기　야 니 나이에 막장하지 마. 범수도 그거 후회하잖냐.
맥주 한잔하며 나머지 얘길 나눠보자.

환동　네? 아니요 전 괜찮습니다.

동기 (자기 얘기만) 응. 모둠 해산물에 고노와다를 찍어 김에 싸 먹자.

환동 전 괜찮습니다.

동기 (자기 얘기만) 응. 길 건너에 있어. 가까워.

환동 후…. (걸린 거구만…)

38. 이자카야 / 밤.

혜정과 인종이 모둠 해산물에 고노와다를 찍어 김에 싸 먹고 있다. 나마비루 한 잔까지…

인종 크… 이 맛에 퇴근한다.

혜정 그래서? 손 감독 작품은 편성하기로 했어?

인종 그거 아직 제작사도 없고 신인 작가니까 뭐 시간 좀 끌어도 돼.

혜정 손 감독이 가만있나?

인종 가만있는 게 좋을 뻔했지.

혜정 뭔 소리야…?

인종 아니야. 근데 오히려 작가님이 그 작품 도와준 거 알지?

혜정 그런가?

인종 임진주 작가 작품을 편성에서 제외하는 게 작가님의 조건이었어. 근데 그 작품엔 손 감독이 있지. 채널 입장에선 임진주 작가의 작품이 마음에 들지 않아도 당장 깔 수가 없게 됐단 말이야. 정 작가 입김에 우리 채널의 에이스 감독이 좌지우지된다는 인상을 줄 순 없으니까.

혜정　(재밌게 웃는) 호호.. 그치. 장난이었는데 재밌네. 그래서? 진주 작품이 편성받기 어려운 수준이라는 거야?

인종　아니. 아무 문제없어. 약간의 시간이 필요한 상황. 그 정도.

39.　은정의 집 / 밤.

해가.. 졌다.. 최소한의 조명뿐인 공간에..

진주와 범수는 그대로..

범수　위기의 상황에서 이렇게 가만히 있어 본 거... 처음이에요. 뭔가.. 기분이 좋아.. 고맙네요.

진주　넣어두세요. 보람도 느끼기 싫어.

범수　가방은 끝내.. 떨어지지 않았군요.

진주　가만히 있어서 얻을 수 있는 건 공기뿐이라니... (깊은 숨을 들이마시고) 흐음~ 하~ 미세먼지..

범수　신은.. 체스 게임하듯이 우릴 내려다보고 있는 것 같아요.. 체스판 위에 있는 말은 올려진 그 순간부터 위기잖아. 야 뭘 고민해? 너넨 그냥 죽을 때까지 달려야 하는 말들일 뿐이야. 달려. 근데 오늘 신과 맞짱을 뜨는 작가님을 보고 이런 생각을 했어요. 아.. 내비 두자.

진주　엥?

범수　내가 끼어들지 못할 거대한 영역에서 벌어지는 싸움이다. 근데.. 너무 자주 그러지 마요. 불안해.

진주 뭐가요?

범수 그러다 지면? 신을 이기면 신이 되겠지만. 지면?

진주 죽는 거죠 뭐.

범수 그니까. 불안하지.

진주 뭐. 죽어도 16부까지 다 써놓고 죽으라는 말이 하고 싶은 거죠?

범수 정 들었어요.

진주 …?

범수 정 들었다고.

뚱하니 범수를 바라보는 진주. 그 시선이 슬쩍 멋쩍어지는‥ 말 많은 진주가 말을 좀 해줬으면 싶은… 진주가 그러지 않아 할 말을 찾아야 하는…. 그때. 삑삐삐삐삐— 현관문 소리. 개처럼 반응하는 범수.
한주, 인국, 은정이 먹을거리를 사들고 들어온다. 개처럼 달려나간 범수 덕에 놀라 까무러치는 일행.

범수 안녕하십니까! 저는 손범수라고 합니다!!
아하하하하하!!!

그냥 너무 반가운 범수.

40. 이자카야 / 밤.

동기 (V.O) 안녕하세요.

소리에 돌아보면 인사하며 다가오는 동기와 상황이 더욱 싫어진 환동.

인종 어이~

동기 (메뉴를 보고) 와우 여기서 얻어먹으면 되겠다.

환동 전 괜찮습니다.

인종 응. 앉아 앉아. 정혜정 작가님 알지?

동기 엇. 작가님! 안녕하세요. 합석해도 돼요?

혜정 그럼요.

잘못 걸린 환동.

혜정 김 감독님 오랜만이다~

환동 (싫지만 앉으며) 네 안녕하십니까, 작가님.

인종 응? 환동이랑 아나?

혜정 나 작년 작품 때 삐 팀 감독님이었잖아.

인종 아~ 환동이가 삐 팀까지 했었나?

환동 그때 양 감독님 다치셔가지고 땜빵이었습니다.

동기 땜빵인데 더 길게 했지.

인종 아~ 잘됐다. 맥주 시켜.

41. **은정의 집 / 밤.**

거실 한가운데 신문지를 펼쳐놓고 삼겹살을 구워 먹는 그녀들. 한주에게 쌈 한입 받아먹고 다시 공룡을 가지고 노는 인국.

한주 아 먹고 좀 해! (들은 척도 안 하는 인국) 아우.. 저놈에 공룡.. 공룡시대가 다시 온 것 같아..

주방에서 파 채를 썰어 가져오는 범수.

범수 저번에 쥬라기 월드 보러 갔는데 제 뒤에 앉아있던 초딩이 공룡 나올 때마다 이름을 다 알려주더라고요.

불판에 씻어놓았던 미나리를 올리는 진주.

진주 삼겹살엔 파채보다 미나리지..

Cut To

미나리와 함께 노릇노릇 잘 구운 삼겹살.

기름장에 찍어 미나리와 한입 크게 넣는 범수.

범수 음… 음… 미나리네…

42. 이자카야 / 밤.

김과 깻잎에 막 썬 회와 와사비, 고노와다를 얹어 한 입 크게 넣는 환동. 의외로 놀라운 맛에 고개를 끄덕이는

환동 음·· 음·· 고노와다····

혜정 아니 그럼 이번 작품도 조감독 하시는 거예요?

인종 환동인 뭐 범수 좋아하니까.

혜정 입봉하셔야죠.

인종 아직 서른인데 뭐.

혜정 손 감독도 서른에 입봉했잖아.

인종 음··· 그런가?

동기 만 28세였죠. 천재.

혜정 환동 감독님도 잘 찍으시는데, 왜 못 해? 안 그래요?

환동 아··· 하하.

혜정 제 작품 하세요. 연출.

환동/동기 (쌈 집어넣으려다 얼음)

인종 (쿨럭) 히야··· 이거 뭐·· 그림이·· 이게··

혜정 편성도 같은 시기로 맞추는 게 채널에 좋겠다. 그 작품 개성까지는 모르겠는데 당장 시청률이 많이 나올 수 있는 작품이 아니거든. 나랑은 완전히 색깔이 다르니까 밸런스도 맞겠다. 내 작품이 잘 익힌 고기라면·· 진주 거는 (김에 회를 올리며) 날 거지·· 날 거··

회 쌈을 한 입 크게 넣는 혜정.

43. 은정의 집 / 밤.

미나리와 삼겹살을 쌈 싸서 한 입 크게 넣는 진주.

범수 채널에선 아직 보류 중인데 작품이 개성 있으니까. 그리고 제가 있으니까요. 걱정 마세요.

은정 감독님들은 꼭~ 다 된다는 말을 달고 사시더라.

범수 감독님도 감독님이라고 들었는데요.. 하하.. 우선 제작사를 정하고 정식으로 작업실 구해보죠.

한주 어머. 저희 회사도 지금 작품 구하고 있는데?

진주 너네 작품 두 개 있잖아?

한주 기존 작가님 거 날아갔어. 계약 파기. 신인 작가님 거는 글이 너무 안 나오고..

눈 마주친 범수와 한주.... 각자 명함을 꺼내 주고받는다. 급 비즈니스 자세로.

범수 제이비씨 손범수 감독입니다.

한주 누구보다 잘 알고 있습니다, 감독님. 황한주입니다.

은정 캐스팅 곧 하시겠네요.

범수 드라마는 캐스팅이 반이죠. 곧 시작합니다.

은정 (명함을 꺼내며) 제가 다큐를 제작 중인 배우가 한 명 있는데 작품을 찾고 있거든요. 저도 연기하는 모습을 담아야 하기도 하고..

범수 (명함을 건네며) 아.. 배우 이름이?

은정 이 소민이라고. 한때 잘 나갔던.

범수 아~ 소민 씨~ 한때라니요. 여전히 미니 주인공 가능하시죠.

은정 아 그런가요?

범수 잘 부탁드립니다.

은정 잘 부탁드립니다.

한주 제가 잘 부탁드려야죠.

범수 제가 잘 부탁드립니다. (진주에게) 작가님 인사하세요. 흥미유발에 황한주 실장님.

진주 (얼떨결에) 아·· 예··· 글 쓰고 있습니다.

한주 방송국 한번 찾아봬도 될까요?

범수 오시는 길 멀지 않다면.

한주 수만 리 길이라도 코앞이라 여기겠습니다.

범수 제집 드나들 듯 편히, 문지방 닳게 오가 주십시오.

한주 예·· 식사를 한번 하시죠, 여기 작가님하고. 뭐 좋아하세요?

범수 아 작가님 좋아하시는 걸로. 하하하.

진주 (뭐야 이거···?)

한주 작가님 뭐 좋아하세요?

진주 해운대 포차 가서 랍스터나 먹고 싶은데?

한주 해운대 준비하겠습니다.

44. 이자카야 / 밤.

혜정 제작사도 신생 수준으로 붙을 거고. 캐스팅도 쎄게 붙을 수가 없어.

인종 그건 인정. 근데 아무리 정혜정 작가라도 감독이 좋아야 하는 거지.

동기 에이~ 환동이는 범수 좋아해서 조감독 하고 있는 건데.

혜정 (환동에게) 그래요? 좋은 기회 같은데?

인종 에이~

환동 못 할 건 없습니다.

인종/동기 (잠시 정적)

혜정 그쵸? 오호호호~

동기 (어색해서 괜히) 하하·· 술을 잘 안 드시네요?

혜정 술버릇이 안 좋아서 자중하는 편이에요.

동기 아·· 하하··

의중을 알 수 없는 환동의 얼굴.
전화 좀 하며 어색한 자리를 피하는 인종.
화장실 좀 하며 어색한 분위를 피하는 동기.

45. 은정의 집 / 밤.

제 할 일을 마친 고기 불판.

한주 (교태) 오빠~

정지화면 같은 범수의 얼굴.

한주 어때요? 이 애교. 좋아요?

범수 싫은데요.

진주 그렇게 하래? 아니 애교라는 말은 도대체 어디서 나온 거야? 애교가 영어로 뭐야? 해봐요.

범수 음… 러.. 블리? 큐트?

진주 그건 사랑스럽다 귀엽다 아니야? 프랑스어로 해봐요.

범수 ….샤므?

진주 그건 매력 아니야? 페르시아어로 해봐요.

범수 ……..그… 응?

진주 사랑스럽게 귀엽게 매력 있게 남에게 보이기 위한 태도. 란 뜻을 가진 다른 나라 단어를 말해보라고.

범수 아니 그 말을 내가 만들었어요? 나한테 그래 왜? 하루 종일 가만있어서 힘들어 죽겠구만.

은정 아이쿄.

범수 …아이.. 쿄…

진주 일본어 하나 있는 거야?

한주 근데.. 그 감독만 그런 게 아니라.. 방송국 부장님도 그러더라. 오빠~ 오빠~ 하면 다 들어준다고.
부장님은… 여자거든.

진주 ….이런..확..!!

은정　　해 그냥.

뜻밖의 말에 은정에게 시선 집중.

은정　　그럼 그냥… 해주라고.

알 수 없는 표정의 한주 얼굴로 다가가는 카메라.

46.　드라마 세트장 2 / 낮.

전 씬과 같은 표정에서 갑자기 화사해지는 한주의 얼굴.
펼쳐진 세트장을 향해 가뿐히 달려간다.

한주　　옵~ 빠아아~~~~

남배우에게 달려가 물걸레 청소기를 작동하며 애교 부리는

한주　　옵빠. 옵빠. 이거 봐요 옵빠. 발꼬락으루 옵빠! 하고 누르면! (청소기 작동) 이이잉~~ 옵빠 신기하죠? 옵빠! 봐요 옵빠! 옵빠!

적절한 대응을 찾아 헤매는 남배우. 휙— 뒤돌아 매니저와 눈이 마주치는 한주. 그에게 달려간다.
당황해서 움직이지 못하는 매니저.

한주 매니저 매니저 매니저 옵빠! 오빤 왜 다 알면서!

매니저 저… 그만‥

한주 옵빠!! 오빠아아아~ 왜 말해준다고 하고선 한마디도 안 해주냐? 옵빠! 그럼 한주는 뭐가 되욤? 바보되욤. 옵빠!

Cut To

움직일 수 없는 감독.

한주 옵옵옵옵. 오빤 감독 스톨~ 옵옵옵옵 옵빠! 작가님도 다 써주셨는데 모른 척하면 나쁜 오빠! 오빠! 책임져요 책임져요 감독 옵빠아아아~~

먼발치서 가만히 지켜보던 재훈.
말릴 수 없음에 돌아서 간다. 엄지를 치켜세우며.

Cut To

뒷걸음질 치고 있는 촬영감독.

한주 대본에도 있는데 안 찍어주면‥? 음… 그건…. 나쁜… 나쁜 옵빠!!! 옵빠!! 왜 안 찍어줘욤? 옵빠. 어디 가욤! 옵빠!! 옵빠!!

47. **드라마 세트장 2 식당 / 낮.**

밥 먹고 있는 남배우에게 식판을 들고
바짝 다가가서 앉는 한주.

한주 오빠! 편식쟁이 옵빠. 골고루‥

남배우 (말 자르며) 골고루 먹을게! 알았어!

한주 오빠오빠 음식물 쓰레기도 물걸레 청소기로 치우면 되겠다, 옵빠!!

남배우 (아 씨발….)

48. **제이비씨 드라마국 / 낮.**

각자의 책상에서 대본을 읽고 있는 범수와 동기.
슬쩍 범수를 살피는, 뭔가 할 말 있는

동기 그‥ 어제‥ 말이야‥

범수 응? 어제? 뭐?

동기 음… 아니 그‥ 뭐‥ 아니야. 근데 어제 뭐 작가 작업실에 하루 종일 있었다며?

먼 자리에 환동의 귀가 쫑긋.

범수 하루 종일… 가만히 있었지.

동기 가만히?

먼 자리에 환동의 귀가 더 쫑긋.

범수 음… 가만히 있긴 했는데… 음… 난 봤지.

동기 뭘 봐?

범수 응?

동기 대본?

인서트

그녀들의 아파트. 어제. 가만히 있는 진주의 옆모습을 바라보고 있는 범수. 기분이 좋은. 범수의 시선에 담긴 진주의 모습…

범수 그냥…

동기 …응?

49. 드라마 세트장 2 / 낮.

현기증에 쓰러질 것 같은 감독. 앞에

한주 옵빠! 오빠오빠오빠오빠오빠. 이번 씬에 작가님이 겨우 수정해 줬는데 또 그러면 오빠! 오빠 나 죽어욤 오빠~~~ 오빠~~

감독 으…. 저… 이봐요… 내가… 잘못…

한주 옵…. 빠!

휙— 세트장 안에 남배우를 돌아보는 한주. 바짝 긴장한 남배우. 매니저에게 방어할 것을 눈빛으로 지시하고.

한주 오빠!!!!

남배우에게 달려가는 한주를 말리는 매니저.

한주 오빠 오빤 잠깐 비켜봐요, 오빠 오빤 아직 아니야.

매니저 저기.. 잘못했…

한주 어머 오빠! 나 만진 거예욤?

매니저 (화들짝 놀라 손을 떼는)

한주 (휙 남배우를 돌아보고) 옵….!!!!

남배우 가져와!! 가져와!!!! 내가 할게! 가져와!!!

매니저가 후딱 청소기 들고 가져와 기능을 설명하는

매니저 이게 어떻게 하는 거냐면..

한주 그건 내가 아는데 오빠!

남배우 내가 알아!! 내가 알아!! 내가 할 줄 알아!! (완벽하게 작동하며) 알지!! 하하하하!! 내가 알아!! 내가 할게!!! 여봐할 줄 알지 여봐…

한주 (가만히 보다가… 싸늘해지는)…. 고마워요. 오빠.

50.　드라마 세트장 2 분장실 / 낮.

표정 없이 들어서는 한주. 거울 앞에 앉는다.

한주를 지그시 보고 있던 재훈. 다가가 어깨를 주물러준다.

푭. 웃음이 새는 한주. 푭. 웃음이 새는 재훈. 기분 좋은 미소를 지으며 거울을 통해 서로를 바라보는 한주와 재훈.

재훈　누나~~~ 누나누나누~나~ 힘두러쪄?

누~나~ 누나누~나~~

환하게 웃는 두 사람의 모습에서. 페이드아웃.

50-1.　은정의 집 / 낮.

오늘도 소파에 가만히 앉아있는 진주. 그 자세 그 표정을 유지하다가. 슬쩍 자세와 표정이 풀린다.

무언가 계속 떠오르는 듯. 오늘은 안 오나?

50-2.　제이비씨 드라마국 / 낮 (48씬에서 이어지는).

동기　뭘 봐?

범수　응?

동기　대본?

범수　…그냥…

동기 …응?

범수 그냥… 덩실덩실‥

동기 덩‥ 실‥? 덩더쿵쿵덕. 그런 거?

범수 폴짝폴짝‥

동기 호이짜 호이짜?

범수 …심쿵.

동기 심장 쿵따리샤바라? (자신의 유머에 만족하는) 으헤헤헤헤‥
아‥ 대본 되게 잘 나오나 보네?

하‥ 생각이 많아지는 범수. 병신같이 웃고 있으며 진지한 범수를 살피는 동기. 뭔가 낌새를 느끼는…
잠시 생각하던 범수, 내가 왜 이러나 피식— 웃음이 샌다.

진주와 범수의 얼굴 분할화면에서.

"근데.. 그거 뭐.. 고백을 꼭 해야 되나?"

_ 범수의 말 중

· 7부 ·

7

0-1.　제이비씨 휴게실 / 밤.

휴게실 안마의자에 누워 안마를 받으며 대본을 읽고 있는 범수. 그러다 잠시 딴 잠시 생각…

0-2.　(인서트) 그녀들의 아파트 / 6부 플래시백.

떡볶이를 먹는 범수와 진주.. 가만히 있는 범수와 진주.. 진주 머리에 가방을 떨어트리고 노는 범수… 가만히 있는 진주의 옆모습을 바라보고 있는 범수. 기분이 좋은.
범수의 시선에 담긴 진주의 모습..

그냥.. 생각이 좀 많아지는 범수. 어느샌가 옆에 와있는 동기.
가만히 범수를 내려다보며

동기　퇴근 안 해?
범수　대본 보잖아.
동기　몇 시간을 보니..

범수 몇 시간을 보건 며칠을 보건‥

동기 같이 술 먹을 사람이 없잖아.

범수 너 원래 없었어.

동기 음… 근데 대본 재밌나 봐?

범수 그니까 하지.

동기 음‥ 근데 왜 내가 할까 했을 땐 하지 말랬어?

범수 니가 하면 망하니까.

동기 아‥ 별로라고 했잖아.

범수 니가 만들면 별로라고 한 거지. 이 대본은… 나 아니면 못 살려.

동기 아‥ 넌 언제까지 나 무시할 거야?

범수 니가 내 옆에서 숨 쉬는 그날까지.

동기 역시‥ 진정한 친구다.

범수 그게 어째서 진정한 친구가 돼?

동기 됐어 새끼야. 맥주 마시러 가자.

범수 됐어 새끼야. 너나 마시러 가라.

0-3. 은정의 집 / 밤.

우울한 모습으로 소파에 앉아있는 인국. 그 옆에 앉아 빨래를 개키며 인국을 바로 보고 있는 한주. 거실 물걸레질하고 있는 진주. 베란다 쓰레기 챙겨 나가는 효봉. 설거지하는 은정.

한주 왜 우울한데 또?

인국　　다 알려고 하지 마.

한주　　왜..? 소영이?

인국　　아.. 진짜 그냥 남녀문제야. 물어보지 마.

한주　　참내..

그 모습을 별거 아니게 보고 있던 진주,
문득 호기심에 인국에 달려가

진주　　인국아. 넌 소영이한테 어떻게 고백했어?

인국　　소영이가 했는데.

진주　　그니까 어떻게 했어?

인국　　안 알랴줌.

진주　　뭐 사줄까?

인국　　핫도그.

한주　　야, 밥을 깨작거리고 남기더니 우울한데 핫도그는 먹고 싶어?

인국　　우울하니까 먹고 싶지.

Cut To

핫도그 배달시켜 먹으며 TV 보는 인국, 진주, 한주, 은정, 효봉. 한주 목에 목관리 기기.

인국　　카톡.

진주　　카톡?

인국　　응.

진주 그게 다야?

인국 그럼?

진주 거기다 그냥 사귀자 그러고 좋으면 사귀고 아니면 싫어, 하고. 그리고 땡이야?

인국 그럼?

진주 아… 뭐 없어?

인국 뭐가?

진주 됐다.. 마니 머거 초딩.

인국, 한숨을 푹 쉬더니 핫도그 한 개 더 들고 방으로 들어간다.

한주 황인국. 너 한숨 그렇게 쉬지 말랬지!

은정 아 애는 한숨도 못 쉬어? 뭐 그거 가지고 잔소리야. 넌 먹으면서 뭐 목에 그건 뭐야?

한주 내일 중요한 미팅 있어. 신인 작가님 꼬시러 갈 건데. 관리 차원이랄까.

은정 작가 꼬시러 가는데 관리를 왜 해?

한주 내가 좀 괜찮은 사람이다라고 생각하고 있으면 자신감이 올라가.

진주 핫도그를 먹으며 관리를 운운하는 그 자신감. 그거면 된 거 같은데?

한주 내일 봐.

진주 응?

1. **인국의 초등학교 앞 / 낮.**

정문에서 헤어지는 한주와 인국

한주 들어가. 엄마 갈게.

인국 왜 다시 그쪽으로 가?

한주 외근.

인국 외근이 뭔데?

한주 밖에서 일하는 거. 저쪽으로 가야 돼.

인국 그럼 그냥 가지 왜 데려다줘? 회사 가는 길에 데려다주는 거라며?

한주 아 잔소리 좀 하지 마. 들어가. 소영이랑 싸우지 말고~

인국 (들어가며) 싸운 적 없어. 맞은 거지..

한주 아오..

2. **카페 / 낮.**

분위기 좋은 카페 한 자리에 마주 앉은 범수와 진주.

무심하게 벽이나 보며 다른 생각에 잠긴 듯한 범수.

그런 범수의 눈치를 살피는, 싫지 않은 불편함을 느끼고 있는 진주.

범수 (벽에 시선을 둔 채 대뜸) 뭘 또 그렇게 꾸미고 나왔대..?

어차피 안 꾸민 게 더 이쁜 주제에.

진주 (범수가 보는 벽 한 번 보고 범수 보고) 거기 벽이에요.

범수 ····우리 데이트해볼래요?

진주 ··그게 벽보고 할 말이에요···?

범수 말은 꼭 해야겠는데, 눈 보고 할 자신이 없어서요.

진주 왜요?

범수 아··· 미치겠네·· 처음 봤을 때부터였나··
아마 그 언저리쯤이에요··

진주 뭐가요?

범수 그쪽 좋아한 거.

진주 ·····

범수 의심할 여지없이 이 마음·· (갑자기 말을 멈추는)

3. 은정의 집 / 낮.

거실. 노트북을 펼쳐놓고 대본과 눈싸움 중인 진주.
대본 보면, 남자 주인공 철수의 대사가 쓰인.
'의심할 여지없이 이 마음··' 대사를 지워버리는

진주 (V.O) 이상해·· 후져·· 뭘 의심할 여지가 없어·· 데이트할래요? 데이트·· 데이트·· 뭔가 옛날 단어 같아··

죄다 맘에 안 드는 듯 다 지워버리는

진주 (V.O) 하··· 그냥 다짜고짜 선물을 먼저··

3-1. 시계 상점 / 낮.

진주에게 시계를 채워주는 범수.

진주 시계 있는데..

범수 없는 물건 선물해주는 건 산타클로스죠. 어렸을 때 그러지 않았어요? 산타 할아버지는 어떻게 내가 당장 필요한 걸 이렇듯 꼭 집어 알고 계신 걸까?

진주 그랬죠. 난 인형을 받고 싶은데 곧 닳아서 새로 사야 할 신발이나 몸이 자라서 새로 사야 할 옷을 선물해주셨어요.

범수 산타클로스가 엄빠클로스였단 걸 알았을 때 난 생각했죠.
선물은.. 없어도 되지만 있으면 기분 좋은 것으로.

진주 근데.. 오늘은 아무 날도 아니에요.

범수 나에겐 선물을 드려야 하는 날이에요.

진주 무슨… 날인데요?

범수 내가 당신께 고백하는 날입니다.
내 남은 시간을 당신께.. (갑자기 말을 멈추는)

진주 (V.O) 으으.. 지워. 그냥 쿨하게 갈까?

3-2. 진주의 작업실 / 낮.

마주 앉아있는 진주와 범수. 진주는 뭔가 좀 불편하고 범수는 하드를 빨며 다리 떨고 있다.

진주 그.. 여긴.. 저.. 일하는 곳인데..

범수, 테이블 위에 있던 새 하드 하나를 진주 쪽으로 던져 준다.

범수 먹고 해라.

진주 왜.. 반말이세요?

범수 쿨해 보이지 않나?

진주 모질이로 보여요.

범수 그 모질이가 너 사랑한다! 그 모지리가 너 사…(갑자기 말을 멈추는)

진주 (V.O) 됐다 이 모질아..

머리를 마구 털어보는 진주. 그때, 현관문 열리는 소리. 한주가 들어온다. 시큰둥하게 방으로 향하는.

진주 뭐야? 왜 들어와?

한주 외근. 쉬었다 가게.

진주 어쩐 일로 그런 여유를..

방으로 들어갔던 한주가 금세 환한 얼굴이 되어 나온다. 그 환함은 오로지 진주를 향해 있다.

한주 어머~~ 작가님~ 여기서 뵙네요~

진주 (뭐냐 또 이건…)

한주 (쪼르르 진주 앞으로) 너무 반갑다. 작업하시나 봐요?

진주 아.. 네..

한주 저 사실.. 작가님 대본 봤거든요.

진주 어떻게?

한주 공모전 나갔던 거니까 방송국에서. 죄송해요.

진주 아니에요 뭐. 보라고 쓴 거.

한주 그래서 말인데요.. 아니 아직 제작사 결정을 안 하신 걸로 들었거든요. 아… 작업 중이신데.. 제가 방해한 거 아니죠?

진주 아니긴요. 충분히 방해가 됐습니다.

한주 어머어머, 이걸 어쩐담. 작가님 작업하시느라 요즘 얼굴이 말이 아닌데 제가 감히.. (석류 스틱 들이밀며) 열심히 챙겨 드세요.

진주 감사합니다. 놓고 가셔요.

뾰로통— 한주. 드러눕는다.

한주 힝. 서운해.

진주 야. 그걸로 서운한 게 서운해야 되는 거 아니야?

한주 무슨 말인지 알겠는데 서운할래 그냥.

진주 누운 김에 쉬었다 가렴.

한주 (삐침. 일어나는) 그럼 다음에 정식으로 한번 만나주세요. 찾

아뵙겠습니다. (꾸벅)

진주 네 그러시지요. 고맙습니다. (꾸벅)

나가는 한주. 일어나 기지개를 켜는 진주. 배가 고프다.
주방으로 향하는데. 딩동— 누구지?
인터폰 화면을 들여다보면, 보험 설계사의 설계된 미소를 닮은 환한 한주.

한주 안녕하세요, 작가님! 찾아왔어요~~

진주 아·· 황한주도 이렇게 되는구나···

그리고 이번엔··· 재훈이 옆에 서있다.

4. 은정의 집 주방 / 낮.

범수가 준 마를 갈아 우유에 믹스해 마시는 진주.
다소 어색해하는 재훈에게 관심이 많은

진주 이제부터 아침은 간단하게 먹어야겠어. 복잡하게 먹어도 꺼지는 시간이 똑같아·· 왜 이럴까··

한주 뇌가 움직이든 몸이 움직이든 노동이 허기짐에 기여하는 바는 비슷하다고 들었습니다. 수고가 참 많으세요.

진주 (재훈을 빤히 보고 웃으며) 얼마 줄 거예요?

재훈 아·· 아·· 그건 제가·· 하하··

한주 신인 작가분들 집필료 대충 아시죠?

진주 알다마다요.

한주 하지만 작가님의 경우는 다르죠. 저희도 인지하고 있습니다. 기획안부터 현재 4부까지 혼자 진행하셨고요. 심지어 감독님도 내정되어 있습니다. 기획 개발로 들어가는 초기 비용을 감안해 작가님 고료에 추가 반영될 거고요. 그런 부분만큼은 저희 회사를 믿으셔도 되는 게 대표님이 워낙에 정확하세요.

진주 (재훈을 빤히 보며) 난 정확하지 않게 더 줬으면 좋겠어서‥

재훈 아‥ 호호호‥

진주 아니 신인이란 타이틀이 왜 삭감 요인이 되어야 하지?
뭐 시청자들이 신인 작가니까 안 볼래 그러나?

한주 적극 공감합니다. 그래서 저희 회사와 계약하셔야 되는 거죠.

진주 왜요?

한주 음… 음…

진주 일단 뱉어 본 말이죠?

한주 네. 사실…. 전… 월급쟁이라…

진주 이거 이거 프로듀싱도 작가들끼리 돌아가면서 해야 되나 봐? 수입체계 자체가 공감이 안 되잖아.

한주 현장에선 저와 같은 프로듀서들이 정확하고 빨라요. 작가님의 글이 완성되는 과정엔 감성이 필요하지만 그것을 영상화하기 위한 촬영현장에서의 과정은 이성이 필요하죠.

진주 (오오….)

한주 (자기도 자기한테 좀 놀란… 벌떡 일어나 좋다고 신기해하는) 어머 웬일이야! 나 말 너무 잘했지? 어머~~ 사람이 몰리니까 된다, 야. 어머.. 녹음해 놓을껄. 너 기억해? 내가 한 말? 어머~

진주 (입 벌리고 한주를 보다) 이야… 진짜.. 귀엽긴 진짜 귀엽다 너넌. 나 방금 뽀뽀할 뻔했어.

재훈의 마음이 그렇다.

한주 에이 작가님 그건 안 돼용~

5. 은정의 집 거실 / 낮.

소파 테이블에 노트북을 펼치고 앉은 진주.

그 앞에 정갈하게 앉은 한주와 재훈.

진주 남자가 이렇게 고백하면 어떨 거 같아? 귀엽긴 진짜 귀엽다, 너. 나 방금 뽀뽀할 뻔했어. 하고.

한주 응?

진주 고백하는 장면 쓰고 있어서.

한주 네 작가님. 아… 음…(생각…) 되게 이상한데?

진주 배우가 강동원이야.

한주 그럼 내가 먼저 하지.

진주 음.. 그 캐스팅은 못 할 것 같고.. 재훈 씨는 지금 여친한테 어떻게 고백했어요?

재훈 저‥ 저 카톡으로 해가지고‥

진주 아… 아… 그냥 카톡으로 할까?

한주 에이‥ 드라만데 성의 없게‥ (다르게 생각해보니‥) 신선하긴 하겠다‥

진주 너 최근에 고백받은 적 없니?

한주 니가 더 잘 알지‥ 내가 무슨 고백을‥

슬쩍 귀가 움직이는 재훈.

진주 그치‥ 근데 있긴 있었지 왜‥ 재작년인가…

한주 야‥ 그게 무슨 고백이야‥

6. 과거 / 골목길 / 밤.

그럭저럭 허우대 괜찮은 30대 남자와 걷고 있는 한주.

고즈넉한 밤공기. 간혹 한주를 쳐다보지만 말이 없는 남자.

한주 오늘 잘 먹었습니다.

남자 (웃는)

한주 데려다주신 것도‥ 고맙습니다.

남자 (웃는)

한주 다음엔‥ 제가‥

남자 한주 씨. (멈춰서 마주 본다) 저는 중학생 딸이 하나 있습니다. 두 식구죠.

한주　(어쩌라고….)

남자　네 식구가 되고 싶습니다.

한주　…….(어색한 미소) 아.. 네 식구가 되고 싶으시구나..

7.　도로 / 한주의 차 안 / 낮.

한주의 차 안. 어색한 미소 그대로 운전 중인 한주.

웃음을 참고 있는 재훈.

한주　웃어요, 그냥. 괜찮아.

재훈　그래서 실장님은 뭐라고 했어요?

한주　진주가 시키는 대로..

재훈　?

한주　유기견 보호센터 번호 알려드렸죠..
두 마리 입양하시라고..

재훈　아하.. 입양했대요?

한주　한 마리만 했다고..

재훈　아.. 너무 웃기다..

한주　재훈 씨 것두 하나 얘기해요. 내 것만 말하니까 억울하다.

재훈　음… 저는 사실.. 카톡으로 하기 전에.. 들켰어요.

8. **과거 / 대학가 술집 / 밤.**

대학생 남녀 열댓 명쯤 모여 게임하며 술을 비우는.

사람들 사이 마주 앉게 된 재훈과 하윤.

힐끔힐끔 어쩔 수 없이 하윤에게 향하는 재훈의 시선. 아는지 모르는지 그저 재밌게 놀고 있는 하윤이 대뜸!

하윤 (재훈을 지목하며) 들켰다!!

재훈 (당황….) 으.. 응?

하윤 나 좋아하는 거!

재훈 아니 그.. 무슨 그런..

학생들 얼~~

재훈의 폰을 가져다 번호를 찍어주는

하윤 고백하기 쪽팔리면 카톡으로 해. 괜찮아. (가방을 챙겨 일어서며) (시계 보곤) 세 시간 안에 해. 나 잠들 거야. 안녕~ 나 간다~

학생들 어얼~~~~~

멍한 재훈.

9. **과거 / 대학가 유흥 거리 어디쯤 / 밤.**

어딘가 걸터앉아 핸드폰과 씨름 중인 재훈. 카톡에 쓰고 지우기를 반복. '오늘부터 1일 ㅎ...' 지우고 스스로를 꾸짖는다. 미친놈.. '너가 좋은 꿈 꿨으면 좋겠ㅇ...' 지우고 스스로를 원망한다. 죽을까… 손가락이 오락가락하던 그때. 하윤에게서 톡이 온다. '빨리 안 해?' 바로 사라지는 1.

화들짝 놀라 핸드폰을 하수구에 빠트리는 재훈.

으아아악!!!!

바닥에 엎어져 손을 넣는다. 손이 닿을락 말락… 으…

안간힘을 써보는데… 하윤에게서 전화가 오고.. 헉! 손가락을 겨우 뻗어 전화를 받는다.

하윤 (F) 여보세요?… 여보세요?

재훈 으….

하윤 (F) 응?

손가락을 겨우 뻗어 스피커폰으로

하윤 (F) 너 뭐해?

재훈 누.. 누워있어!

하윤 (F) 와.. 팔자 좋네. 알았어, 잘 자.

재훈 아니.. 그..!! 너 좋아해!!! 하윤아 나 너 좋아해!!! 하윤아!! 들려?!! 너 좋아해~~!!!!

사람들 지나가는 복잡한 거리..

하수구에 대고 고백하는 재훈..

10. **도로 / 한주의 차 안 / 낮.**

한주의 차 안. 기분 좋게 웃고 있는 한주.

한주 … 너무 귀엽다.

좋은 건지 나쁜 건지‥ 그냥 창밖을 내다보고 있는

재훈 (생각을 털어내고) 그나저나 작가님 작품 이제 업계에 소문 돌아서‥ 큰 제작사들이 좋은 제안 들고 찾아갈 것 같은데‥ 저희랑 계약하시겠죠? 설마 친구에게 상처 주고 다른 곳이랑…

한주 모르죠. 정말 정확한 애라서.

재훈 음‥ 그렇죠. 사실‥ 일에선 정확해야죠. 프론데.

한주 아니. 일에서 말고… 친구 상처 주고 풀어주는 걸 정말 잘해요. 정확하게. (다부진 다짐) 이번엔 정말 안 넘어갈 거야. 안 풀릴 거야!

재훈 (가만히 보다가‥ 혼잣말‥) 너무 귀엽다‥

11. **은정의 집 / 낮 / 밤 / 낮.**

작업 모드로 자세를 잡은 진주. 눈을 감고 심호흡한다.

진주 (V.O) 드라마 속 남녀 주인공이 이제 곧 연애를 시작한다. 한쪽이 다른 한쪽에 고백을 한다‥ 고백‥

인서트

5부 3씬의 장면.

진주 내가 이 정도 했으면.. 너도 뭘 좀 했으면 좋겠는데..

침을 꼴깍 삼키는 환동. 뚫어지게 자신을 바라보는 진주의 시선을 피하지 않는다. 이내 다짐을 마친 환동. 소주를 몽땅 마셔버린 후

환동 (거침없이) 너 좋아해.

별로 감흥 없는 현재의 진주.

진주 (V.O) 고백.. 냉랭하던 사람이 대뜸 따뜻해져도, 달달하던 사람이 불쑥 밍밍해져도.. 고백이 뒤따르면 이상할 게 없는 것. 그래.. 어떻게 써도 이상할 거 없는 거야. 판타지라도 상관없어. 쓰자. 고백하자!

진주의 움직임 없는 뒷모습에서 밤이 되고.. 디졸브..
낮이 되고... 많은 시간이 흐르고.. 결국 스르르..
바닥에 누워버리는

진주 (V.O) 현실이든 판타지든.. 고백이 참 어려운 거네.
이게 뭐라고 젠장..

12. **은정의 편집실 / 낮.**

가편집 중인 병삼. 샌드위치를 사들고 들어오는 은정.

은정 오빠 먹자.

병삼 아우 배고파. (일어서 소파로) 오늘은 방송 있지?

은정 (포장 뜯으며) 아니. 방송은 아랑 언니가 다시 하기로 했어. 그게 내가 이 작품을 하는 첫 번째 조건이었지.

병삼 아하‥

은정 어쨌든 오늘도 잘 찍자.

병삼 그럼. 예~쁘게‥

은정 예쁘게는 오빠 여친 찍어줄 때나‥

병삼 (아차) 아 실수. 포인트 잘 잡아서. 놓치지 않게.

은정 정직하게.

병삼 정직하게 오케이.

정지하지 않았던 모니터에 6부 35씬, 대표와 민준의 대화가 나오기 시작. 당황하는 병삼.

은정 저거 우리 실수로 담긴 거지? 동의 없이.

병삼 아‥ 그치‥

은정 가서 지워.

병삼 응??

은정 동의 안 된 게 찍힌 건데 보면 안 되지. 정직하게.

병삼 아 넵!

병삼 일어서는데.. 뭐에 걸렸는지 다시 주저앉는다.
시선은 모니터를 향하고 있는 은정의 손이 병삼의 옷자락을 잡고 있다. 쩝.. 그냥 샌드위치나 먹는 병삼.

은정 (화면에 집중하며 영혼 없이..) 뭐 해… 지우라니까….

그냥 샌드위치나 먹는 병삼.
유심히 보는 은정.

13. 소문으로 들었소 방송국 자판기 앞 (휴게실 개념) / 낮.

자판기 앞에 선 은정. 설마 하며 눈을 씻어 재확인한다.
아무래도 안 되겠다. 그냥 의자에 앉는다.
아무도 없는 곳에 홍대와 둘.

은정 아무리 자판기라지만.. 생수가 1,200원이라니.. 사무실 앞 제과점도 가격 다 오른 거 알아? 5천 원이었던 샌드위치가 오늘 나한테 고백하더라. 저 사실.. 6천 원짜리였어요.. 후.. 제작비가 넘 빠듯해..

홍대 뭔가 반갑다.

은정 뭐가?

홍대 우리 처음 만나서 너 작품 준비할 때 그 모습 같아서.

은정 (슬쩍 드리우는 미소) 아.. 그치.. 근데.. 그때보다 빈곤을 받아들이는 힘이 현저히 떨어진 느낌이랄까..

홍대　체력이 전 같지 않다?

은정　응.

홍대　오래 쉬어서 가열이 좀 더디게 되는 거야. 걱정 마.

은정　스읍… 사실 전 작품으로 번 돈을 이번 작품에 재투자하는 건 너무나 정당하고 건강한 투잔데… 투자금이 너무 빠듯해.. 나.. 기부를 너무 탈탈 털어 한 거 아닐까?

홍대　(놀리듯) 뭐야? 뭐야? 후회하는 거야?

은정　엇. 아니야.. 에이~ 아니야..

14.　소문으로 들었소 방송국 복도 / 낮.

앞서 걷는 소민, 따르는 민준.

마주 오는 남MC에게 산뜻하게 인사하는

소민　안녕하세요~

남MC　네 소민 씨~ 잘 쉬셨어요?

소민　네~

남MC가 지나간 후.

소민　잘 쉬었냐니? 나 스케줄 없는 거 비꼰 거지?

민준　와우 (그게 어떻게 그렇게 돼?) 전혀 아니었어.

소민　그래? 그럼 나 좋아하는 건가?

민준　와우 (미쳤구나) 전혀 아니었어.

소민 정말 그런 느낌 아니었어?
민준 정말 목숨 걸고 아니었어.
소민 그래?
민준 응. 그래.
소민 뭐든 너무 확신하지 좀 마.
민준 아니 이건 너무 확실해서 그래.

확— 한 대 치려다가 자판기 앞에서 혼자 떠들고 있는 은정을 보게 되는

소민 재는 근데 왜 혼자 떠들어?
민준 혼잣말하는 거 몇 번 봤어.
소민 왜 그래?
민준 아 통화하는 건가?

이어셋이 없는데? 골똘히 생각하는 소민.

15. 제이비씨 드라마 국장실 / 낮.

차(茶)를 내리고 있는 인종. 소파에 앉아있는 범수. 문득 인종의 책상 옆에 커다란 RC카에 시선이 간다.

범수 RC카? 저런 취미가 있으셨어요?
인종 재밌어. 저 수레 연결해서 우리 애들도 태워주고.

어린아이 두 명쯤 태울 수 있는 작은 수레가 보인다.

차를 내주며 앉는 인종, 앞에 놓인 '서른 되면 괜찮아져요' 대본을 본다.

인종	서른 되면 괜찮아져요·· 제목이 이상하지 않아?
범수	제목에 꽂혀서 본 건데, 난.
인종	나이 먹으니 괜찮더라·· 하는 느낌이 우울해서 힘 빠져.
범수	위로 같아서 힘이 났는데, 난.
인종	에휴·· 그래 어쨌든 젊은 애들 쪽에서 반응이 좋네? 이례적인 작품이 될 것 같다. 간부가 아니라 평직원 반응으로 편성받는 작품.
범수	쇄신할 때도 됐죠.
인종	그리고 말이야·· 며칠 전에 환동이랑 동기랑 술 한잔했어.
범수	…(어쩌라고··) 아·· 네·· 안 부럽네요··
인종	그 자리에 정혜정 작가가 있었지.
범수	··(어쩌라고··) 아·· 뭐라고 위로의 말씀을··
인종	정혜정이 그 자리에서 환동이한테 자기 작품 연출을 제안했어.
범수	····· 아~ 걔 정 작가 전 작품 삐 팀 했었지.
인종	응. 환동이가 바로 '못 할 것 없습니다.' 그랬어.
범수	역시 잘 키웠어. 당연히 그래야지.
인종	정 작가 농담이겠거니 하고 넘겼지.
범수	그게 농담이면 재수 없는 건데.
인종	재수 없지 않으려는 건진 모르겠는데·· 다음 날 제작사에

서 정식 요청이 들어왔네?

범수 와.. 역시.. 막장으로 사람 관계 엮는 건 천부적이야..

인종 근데.. 정식으로 제안받은 환동이의 반응이 뭐였게?

범수 나한테 상의를 안 한 걸 보니 거절했구만.

인종 응.

16. 제이비씨 복도 / 낮.

여느 때보다 바쁜 범수의 발걸음.

마침 저 앞에 환동이가 보인다.

반갑게 인사하는

환동 어? 감독님. 식사하셨습니까?!

범수 으응~ 그래 환동아~ 먹자~

다가오는 환동의 귓불을 잡고 그대로 자판기 쪽으로 향하는.

환동 아.. 아..! 어인 일이십니까?!

범수 어인 일이 아니라 어이없는 일이다 이 새끼야. (내팽개치듯 바로 세우고) 너 정혜정 작가 대본 검토했어?

환동 아… 그..

범수 니가 뭔데 검토해?

환동 .. 에?

범수 무조건 해야지.

환동 …….

범수 됐어 말 길게 안 해. 아직 제작사에 피드백 안 줬으니까 대본 먼저 봐. 반만 맘에 들면 해. 아니 맘에 안 들어도 참고 해.

환동 맘에 안 들어도 합니까?

범수 확… 맘에 드는 작품으로 데뷔하는 거? 니가 쓰지 않는 이상 벌어지지 않는 일이야. 시청률이 보장되는 작가 작품으로 데뷔하는 거? 작가가 미치지 않는 이상 벌어지지 않는 일이야. 근데 작가가 미쳤어. 벌어지지 않는 일이 벌어졌다고. 가서 무조건 해. 그리고 인정받아. 그러고 나서 너한테 떨어지는 훨씬 더 많은 선택지를 받아. 그렇게 자리 잡는 거야. 알아들어?

환동 조감독으로서 제 의무 또한‥

범수 넌 내 작품 조감독이 아니라 제이비씨 감독으로 들어온 거야. 니가 뭔데 니 멋대로 기회를 날려? 그게 더 직무유기라고.

환동 …….

범수 제발‥ 사회생활 이렇게 꾸밈없이 하지 좀 말자. 그럼 그냥 꾸밈없는 호구되는 거야.

환동 … 검토‥ 하겠습니다.

그때 울리는 범수의 핸드폰.

슬쩍 발신자 확인하면 '진작' 진주 작가의 줄임.

범수　　검토 아니라 수락. (돌아서며) 밥 혼자 먹어 시끼야.

전화를 받으며 멀어지는 범수의 뒷모습.
유심히 범수를 바라보는 환동.

17.　　제이비씨 복도 / 낮.
진주의 전화를 받는

범수　　네~ 작가님.
진주　　(F) 감독님 좋아해요.
범수　　(빽사리 나듯 웃음이 새는)
진주　　(F) 좋아한다구요 감독님!
범수　　우울하구나?

18.　　은정의 집 / 낮.
소파에 늘어져 가만히 있던

진주　　네·· 가만히 있었는데·· 뭔가·· 좀 움직였으면 좋겠어요.
범수　　(F) 일어나세요.
진주　　아니·· 나는 가만있고 소파가 움직였으면 좋겠어요.
범수　　(F) 아·· 뭐 날으는 양탄자 뭐 그런 거?
진주　　오, 그치그치. 오~ 똑똑해.

범수　(F) 음·· 양탄자는 좀 그렇고··

19.　**공원 / 낮.**

인종의 RC카가 천천히 굴러간다. 수레가 연결되어 있다. 그 위에 진주가 앉아 가만히 앞을 주시한다. 그 앞엔 범수가 RC카 컨트롤러를 조작하고 있다. 두 사람은 별로 표정이 없지만 기분은 좋아 보인다.

범수　고백이라·· 고백·· 해야지·· 난 좀 담백한 게 좋은데··

진주　담백한 고백·· 우리 엄마가 진짜 담백하지.
아빠한테 먼저 고백했는데··

범수　오·· 그 시절에··

진주　젊은 사람이 사장님인 게 멋있어 보였다나··

범수　사장님?

진주　세탁소.

범수　아·· 흔치 않네. 세탁소에 젊은 사장님.

20.　**80년대 세탁소 앞 / 낮.**

열심히 다림질을 하고 있는 젊은 남자. 세탁소 창문 너머 중국집 앞에 젊은 여자가 뚱하니 남자를 보고 서있다.
남자가 여자를 발견하고 어색하게 수줍게 알은 체를 한다.
아무런 반응이 없는 여자. 그냥 중국집으로 들어간다.

진주 (V.O) 엄마는 건너편 중국집 딸래미.

21. 80년대 세탁소 안 / 낮.

툭― 던지듯 놓이는 짜장면과 단무지. 50대 중국집 사장이 탕수육까지 올려놓고 자리에 앉는다. 손을 씻고 나오는 젊은 남자. 시키지 않은 탕수육을 보고.

남자 어? 사장님 저 탕수육 안 시켰는데..

사장 (부채질이나 하며 무심한) 우리 딸이 너 좋댄다.

자장면 비비는 속도가 느려지는 남자.
무심한 표정으로 탕수육 소스 뿌려주는 사장.

범수 (V.O) 아.. 아빠한테 시키셨구나..
담백한 게 아니라 굉장히 유니크한데?

22. 현재 / 세탁소 / 낮.

주상복합단지 내 독점이 가능한 세탁소 안. 점심시간.
탕수육을 가운데 놓고 하나 시킨 자장면을 나누고 있는 진주 모, 부. 빈 대접에 자장면을 옮기기 위해 크고 길게 한 젓가락 올리는 진주 모　잘라. 잘라.

길게 늘어진 면을 가위로 자르는

진주 부　더 가져가.

고개를 절레절레하고 탕수육을 먹는 진주 모.

23.　공원 / 낮.

여전히 수레에서 움직임이 없는 진주.

컨트롤하며 따라 걷는

범수　뭐 고백 씬 하나에 그렇게 헤매요?

자기가 하는 고백도 아니고.

진주　내가 하는 거지. 내가 쓰는 건데.

범수　기술적으로 하라고요, 작가로서의 기술.

진주　흠… 고백이 씨름 기술 같은 거면 좋겠다. 밭다리 같은 거.

훈련으로 가능한 거니까 그게 더 쉽겠어.

범수　후… 역시 이 문젠 둘 중 하나야.

진주　뭐요?

범수　하나. 너무 이입해서 드라마 속 주인공이 자기라고 생각하는 거.

진주　미쳤다는 거네.

범수 둘. 이야기 공정성의 문제.

진주 이잉?

범수 어딘가 개연성에 문제가 있는 거라고요. 어딘지 당장 못 찾겠지만, 전개상 이 고백이 작가 스스로 받아들이기 어려운 거지.

진주 (가만히 범수를 본다)

범수 (얼마큼 마주쳐야 하나… 피해야 하나…)

진주 참… 여자 힘들게 하는 스타일이다.

범수 갑자기?

진주 여자가 어떤 문제를 안고 있을 때 꼬옥 그렇게 정확하게 분석해서 해결하려고 들지 말라고. 그게 연인 사이에서만 적용되는 게 아니라고.

범수 그럼 왜 여자는 반대의 입장에서 생각하고 주의하지 않습니까?

진주 이거 봐. 이거 봐. 또. 글렀어. 삶이 다하는 그날까지 절대 연애하지 마요.

범수 아이구~ 네 감사합니다.

진주 (삐친 듯 째려보는데 옆으로…)

옆으로 걸음이 느린 한 할아버지가 산책 중이다.
할아버지는 작은 수레를 끌고 있다.
그 수레엔 강아지 두 마리가 있고, 진주가 앉아있는 것과 같은 것이다. 뾰로통하던 진주의 얼굴에 표정이 사라진다.

진주 속도를 내든지.. 늦추든지..

속도 내는 것을 선택한 범수.

24. 제이비씨 구내식당 / 낮.

사람이 별로 없는. 때 지난 식사를 하고 있는 환동과 동기.
계란 프라이를 내주고 앉아 바나나를 까먹는 다미.

환동 고마워요.

가만히 다미를 쳐다보는 동기. 그 눈빛이 가당찮은

다미 뭐지…
동기 오늘이 고백 데이래.
다미 …… 근데요..?
환동 고백 데이..? 그건 9월 며칠 아니에요? 그날부터 사귀면 100일째 되는 날이 크리스마스라고.
동기 오늘부터 사귀면 100일째 되는 날이 내 생일이지.
다미 아…
동기 난 이 식당의 영양배합이 다른 어느 곳보다 훌륭하다고 생각해. 다미 씨 덕분이지. 보답하는 차원에서 다미 씨가 나에게 고백할 수 있는 기회를 주도록 하겠어. 자, 해.
다미 …… 저 감독님 존나 싫어요.

동기 음…

환동 고백은 고백이네…

25. 제이비씨 야외 벤치 / 낮.

다미 대박!! 대박!! 와우와우~!!

벤치에 앉아 커피를 마시는 정적인 환동과 호들갑에 발이 땅에 붙어있지 못하는

다미 그러니까 감독님의 구 여친이 현 작가님이고 내가 그 작가님을 좋아하고 있다고 분석한 감독님이 손 감독님이고 그 감독님의 조수가 감독님이고 그 작가님을 보조 작가로 쓰다 자른 작가님이 오빠한테 연출을 제안하고 손 감독님은 가장 아끼는 후배인 오빠에게 그 제안을 무조건 받으라 하고 오우 지저스 크리스마스‥

환동 …‥ 놀란 지점이‥ 어딘 거야‥?

다미 일단은 작가님이 구 여친이라는 거. 와우…
이거 뭐 쫓아다니면서 보고 싶네‥

환동 감독님이 날 보내려는 건 이해가 되는데‥

다미 감독님이 작가님을 좋아하는 것 같다. 에이 설마 그건 아닐 거야, 라고 생각했는데 정말 그게 사실이라면 내가 좀 거슬릴 수 있겠구나, 좋은 구실이 생긴 김에 망설임 없이

바로 보내버린다? 뭐 그런 생각까지 간 건가?

환동 그런 분이 아닌 걸 알면서도.. 자꾸 지질한 생각을 하네, 내가.. 내가 왜 그걸 신경 쓰고 있는 걸까…

다미 괜찮아. 사랑했던 사람은.. 평생 신경 쓰이는 사람으로 남는 거니까..

환동 그래요?

다미 그럼요. 잘되도 싫고 안되도 싫고, 내가 아는 사람이랑 잘되는 건 조온나 싫고.

환동 …… 그렇다면…. 아 되게 신경 쓰여..

26. 공원 / 낮.

느긋하게 공기 마시며 산책 중인 두 사람.

진주 고백 한번 해볼래요?

범수 나요? 작가님한테?

진주 네. 남자 주인공이라고 생각하고.

범수 음…… (부드럽게 바라보다) 인상적이네요.

진주 …… 고백이야?

범수 네.

진주 그게?

범수 네.

진주 고백이 참.. 미적지근한 심사평 같네.

범수 하는 사람이 뜨거우면 되지. 단어가 뭐 중요한가.

진주 (미적지근한 단어를 사용했지만 범수의 느낌이 진짜 같다…)

범수 (바라보지도 못하는. 그래서 더 진심 같은) 인상적이에요.

뭔가.. 심장 떨리는 분위기…. 로 가는데..

설렘 연기 모드 해제하며

범수 요런 느낌 어때요?

진주 …. 아……

범수 담백하고 좋지 않나?

진주 (피식―) 좋네요.. 좋아요.

범수 (웬일이래…)

수줍게 웃으며 곁눈질하는 진주.

천진하게 장난치고 웃는 범수에게 설렘을 느낀다.

진주 … (멈칫)… 키스해도 되요?

범수 ….. 에?….

진주 (진짜 같다…)…. 키스만.

범수 (진짜 같다….)…. 그….

진주 (설렘 연기 모드 해제하며) 요런 느낌 어때요?

에헤헤헤 재밌게 웃는 두 사람. 다시 걸으며..

기분 좋은 미소가 담기는 범수와 진주의 얼굴.

가깝게 걷던 두 사람의 손이 닿을 듯 말 듯.

누가 먼저랄 것 없이 손을 잡고 걷는다.

서로를 바라보지 않는.

기분 좋은 미소에 어색함이 약간 서린.

그러다 슬쩍 눈이 마주치게 되는.

진주, 어색함에 손을 빼려는데, 범수의 손이 진주를 잡는다.

미소는 가시지만 싫지 않은 긴장과 어색함이 남는..

그때 누가 먼저랄 것도 없이 손을 떼며, 에헤헤헤헤헤~

범수/진주 요~ 런 느낌?

에헤헤헤헤헤~ 바보같이 웃으며 걷는 두 사람.

다미 (V.O) 스~ 르~ 르~

27. 제이비씨 야외 벤치 / 낮.

환동 응?

다미 빡! 이 아니고. 스~ 르~ 르~

환동 스르르..?

다미 감정이 빡 오는 게 있고 스르르 오는 게 있잖아. 해 봤잖아?

환동 음.. 난 빡도 아니고 수루루도 아니었던 것 같은데..

다미 그럼?

환동 음… 그냥… 은근슬쩍.. 갑자기..?

다미　　그래 은근슬쩍 갑자기. 스르르 빡.

환동　　…….

다미　　아무튼 저쪽은 스~ 르~ 르~ 같단 말이지.. 근데… 우린 왜 맨날 그 사람들 얘기만 할까…?

환동　　…….

28.　　공원 / 낮.

여전히 걷고 있는

범수　　그럼 처음부터 해봅시다. 자기소개하고 밥 먹고 영화 보고 뭐 그런 거. 고백부터 하니까 어색하잖아.

진주　　데이트. 콜. 시작하시죠.

범수　　(갑자기 표정 바꾸는) 무슨 일 하세요?

진주　　작가요. 무슨 일 하세요?

범수　　감독이요. 작가면 남친 없겠네요?

진주　　왜요?

범수　　예민해서.

진주　　..감독이면 여친 없겠네요?

범수　　왜요?

진주　　재수 없어서.

잠깐의 정적 후.. 에헤헤~ 재밌다고 웃는 두 사람.

뭔가 잘 어울림.

범수　　자 이제 밥을 먹으러 가시죠. (친절하게 웃으며) 뭐 좋아해요? 진주 씨.

진주　　범수 씨가 제일 좋아하는 거 먹어보고 싶어요.
(친절하게 웃으며) 뭐 좋아하세요?

29.　평양냉면집 전경 / 낮.

30.　평양냉면집 안 / 낮.

점심시간이 지나 자리가 꽤 남아있는.
자리를 잡고 주문을 하는

범수　　여기요. 냉면 두 개요.

직원　　네~

메뉴판을 유심히 살펴보는 진주.

Cut To

먹음직스런 냉면을 앞에 두고 물끄러미 내려다보는 진주.

진주　　냉면 좋아하시는구나..

범수　　면은 다 좋아해요. 면 요리 싫어요?

진주　　아뇨. 라멘 자장면 다 좋아하는데 평냉은 처음이라..

범수 (면을 풀며) 라멘도 좋고·· 자장면도 좋은데·· 일본이나 중국에선 오래 살 수가 없어요. 평양냉면이 없거든. 아·· 근데 이게 처음이라니·· 어우~ 30년 아까워. 이제부터라도 열심히 드세요.

미심쩍은 표정으로 젓가락을 드는 진주.
맛있게 흡입하기 시작하는 범수.

진주 (조심스레 맛을 보곤··) 뭔가·· 잘못된 거 같은데··?

31. 평양냉면집 앞 / 낮.

먼저 나온 진주가 범수를 기다린다.
계산을 마치고 나오는 범수를 의아하게 쳐다보며

진주 돈 냈어요?

범수 에? 냈죠.

진주 아·· 돈을 내고 먹는 거였구나. 아무 맛도 안 나길래.

범수 자 오늘 먹었으니까 경과를 두고 보죠.

진주 뭐 한약 먹은 것도 아니고 경과를 두고 봐요?

범수 이 음식이 그래요. 뭐야 이거? 하다가 다음 날 갑자기 생각나. 그때부턴 빠져나올 수가 없는 거거든.

진주 (뭔 소리지?)

범수 오늘 밤에 자다가 생각날 수도 있어요. 아·· 이거 뭐지?

평냉 먹고 싶어‥ 하고.

32. 카페 / 낮.

케이크 한 조각. 조각이라 하기엔 좀 큰‥

맛있게 먹는 진주와 재밌게 보는 범수.

범수 근데‥ 따지려는 게 아니고‥ 그냥 궁금해서‥ 밥 먹고 케이크를 왜 먹어요?

진주 (무슨 말인지…) 밥을 먹었으니까 먹죠.

범수 아니‥ 밥을 먹었잖아. 방금 먹었는데‥

진주 밥 먹기 전에 먹긴 그러니까‥

범수 아니‥ 밥 먹고 또 밥 되는 걸 먹어?

진주 밥 되는 게 아니라 케이크가 되는 거죠.

범수 아니…. 아 아니에요 됐어요. 드세요.

33. 영화관 안 / 낮.

좌석 번호를 찾아 앉는 범수와 진주.

범수 코미디 영화 좋아해요?

진주 시간 맞는 영화 좋아해요.

범수 음‥ (끄덕끄덕) 뭐‥ 팝콘 하나 있어야 되는 거 아닌가‥

집어 먹다가 손 부딪치고 그런 거 하려면.

진주 (범수의 손등을 손등으로 부딪치며) 아이고~ 부딪쳤네~

범수 … 아이… 설레‥

재밌게 웃는 두 사람.

Cut To

'극한직업'을 보며 자지러지게 웃는 사람들 가운데‥

그닥 재미를 못 느끼는 범수와 진주.

34. 소문으로 들었소 스튜디오 앞 / 밤.

스태프들과 인사를 나누며 나오는 소민과 민준.

소민 (지나는 스태프들에게) 수고하셨습니다. 수고하셨습니다.

민준 소민아 나 스케줄 얘기하고 갈게 옷 갈아입고 있어.

소민 응.

뒤이어 아랑과 은정이 스튜디오를 빠져나온다.

카메라를 확인하며 뒤따르는 병삼.

아랑 어때? 이소민.

은정 음‥ 특이해. 특이해서 내가 설정을 준 느낌이랄까‥

아랑 대중적으로 나올 수도 있겠다.

은정 그냥 따라가 보려고. 정직하게.

아랑 오케이. 자세 좋네. 나 바로 가봐야 돼. 수고하고.

은정 응.

병삼 나 화장실 좀.

은정 응.

35. 소문으로 들었소 분장실 앞 / 밤.

문 앞에서 하릴없이 서있는 은정.

걸어오는 병삼이 보이자 빨리 오라는 손짓.

병삼 뭐해?

은정 그냥 있어. 들어가자.

병삼 응?

36. 소문으로 들었소 분장실 안 / 밤.

아무도 없는 분장실 안으로 들어오는 은정과 병삼.

은정 (대뜸) 뭐라고?

병삼 ??

은정 민준 씨가 큰 회사에서 스카웃 제의를 받았다고?

병삼 (미친 건가··?) 응?

은정 그건 어떻게 알았어?

병삼　(얼떨결에) 에.. 그.. 카메라에.. 찍혀가지고..

은정　동의 없이 찍지 말라고 했지?

병삼　(이런 씨부랄..) 응... 미안..

은정　근데 어디 회사? 그럼 소민이 매니저 그만두는 거야?
(병삼이 들고 있는 카메라 톡톡— 치며) 어떻게 되는 거야?

병삼　(뭐야 이거...) 그.. 뭐.. 나야.. 모르지..

은정이 카메라를 재차 두드리자 얼결에 카메라를 켜는데.. 순간 탈의실에서 박차고 나오는 소민. 주위를 살필 것도 없이 밖으로 나가버린다. 벙찐 병삼. 따라가라는 은정의 고갯짓에 반사적으로 카메라를 들고나간다.

37.　소문으로 들었소 복도 / 밤.

소민의 성난 발걸음. 멀리 민준이가 태연하게 걸어오고 있다. 바삐 걷던 민준, 표정 없이 노려보며 다가오는 소민을 보고 걸음이 느려진다. 마주 선 소민과 민준.
아무런 말 없이 별다른 표정 없이 자신을 쳐다보는 소민 덕에 생각이 많아지는

민준　아... 모르겠어.. 모르겠는데? 내가 뭘 잘못한 거지?

소민　......

민준　아.. 모르겠지만 일단 내가 몸을 좀 낮출까?

소민　사랑해.

민준 !!

뒤에서 그 모습을 찍고 있던 병삼과 은정.

의외의 단어에 갸우뚱.

민준 ……(자신에게 화가 난 듯) 내가 뭘 얼마나 잘못한 거야?!

소민 (민준의 어깨에 팔을 두르고) 가자.

민준 소민아‥ 무서워‥

두 사람의 뒷모습을 바라보고 선 은정. 괜한 웃음이 샌다.

병삼 감독님… 굉장히 정직하네‥

은정 …. 가자.

38. 치킨집 / 밤.

맥주를 앞에 두고도 생각이 많은

진주 고백이란 무엇인가.

범수 (혼자 잘 먹다가) 응?

진주 그냥 근본적인 질문을 해보고 싶네요.

범수 음‥ 정체성에 대한 고민까지 가셨구나‥

진주 그냥‥ 생각을 묻는 거예요.

범수 음‥ 고백하는 방법보다‥ 이 사람이 이 사람을 좋아하게 되어 버린 그 마음·· 그 마음을 잘 그려내는 게 더 중요한 거 같아요. 드라마를 보는 사람도 그 마음에 대해 감정이입을 하면·· '좋아해요' 이 한마디로도 충분하지 않을까?

아무 말도 없는 진주. 그게 또 신경 쓰이는

범수 왜··· 왜요? 왜 또?

진주 그러니까 내가···

범수 네··

진주 그 마음을 잘 그려내지 못했다는 거네··
그걸 잘못 썼다는 거네·· 내가 못썼네.

범수 아·· 진짜·· 또 그렇게 되네, 이게. 와아··

진주 네~ 저 글 못써요. 작가가 글을 못쓰다니, 한글이나 겨우 깨우친 주제에 작가랍시고 명함을 팠네요. 네~ 죄송합니다~

범수 에이·· 거 참··

진주 그래서·· 범수 씨는 전 여친과··

범수 !!

진주 그 마음을 잘 그려낸 후·· 뭐라고 고백했나요?

종업원이 치킨을 내오고 무 등을 내려놓는다.

범수 (갑자기 얼굴이 빨개지는··)

진주 왜 얼굴이 빨개져요··?

범수 술 먹어서요.

범수의 잔은 아직 그대로다. 범수의 얼굴이 더 빨개진다. 종업원도 자리를 떠나지 않고 범수를 주시한다.

진주 에…? 에에? 계속 빨개져.. 씨뻘개.. 엄머.. 아 뭐 차 트렁크에 풍선 넣었어요? 뭐 그렇게 쪽팔려 하…

범수 (…… 그랬다)

진주 (그랬구나…)

갑자기 뛰쳐나가 미친 듯이 거리를 내달리는 범수. 가만히 멀어지는 범수를 보고 있는 진주.

Cut To

다 뛰고 돌아와 앉는 범수. 숨을 고른다.

진주 (대수롭지 않은) 됐어요?

범수 네. 괜찮아졌어요. (맥주를 마시는) 그때 차를 처음 뽑아가지고.

진주 마셔요 그냥.

범수 네.

39. 거리 / 밤.

한가로운 걸음. 나란히 걷는 두 사람.

진주　　밥 먹고·· 디저트 먹고·· 가만히 앉아 영화 보고··
술 한잔하고·· 데이트는 참·· 칼로리가 높은 거 같아요.

범수　　집까지 걸어서 갈까요? 데려다줄게요.

진주　　좋아요.

범수　　이렇게 군말 없이 좋아요 한 거 처음인 거 같은데?

진주　　군말 없이 좋으니까.

39-1. 거리 / 밤.

재훈의 퇴근길…

가다가 문득 꽃집 앞에 멈춰서 꽃을 본다. 물끄러미.

39-2. 과거 / 꽃집 안 / 밤.

재훈이 하윤의 손을 잡고 들어온다. 하윤은 표정이 좀 우울. 위로해주고 싶은 재훈이 하윤의 표정을 살피며 꽃들을 둘러본다.

재훈　　꽃들 좀 봐봐. 우리가 모르는 게 되게 많아.

하윤　　…… 예쁘네.

재훈　　가만히·· 보고 있으면·· 기분이 좋아질 거야.

하윤　　나 괜찮아. 고마워.

재훈　　(꽃 한 송이 하윤의 얼굴에 가져다 대며) 어디 보자… 누가 더 이쁜가… 아… 젤 예쁜 걸로 골랐는데·· 얘가 졌네.

슬쩍 웃음이 새는 하윤.

재훈 기다려.

꽃 몇 송이를 골라 카운터로 향하는 재훈.

Cut To

쪼그려 앉아 꽃을 보고 있는 하윤에게 다가와 꽃다발을 건네는 재훈. 받아 들고 화사해지는 하윤.

재훈 아… 좋다. 니가 웃으니까 이렇게 좋은걸. 다 잘 될 거야.

애정 가득 담긴 예쁜 눈으로 서로를 마주 보는 두 사람.

39-3. 현재 / 꽃집 앞 / 밤.

꽃 한 다발 사들고 꽃집에서 나오는 재훈.

39-4. 재훈의 집 / 밤.

어두운 방. 아무도 없는. 꽃다발을 식탁에 올려놓고 화병을 꺼내 물을 채우는 재훈. 그러다 시계를 보고…

식탁에 앉아 하윤에게 전화를 건다. 받지 않는다. 폰을 내려놓고 꽃다발 포장을 벗긴다.

그때 문자가 오고. 확인하면 하윤의 톡.

하윤 '나 친구들 만났어.'

재훈 '술 마시니?'

하윤 '응'

재훈 '늦어?'

하윤 '먼저 자'

가만히 폰을 보다가 내려놓고 일어서는 재훈. 욕실로.

40. 다른 거리 / 밤.

한가로운 걸음. 나란히 걷는 두 사람.

진주 온 식구가 드라마를 좋아했는데.. 취향이 갈렸어요. 아빠랑 동생은 사극. 엄마랑 나는 멜로. 엠비씨에서 허준이 한참 방영되고 있을 때였어요.

드라마 허준 OST 흐르고.

진주 동 시간 케이비에스에선 가을동화가 하고 있었죠..

정일영 '기도' 흐르고.

범수 아‥ 기억나‥

진주 그땐 그야말로 분단가정이었어요.

범수 근데 그 어린 나이에 사극을‥

진주 허준은 유독 그랬죠. 예진 아씨 좋아하고 한의사를 꿈꾸고.

범수 하긴‥ 문근영이 다시 태어나면 나무가 되겠다고 했을 때‥ 나도 나무를 꿈꿨었지.

진주 가을동화 쪽이었구나?

범수 네‥

진주 아무튼 내가 작가를 하면 온 가족이 분쟁 없이 한 드라마를 보겠구나‥ 설마 내 거는 같이 보겠지. 내가 만들어 버리자‥

범수 대통합‥ 평화를 위해서였어‥

진주 와‥ 근데 의외다. 범수 씨가 가을동화 쪽이라니‥

정일영 '기도' 이어지고‥

범수 사춘기 때기도 하고 내가 은근 멜로가 체질이라‥

진주 여자에 대해선 그렇게 모르는데‥ 남자 쪽 판타지가 있구나? 막 원빈 따라 하고 그랬죠?

범수 사랑? 웃기지 마. 이젠 돈으로 사겠어. 얼마면 돼? 얼마면 되니?

진주 얼마‥ 주실 수 있는데요?

범수 와‥ 우린 그걸 분식집에서 했거든. 만두? 웃기지 마. 이젠 돈으로 사겠어. 그러니까 분식집 아줌마가‥ 그럼 전엔 훔

쳐 먹었냐고··

재밌게 웃는 두 사람·· 음악 고조되며 재밌는 대화를 이어 가는 두 사람의 모습···

41. **은정의 집 앞 / 밤.**

한가로운 걸음이 아파트 입구 앞에서 멈춘다. 은은하게 미소가 남은 대화를 마친 두 사람이 잠시 마주 본다.

진주 고마워요. 들어갈게요. 범수 씨.

범수 네. 갈게요, 진주 씨.

돌아서는 범수를 잠시 보다가

진주 고백할 생각 없어요?

범수 (돌아본다. 진지한데. 잠시 바라보다) 어쨌든·· 내일 또 봅시다.

진주 (분위기 깨지고) 에이 진짜·· 이번엔 또 미생이야? 그거 강하늘이 임시완한테 한 말이구만.

진주의 말이 끝나기도 전 다가와 입을 맞추는 범수.
놀라는 진주의 눈. 천천히 감기는 범수의 눈.
영락없이 입을 맞춘 듯 보였으나··
사이드에서 보니 한참 떨어져 있는 둘의 입술.

범수 (천천히 눈을 뜨며) … 요런 느낌….

진주 …… 진부해…

빽쭘하게 바로 서는 범수‥ 그때, 그의 시선에‥ 입구 앞‥ 재활용, 음식물, 일반 쓰레기를 들고 나란히 서있는‥ 은정, 한주, 효봉. 돌아보는 진주. 화들짝 놀라 한 발짝 물러선다. 범수와 나란히‥ 얼음‥ 잠시‥ 정적‥ 표정 변화 없이 쓰레기장으로 나서는 은정, 한주, 효봉.

범수 (아무 표정 없는) 안 했어요.

진주 (아무 표정 없는) 안 했어.

모른 척 지나가는

은정 사람이 키스하는 거 실제로 본 적 있어?

한주 나 방금.

효봉 나 신촌에서.

범수 안 했어요.

진주 안 했어.

움직임이 없는 진주와 범수.

밤이 깊다‥

42. **은정의 집 / 밤.**

거실. 여느 때와 다르게 드라마를 보며 조용히 맥주를 마시고 있는·· 모른 척 말이 없는 게 더 싫은 진주.

슬쩍 진주를 보다 눈 마주친 효봉. 다시 휙─ 피하고.

진주 (저··· 쌍···)

TV에 시선을 둔 채 일상적인 느낌으로 나누는 세 사람의 대화.

은정 반상회 때 단지 내 키스 존을 만들자고 제안하면 어떨까? 차 없이 데려다주는 경우엔 마땅히 키스할 곳이 없잖아.

효봉 우리나라도 이제 길에서 입 맞추는 광경이 낯설지 않은데·· 그런 게 꼭 필요할까?

한주 아무래도 거주 지역엔 어르신도 많으니까··

에잇! 짜증 내며 방으로 들어가 버리는 진주. TV에 시선을 둔 채 일상적인 느낌이나 진주 들으라고 목소리가 커지는

은정 부스를 하나 만들면 될 것 같아. 두 사람 딱 들어가게~

효봉 무드등도 하나 달아야겠네~

한주 그럼 전기요금 정도는 받아야지 않을까?

진주 아아아아~!!!!

42-1. 은정의 집 / 밤.

문득 달달해지는

효봉 음·· 로맨스 우수 단지로 선정될 것 같아.

한주/은정 으으음~~~

일동 으으음~~~

42-2. 은정의 방 / 밤.

침대에 누워 불을 끄는 은정. 잠이 안 오는지··

다시 불을 켜고 생각.

42-3. 과거 / 어느 골목.

손을 잡고 걷는 홍대와 은정. 서로 말이 없다.

어느 지점에서 멈춰 선다. 쭈뼛거리다 마주 본다.

홍대 뭔가·· 벌어질 거 같지 않아요?

은정 뭐요?

홍대 모르겠어요.

은정 알려줄까요?

42-4. 은정의 방 / 밤.

가만히 생각하다가…

은정　우린 누가 먼저 고백한 거야?

아무도 없는 밤. 홍대의 목소리가 들린다.

홍대　(V.O) 음… 반반?

42-5. 한주의 방 / 밤.

곤히 잠든 인국의 옆에 누워 지난 추억을 상기해보는 한주…

42-6. 1부 21씬 / 밤.

한주를 웃기고 있는 승효

42-7. 한주의 방 / 밤.

그게 뭔 좋은 추억이라고 미소 지으며 눈을 감는

한주　헤헤‥(무표정으로 돌아오며) 젠장.

잠이나 청해 본다.

42-8. 재훈의 집 / 밤.

어두운 방. 침대에 누워 혼자 잠을 청하는 재훈. 뒤척임. 시계를 보니.. 1시가 훌쩍 넘은. 뒤척이다 아직 식탁에 그대로 놓인 꽃다발이 눈에 들어온다. 다시 뒤돌아 잠을 청하려는데.. 결국 일어나 침대에 걸터앉는 재훈. 가만히 꽃을 보다가… 일어나 꽃을 들고 나간다.

42-9. 쓰레기장 / 밤.

쓰레기 더미 사이에 버려지는 꽃다발.

43. 진주의 방 / 밤.

침대에 누워 눈만 꿈뻑꿈뻑거리고 있는 진주.

플래시백. (상상)

저벅저벅 다가와 입을 맞추는 범수.

영락없이 입을 맞춘 듯 보였으나..

사이드에서 보니.. 응.. 영락없이 입술이 닿은..

절레절레 생각을 털고 눈을 감아버리는 진주. 새근새근…

잠이 드는… 것 같았으나 벌떡 상체를 일으켜 앉아 뚱하니··

진주 (V.O) 생각나네·· 평양냉면··

44. 범수의 집 주방 / 낮.

식탁 위에서 울리고 있는 범수의 핸드폰.

편한 가내복 차림의 범수, 진주임을 확인하고 받는다.

범수 네.

진주 (F) 밥 먹었어요?

범수 ……

45. 평양냉면집 안 / 낮.

후루룩— 후루룩— 맛있게 면을 흡입하는 진주.

그 모습을 기분 좋게 바라보고 있는 범수.

범수 오늘 참·· 내가 좋아하는 소리 많이 듣네요··

진주 …. 음? 뭐가요?

범수 음….

46. 범수의 방 / 낮.

침실. 곤히 잠든 범수의 얼굴에 햇살이 와닿는다. 찡긋.
눈을 뜨지 않고 햇살을 피해 몸을 옮기는 범수의 표정이 평화롭다.

범수 (V.O) 늦잠으로 밀린 잠을 채운 토요일 늦은 아침.

세탁실. 세탁기에 빨래를 넣고 세제를 넣고 버튼을 누르는

범수 (V.O) 세탁기를 돌리고··

침실. 소파에 누워 책을 읽는

범수 (V.O) 다시 침대로·· 한참을 뒹굴뒹굴·· 누워서 책도 읽고.
구름 걷힌 햇살이 얼굴에 사악·· 닿아서 기분이 좋아요.
그때 세탁기에서 슈베르트의 송어가 흘러나오죠.

띠리리디리리딩딩딩딩딩디디디딩~ 슈베르트 송어.
입 모양으로 송어를 따라 하는 범수.

범수 (V.O) 난 그 소리가 좋아요. 자 이제 빨래를 널어야 하는데·· 햇살 닿은 이불이 뽀송뽀송 스삭스삭··

이불에 얼굴을 부비는

범수 (V.O) 기분이가 좋아 일어나기 싫은데…

띵동—

현관. 택배기사의 목소리. "택배 왔어요~!!"

범수의 집 현관 점프.

택배를 받는

범수 (V.O) 택배 왔어요~ 난 그 소리가 좋아요.

범수의 집 드레스 룸 점프.

거울 앞의 범수, 택배로 받은 옷이 마음에 드는

범수 (V.O) 간만에 인터넷쇼핑으로 주문한 옷 사이즈가 딱 맞네요. 기분이가 더 좋아져 빨래를 널기로 합니다.

범수의 집 베란다 점프.

빨래를 널고 있는 범수의 배에서 꼬르르륵—

범수 (V.O) 빨래를 다 널 때쯤.. 꼬르르륵— 난 그 소리가 좋아요. 아.. 뭘 먹을까.. 해먹긴 귀찮고 시켜먹긴 싫고..

범수의 집 주방 점프.

라면용 냄비에 물을 맞춰 인덕션에 올리고 라면 봉지를 뜯

으려는

범수　(V.O) 에라 모르겠다, 라면이나 끓여 먹자하는데‥

식탁 위에 있던 범수의 핸드폰이 울린다. 전화를 받는

범수　네.

진주　(F) 밥 먹었어요?

기분이가 좋아지는 범수의 얼굴.

범수　(V.O) 밥 먹었어요? 그 목소리가‥
난 참‥ 차암‥ 좋더라구요.

끓고 있던 냄비의 물이 고요해진다.

47.　평양냉면집 안 / 낮.

45씬과 이어지는.

진주　응? 뭔 좋아하는 소리‥?

범수　(기분이 좋은) 음‥ 아니에요.

진주　응?

범수 아니에요. 그냥. 작가님 냉면 먹는 소리요. 후루룩 후루룩.

진주 … 평양냉면스럽게… 싱겁긴..

범수 하하. 드세요.

후루룩 후루룩 맛있게 면발을 빨아들이는 진주.
범수도 크게 한 젓가락. 음.. 음.. 맛을 음미하며 좋아하는 두 사람. 가게 밖에서 보이는 두 사람.
다시 면발을 흡입하고 음.. 음..

범수 근데.. 그거 뭐.. 고백을 꼭 해야 되나?

대꾸 없이 국물을 그릇째 삼키는 진주의 모습..
범수도… 그 모습에서…

"사랑을 시작하기 전에 들춰서 보이는 건
사랑하는 마음인데...
시작하고 난 후에 들춰서 보이는 건...
미워하는 마음 아닌가..?"

_ 진주의 말 중

· 8부 ·

8

1. 무지에 자막.

'여호와 하나님이 그 사람에게 명하여 이르시되 동산 각종 나무의 열매는 네가 임의로 먹되 선악을 알게 하는 나무의 열매는 먹지 말라. 네가 먹는 날에는 반드시 죽으리라 하시니라.'

2. 에덴동산 / 판타지.

에덴동산 위 평화로운 나무 한 그루. 벌거벗은 아담이 나무 그늘 아래 누워 달콤한 낮잠에 빠져 있다. 나무에 기대어 그를 사랑스럽게 바라보는 하와. 아담에게 고요히 닿아 있던 그녀의 시선이 호기심을 싣고 위로 향한다.
탐스러운 열매가 보인다. 그 열매를 향하는 하와의 섬섬옥수. 열매를 집는 하와의 손과 핸드폰을 집는 누군가의 손이 디졸브. 열매를 돌려 따는 하와의 손.
핸드폰의 패턴을 푸는 누군가의 손.

2-1.　　재훈의 집 / 밤.

잠들어 있는 재훈. 술에 취한 듯 보이는 하윤이 들어온다. 잠이 깬 건지 잠결에 들척이는 건지 벽 쪽으로 몸을 돌리고 자는 재훈. 그런 재훈을 보며 다가가 침대에 걸터앉는 하윤. 짧은 한숨을 내쉬고 잠든 재훈은 내려다본다.

그리고 머리맡에 있는 재훈의 핸드폰을 아무렇지 않게 집어 패턴을 푼다. 대수롭지 않게 카톡부터 문자, 사진첩까지 열어보는 하윤.

3.　　카페 / 낮.

범수　　오.. 오.. 너무 끔찍해.

읽던 대본을 내려놓고 심각한 표정을 짓는 범수.
마주 앉아 반응을 보던

진주　　.... 로맨틱코미디 대본을 보면서 끔찍하다니..?
범수　　어떻게.. 어떻게 남자친구가 잘 때 핸드폰을 몰래 봐요?
진주　　그 지점이에요? 끔찍한 게?
범수　　파멸이야.. 다 죽어..
진주　　뭘 죽기까지.. 이거 뭐 흔한 일인데..
범수　　(힘주어) 흔하면 안 돼에.. 도대체 뭘 확인하려는 거죠?
당신이 만나고 있는 사람이 부정한 사람이라면, 그런 사람은 가만히 있어도 다 드러나게 돼 있어. 굳이 애써 파헤치지 말라고.

진주 아니 내가 파헤쳤나 왜 나한테‥

범수 상대방의 부정을 미리 확인하는 게 이득이라고 생각해요? 만나지 말아야 할 사람에게 시간 소비하는 거 아까우니까? 신뢰를 깨트리고 헤어져선 안 될 사람을 놓치는 건 안 아까워?

진주 아니 내가 안 그랬다고.

갑자기 고개를 획 돌려 카메라를 보는

범수 손대지 마. 내려놔. 제발…

진주 주인공 따라 하는 건가‥ 왜 벽을 보고 말해 갑자기‥? 아니 왜 이렇게 흥분하시지?

범수 (여전히 벽을 보고 흥분 중인)

진주 응? 왜 이래‥? (혹시….) 봤구만.

범수 ….

진주 여자친구 핸드폰 훔쳐본 적 있죠?

범수 (급 흥분 모드를 해제하고 핸드폰 검색하는)

진주 있네.

범수 뭐 먹을까요?

진주 어이구‥ 할 건 다 하셨어‥ 어이구‥

범수 냉면 먹을까요?

진주 뭐 맨날 먹어 냉면을‥

범수 어우.. 화장실 좀..

아무 일도 없었던 듯 화장실로 향하는 범수. 그가 남기고 간 그의 핸드폰.. 의미심장하게 핸드폰을 내려다보는

진주 (V.O) 너에 대해서 나보다 더 많이 알고 있는 녀석.. 저 녀석이.. 고작 패턴 한 번이면 열린다는 게.. 끔찍한가..?

범수의 핸드폰을 집어 드는 진주. 버튼을 누르자 잠김 없이 열린다. 뭔가 허무한..

진주 (V.O) 잠글 필요도 없는 녀석..

저기 화장실 앞에서 순서를 기다리는 범수가 천진하게 웃고 있다.

진주 (V.O) 깜찍하네..

페이드아웃.

3-1. 진주의 방 / 아침.

일어나기 싫은 듯 이불 속을 파고 들어가는 진주.

밖에서 들리는 한주와 인국의 실랑이 소리

한주 (소리) 황인구우우우욱!!!!

인국 (소리) 왜에에에에에에!!!!

한주 (소리) 너 밥 안 먹으면 학교 안 보낸다!!

인국 (소리) 땡큐!!

자연스레 눈 부비고 일어나는 진주.

진주 (V.O) 하… 그래. 오늘은 새로운 세계가 내게 들어올 수 있는 날이기도 하니.. 보다 경건하게 성숙한 자세로 하루를 시작해보자. (생각.. 생각) 음… 어떻게 하는 게 성숙한 건가.. 양치를 먼저 하나?

3-2. 은정의 집 욕실 / 아침.

양치하는 진주.

점프. 샤워기에서 뿜어져 나오는 물줄기.

3-3. 범수의 집 / 아침.

거울 앞에 서서 드라이기로 젖은 머리를 말리는 범수.

어느 정도 말린 후 멋있는 사람인 양 거울을 노려보다가..

왁스를 손에 묻혀 거칠게 스타일링을 해보는..

이상한… 자기도 웃긴지 웃음이….

범수　아·· 씨·· 다시 감아야겠네·· 아 ·· 젠장··
왜 안 어울리는 거야!

3-4.　진주의 방 / 아침.

침대에 옷을 펼쳐놓고 이것저것 옷을 몸에 가져다 대보는…

3-5.　범수의 옷 방 / 아침.

이것저것… 옷을 입어보는…

4.　강남대로 전경 / 다른 날 / 낮.

5.　강남대로 범수의 차 안 / 홍미유발 엔터 근처 / 낮.

각자 있는 곳에서 통화 중인 진주와 범수. 진주는 길바닥을 헤매고 있는 중이고, 범수는 자신의 차 안에서 운전하며 블루투스로 통화 중이다. 길 헤매는 길치 진주에게 침착하게 길 알려주며 운전 중인 범수.

범수 큰길이에요. 어디라는 거예요?

진주 (F) 큰길 나오면 내가 바로 보일 텐데. 나 안 보여요?

범수 가만히 좀 있으라니까. 눈앞에 뭐가 보여요?

진주 (F) 빌딩이요. 겁나 높아요. 겁나 많구요.

범수 강남 한복판에서 그걸 위치 설명이라고 하는 거예요?

진주 (F) 꺄!!!!!!

범수 왜요? 무슨 일이에요? 다쳤어요?

진주 (F) 찾았어요!

범수 어디? 나 보여요?

진주 (F) 한주네 제작사요! 내가 찾았다구요!

범수 흥미유발 엔터요?

진주 (F) 네! 내가 감독님보다 빨리 왔네요! 하하하.
빨리 오세요~

전화 끊어지는.

범수 아니.. 그게 이렇게 좋아할 일이야..?

내비게이션 앱을 열 때 다시 전화가 온다.
발신자 'SD 안 대표님' 받는

범수 네 대표님.

안 대표 아이고 감독님~ 연락이 늦었죠?

범수 아닙니다.

안 대표 아니 내가 중국 출장 갔다가 이제 들어와서‥

범수 아 중국 다녀오셨구나?

6. 홍미유발 엔터 / 낮.

나란히 들어와 자연스레 소파에 앉는 진주와 한주.

한주 길이 엇갈렸나 보네.

진주 몰라. 자기가 길 못 찾는 걸 왜 나한테 승질 낼까.
나보고 길치래. 웃겨. 내가 길치야?

한주 글쎄.

진주 길치는 너잖아.

한주 운전하면서 극복했거든요.

진주 오…

한주 (계약서를 건네며) 가계약선데‥ 확인하고 수정사항 있으면 말해 줘.

진주 단도직입적이구만.

한주 작업실 제공, 저작권은 작가에게. 고료는 협회 기준. 특 고료는 보통의 조건으로‥ 기획 개발 비용 감안해 추가 반영하기로 한 부분은 옵션 내용을 봐주면 될 것 같아. 근데…

진주 응?

한주 설렌다‥

진주 뭐가?

한주 우리가 계약서를 사이에 두고 마주 앉아있다니‥ 도장까지

찍으면 정말 벅차겠다‥ 아 떨려‥

진주　　……(그런가‥)

한주　　천천히 읽어보세요, 작가님. (일어서며) 커피?

진주　　네~

가볍게 웃으며 계약서를 한 장 한 장 들춰보는데‥

때마침 울리는 휴대전화 진동 소리.

진주　　(무심히 전화받고) 못 찾았어요? 내비 켜라니까‥ (사이) 에?

7.　　조용한 공원 일각 / 낮.

벤치에 앉아 대화 중인 진주와 범수.

진주　　에스디라면‥ 아‥ 그렇게 큰 제작사에서 나를…?

범수　　워낙 작가 시스템이 좋은 곳이라 신인 작가들도 많이 있어요. 회사가 힘이 있어서 채널 쉴드 치는 것도 잘할 테고.

진주　　그럼 한주는 어떡해요? 흥미유발 엔터는?

범수　　신인 작가에 신생 제작사에. 이리저리 휘둘리다 서로 고생할 수 있어요.

진주　　제작은 처음이긴 해도 거기 대표 보통사람은 아닌데‥

범수　　아‥ 내가 뭔가 친구 배신하라고 등 떠미는 모양새가 됐네‥ 그래도 일이니까. 에스디라고 하면 한주 씨도 마냥 섭섭해하지만은 못할걸?

진주 그렇겠죠? 한주는 내 친구고… 친구니까….

범수 에스디 대표한테 직접 연락 온 거예요. 오늘은 어차피 이렇게 됐으니까. 미팅 날짜 넉넉하게 잡을게, 고민해봐요.

진주 …. 네.

8. 혜정의 작업실 / 낮.

인종과 마주 앉아있는 혜정

혜정 진주는 계약했어? 가편성은 난 건가?

인종 둘 다 아직.

혜정 근데 김환동은 집 잘 살어?

인종 몰라. 왜?

혜정 아쉬울 게 없는 건가. 입봉하기 싫은 거야? 아님 욕망이 없는 거야?? 다른 사람도 아니고 내가. 이 정혜정이 연출할 기회를 주겠다는데. 왜 튕겨?

인종 튕기기는.. 명색이 제이비씨에서 감독할 놈인데.. 와인 테이스팅 같은 거지. 상하지 않았으면 먹는 건데, 작가님 작품이 상했을 리 없잖아.

혜정 손범수는 상했다고 생각해서 안 먹은 거야?

인종 걔는 걔 혀가 잘못된 거고.

혜정 난 국장님이랑 얘기 나누다 보면 그냥 기분이 안 좋아져.

인종 다른 사람들도 그러더라. 나 입 냄새나?

혜정 됐다.. 근데 오늘 왜 온 거야?

인종 나?

혜정 응.

인종 외로워서.

혜정 외로운데 여길 왜 와?

인종 외로울 때 더 외로운 사람 보면 덜 외로워져.

혜정 ·· 그 더 외로운 사람이 나야?

인종 응.

혜정 나가.

인종 와인 한잔하자.

혜정 안 어울려.

인종 그치··

9. 이자카야 / 밤.

환동과 다미 그리고 동기가 모여 술을 마신다.

이미 소주 서너 병은 비운 상태. 다미와 동기는 술기운에 업.

다미 감독님은 일관성이 있어서 그게 참 좋아요.

동기 음? 나에게 어떤 일관성이 있을까?

다미 꾸준히 별로에요.

동기 (좋다고 웃는)

다미 본인도 본인이 별루인 거 아는 거 같은데 그냥 꾸준하게 그런 컨셉으로 밀어붙이잖아. 별루에 대한 집념이 느껴진 달까··

동기　으하하하하하하… 으아… 응애에요~

다미　여봐. 여봐. 여기서 어떻게 김흥국 성대모사가 나와? 와‥ 확실히 집념이 있어.

으하하 웃으며 술을 넘기는 동기. 반면, 환동은…
혼자 심각한 표정으로 앉아 회상에 잠긴다.

10.　(회상) 7부 16씬, 17씬 이후 상황.

방송국 복도. 진주의 전화를 받는 범수의 뒷모습을 가만히 지켜보는 환동.

범수　아‥ 뭐 날으는 양탄자 뭐 그런 거? (사이) 음… 기다려요, 데리러 갈게.

11.　현재 / 이자카야 / 밤.

생각에 잠긴‥

환동　(혼잣말) 작가한테 데리러 갈게가 뭐야…

다미　응? 뭐라고 했어요?

환동　아, 아니에요.

다미　계속 신경 쓰고 있는 상태?

환동　아니라니까, 무슨‥

동기　　뭐? 뭐? 나 알려죠~

다미　　손 감독님이랑 임 작가님이랑 친해서 질투하는 중이요.

환동　　(에잇!!)

동기　　음? 으음?! 질투할 만하지.. 너 손범수 사랑하잖아..

다미　　아.. 또 그게.. 그쪽이야? 뭐 이렇게 경쟁자가 많아..

환동　　아 뭐래요 자꾸...

환동, 자리를 피하듯 화장실로 향하고.

그때 술집 안으로 들어온 민준과 스치듯 지나간다. 룸으로 향하는 민준.

12.　　이자카야 룸 / 밤.

민준이 들어와 고개 숙여 인사한다. 그를 반갑게 맞는 소 대표와 황 대표.

소 대표　　어~ 왔어?

황 대표　　(일어나 악수를 청하는) 우리 본 적 있죠?

민준　　네 안녕하세요.

황 대표　　응. 앉아 앉아. 참치 회 좋아한다고?

참치 회 한 상이 거하게 차려진 테이블.

민준　　오우.. 맛있겠다. 맛있게 드십시오!

황 대표　이야… 민준 씨 아직 군기가 남아있네.

소 대표　에너지야. 안 지쳐 얘는.

황 대표　나이가 서른이라고?

민준　네.

황 대표　회사를 하나 차려도 될 나이에 소민이만 8년?

소 대표　담당은 그런데 회사 궂은일 다 맡아서 했으니까, 진짜 회사를 차려도 될 놈이지.

황 대표　소민이 진상 좀 떨잖아? 힘들었지?

민준　아니요. 저도 변태 끼가 있어가지구요. 좋아해요. 진상 떠는 거.

황 대표　하하하하. 아 타고났네.

소 대표　어지간한 조건으로 나 얘 못 보낸다.

황 대표　어지간한 사람이 아니네. 그럼 어지간하게 안 하지 내가. (사케 따라주며) 자 한잔하자고.

소 대표　이야… 이거 비싼 건데. 응?

민준　(넙죽 받는) 고맙습니다!

13.　남자 화장실 / 밤.

소변기 앞에서 볼일 보는 환동.

범수 또래의 한 남자가 들어와,

남자　(변기 칸을 향해 소리 지르는) 범수야!

환동　(깜짝 놀라 황급히 지퍼를 올리는)

남자　　야 손범수 똥 싸냐? 빨랑 나와. 야!! 손범수!!!!

환동, 손을 씻으며 시선은 칸막이 쪽으로 집중된다. 자신도 모르게 긴장하며 손범수가 나오기만을 기다리게 된다. 잠시 후, 화장실 문이 열리고 다른 손범수가 나온다. 환동의 부담스런 시선 느끼는 다른 범수.

범수　　(손 씻으며) 뭐야?

환동　　(손 다 씻고 서서) 죄송합니다.

환동을 위아래로 훑어보던 남자 둘. 이내 화장실 밖으로 나간다. 절레절레 고개를 터는 환동.

14. 이자카야 / 밤.

어지간히 취한 동기. 적당히 취기 오른 다미.

다미　　뭘로 확신하지?

동기　　나는 들었어.

환동　　(자리에 앉는, 뭔 얘긴가…?)

다미　　뭘 들어? 범수 감독님이 임 작가님 좋아한다고?

동기　　당연하지 그런 일이 있었는데.

다미　　응? 뭔 일? 응?

환동, 못 들을 얘기를 들었다. 그냥 넘어가려다가.

환동　(동기에게) 무슨 일이요?

동기　범수가 나만 알려줬어. 비밀이야!!

환동　우리끼리 비밀하면 되죠. 뭡니까?

동기　그렇게 좋은 방법이! 그래… 둘이…

다미　둘이!?

답답함에 자리에서 일어서는 동기.

배에 힘 팍 주고. 심호흡한 후.

동기　손범수랑 임 작가랑!!!

환동, 듣고 싶다. 간절하다.

동기　그러니까 범수가 임 작가를…

환동　임 작가를…?

동기　……. 봤대.

다미/환동　???

동기　봤대.

다미　뭘 봐? 아 뭔 소리에요?!

＊플래시백 - 6부 48씬.

범수 음… 가만히 있긴 했는데‥ 음‥ 난 봤지.

동기 뭘 봐?

범수 응?

동기 대본?

범수 그냥‥

＊**현재.**

동기 그냥… 하는데‥ 눈에서‥

다미 눈에서?

동기 눈에서 꿀 떨어졌어. 받아먹을 뻔했어.

다미 아오‥ (환동의 눈치를 살피는)

환동 ‥‥‥‥

15. 이자카야 카운터 앞 / 밤.

황 대표와 소 대표가 얼큰하게 취해 사이좋게 나오는

황 대표 이야~ 술도 잘 마시네! 좋아~ 맘에 들어 아주!
(지갑 꺼내 들고) 얼맙니까?

소 대표 아 내가 산다니까.

황 대표 맘에도 없는 소리. 으하하. 내 사람 먹이는데 내 돈 쓴다.
얼마에요?

직원 계산하셨는데요.

황/소 대표 ?? (돌아보면)

신발 신으며 나오는 민준. 씨익— 쪼개고 있다.
지갑, 카드 든 손이 굉장히 갈 곳을 잃은 듯..

16. 이자카야 앞 / 밤.

황 대표와 소 대표가 사이좋게 나온다.
괜히 눈에 힘주고 정신 똑바로 차려 보는

황 대표 그래 술은 양주지! 위스키 마시러 가자! 내가 산다?!
소 대표 응. 니가 사!

주머니에 손 꽂고 쫄랑쫄랑 따라가는 민준.
그들이 지나가면 한쪽에서 통화 중인 환동이 보인다.

환동 네.. 네 국장님. 다름이 아니라.. (결심이 선) 정혜정 작가님 작품 허락해주신다면 제가 한번 해보겠습니다.
인종 (F) 응 그래. 우리 입장에선 반대할 이유가 없지. 내일 니가 찾아뵙고 말씀드려.
환동 네 알겠습니다.

17.　포장마차 / 밤.

전화를 끊는 인종. 소주와 간단한 안주를 사이에 두고 혜정과 앉아있다.

혜정　뭐가?

인종　응? 아니야. 근데.. 나랑은 할 생각 없어?

혜정　뭐? 드라마?

인종　응.

혜정　복귀하게? 씨피 잘하고 있으면서..

인종　현장이 그립달까.. 예비군 끝났을 때 기분이야.. 아.. 이제 나한텐 총을 안 주는구나.. 아직 싸울 수 있는데.. 안 할래 나랑?

혜정　다음에 하자.

인종　다음에 언제?

혜정　다음에. 다시 태어나면.

인종　아… 외롭다.

혜정　강아지 두 마리나 키우잖아.

인종　아! 우리 애들! 밥 줘야지. (일어선다) 나, 갈게.

혜정　(!!) 이건 또 뭔 똥매너야..!

인종　(주인에게) 여기 얼마에요?

주인　5만 6천 원이요.

인종　응? 아닌데. 콜라 계산 안 했죠?

주인　아, 네. 죄송합니다. 5만 8천 원이요.

인종　네. 계산 잘해서 받으세요. (혜정에게 손 흔들며) 갈게요~

돈은 안 내고 계산만 정확히 해주고 나가는 인종.
멍하니 바라보는

혜정 아… 외롭다…

18. 은정의 집 / 밤.

주방. 피곤한 듯 스트레칭을 하며 들어오는 한주.
가방을 식탁에 올려놓고 음식물 쓰레기통을 확인하는데…
깨끗하다. 갸우뚱… 할 때 뒤에서

진주 버렸어.

돌아보면 친절한 만들어진 미소의 진주가 우두커니 서있다.

한주 응? 내가 버리는 날인데?
진주 운동 삼아.

한주의 방. 어두운 방문을 열어보는 한주. 침대 위 인국이가 새근새근 잘 자고 있다. 씻고 자는 건가… 싶은데 뒤에서

진주 씻겼어.
한주 응? 다 큰 애를…
진주 취미 삼아.

한주 뭐지…? 뭐야? 진실을 말해.

진주, 검지를 펴 자신에게로 향하게 한 후 패턴을 열 듯 그어 보인다. 한주, 뭐지 싶은

진주 잠겨 있던 내 마음의 패턴을 열었어. 넌 이제 다 볼 수 있어.

한주 (재빨리 진주의 팔뚝을 누르고) 다시 잠겼어. 안 볼래.

진주 왜?

한주 내일 볼게. 나 지금 너무 피곤해. 내일. 나한테 미안한 거면 하루 더 미안해해.

진주… 타이밍을 놓쳤다.

한주, 뭔가 대수롭지 않게 느끼고 방으로 들어간다.

19. 한주의 방 / 밤.

바닥에 쓰러지듯 눕는 한주. 대수롭지 않던 얼굴에 슬쩍 불길한 기운이 돌고. 핸드폰을 집어 재훈에게 문자를 보낸다. '적색경보' '임진주 작가님 뭔가 다른 꿍꿍이' 금세 답장이 온다. 맛있는 간장치킨 사진. 한주 응? 뭐지 싶은데. '집에선 일 생각하지 마세요.' '치킨 보며 행복하게 하루 마감하시길.' '여기 우리 동네 맛집인데 같이 가요.' 한주, 웃으며 답장 보낸다.

'좋아요'

'금요일 어때요?'

'아주 좋아요'

19-1. 재훈의 집 / 밤.

곤히 잠든 재훈. 잠이 오지 않는지 들척이는 하윤.

결국 잠들지 못하고 눈을 뜨는 하윤.

잠든 재훈을 확인하고 재훈의 핸드폰을 열어본다.

20. 홍미유발 엔터 회의실 / 낮.

소진이 제일 상석에, 그 중간 어디쯤엔 재훈의 모습이 보인다. 회의가 끝나고 하나둘 자리를 떠나고 있다. 재훈은 나가려고 서류를 챙기고 있는 한주에게 다가가는 순간.

한주, 회의실 나가려는데 휴대폰에 문자 메시지가 뜬다.

한주, 문자를 확인하고 바로 그 누군가에게 전활 건다.

한주 이 정보 확실해? (사이) 응. 오케이.

하는데, 대기 중으로 전화가 걸려온다.

한주, 휴대전화 보면 진주다.

한주 나중에 내가 다시 걸게요.

한주, 전화 끊고 진주에게서 온 전화받는다.

진주 (F) 레스토랑 코스 이용권 생겼어. 오늘까진데 은정이는 촬영 있대. 우리 둘이 가자. 가즈아~~~

한주 오 좋아. 어디로 가면 돼?

진주 너희 회사 근처야. 내가 앞에 가서 다시 전화할게.

한주 응 알겠어~ 빨리 와~ (하고 끊으려다) 진주야.

진주 응?

한주 어제 하려던 말. 그거 뭐였어?

진주 (F) 버스 왔다. 이따 봐.

21. 버스정류장 / 낮.

버스 정류장. 뻥이다. 버스 안 왔다.

진주 (V.O) 그래. 아직. 결정한 건 아니잖아. 동종업계 종사하는 베프에게 의견을 묻는 거니까. 신인 작가로서의 정당한 고민이라 생각해 줄 거야. 오케이.

22. 홍미유발 엔터 소진의 사무실 안 / 낮.

재훈이 들어와 있고, 소진이 결제문서에 사인한다. 똑똑— 한주가 심각한 얼굴로 들어온다. 재훈, 한주의 표정 보고는 소진에게 목례하며 조용히 나간다.

소진 말해 봐. 그런 표정 선물한 사람이 누군지.

한주 손범수 감독님이요.

소진 왜? 다른 제작사랑 계약한대?

한주 저랑 친한 피디가 에스디에 다니는데·· 연락이 왔네요.
죄송합니다, 대표님.

소진 황 실장이 왜 죄송해. (한숨·· 생각··) 밥 한 번은 먹자.
나 아직 못 만났잖아. 얼굴 트는 개념으로 편하게.

한주 네. 약속 잡아볼게요.

23. 레스토랑 / 낮.

친절한 미소로 한주와 마주 앉은 진주.
맛난 레스토랑 음식이 테이블에 가득하다.

한주 우리 진주. 준비한 말 안 해도 돼.

진주 응?

한주 난 니 잠금 패턴 원래 알고 있잖아. 이미 다 봤어.

진주 … 안 삐져?

한주 솔직히 삐져야 되는데 못 삐지겠어. 그거 너한텐 되게 행복한 고민일 건데·· 그걸 어떻게 뺏어·· 친구랍시고··

진주 이런 진심 어린 친구 같으니라고··

한주 근데 마지막 부탁. 저녁은 내가 살게. 감독님이랑 우리 대표님이랑 같이. 얼굴 트는 개념으로. 그 정도는 어디든 하잖아.

진주 얼마든지요. 일단 먹자. 식혀서 먹을 음식이 아니다.

한주 웅.

24. 마사지 샵 로비 / 낮.

가운 차림, 화장기 없는 얼굴로 하품하며 탈의실에서 나오는 소민. 로비 소파에 앉아 수다 떨던 아줌마가 소민을 알아보고 핸드폰 카메라를 켠다.

아줌마1 이소민 아니야?

아줌마2 맞네. 어머나. (카메라 들이대고) 쌩얼이 더 이쁘네.

걸어오는 소민을 찍으려는 찰나 불쑥 앵글 안으로 들어오는 민준의 얼굴. 찰칵— 민준의 얼굴을 대문짝만하게 찍은 불쾌한 아줌마.

아줌마2 아 뭐야?

민준 죄송합니다. 저희 회사 입장은 쌩얼이 안 이쁜 걸로··
죄송합니다.

민준을 피해 사진을 찍으려는 아줌마1. 능숙하게 손가락 브이를 만들어 가로막는 민준. 그런 민준을 바라보는 소민의 감정을 알 수 없는 표정. 그때 입구에서 카메라 장비를 들고 들어오는 은정과 병삼. 마사지실로 들어가던 소민이 은정을 보고 가볍게 손 인사.

은정 (병삼에게) 나 혼자 들어갈게. 여기서 기다릴래?

병삼 아, 넵.

25. 마사지 샵 룸 안 / 낮.

침대에 바로 누워있는 소민. 클렌징해주는 관리사.

옆에서 트라이포트를 세우고 카메라를 설치하는 은정.

소민 나 쌩얼… 민준이도 제대로 못 본 건데‥

은정 (카메라 슬쩍 돌리며) 맘대로 사진 찍는 사람들 어때?

소민 솔직하게?

은정 원래대로.

소민 원래대론 솔직하게 말 못 해 우린. 정해진 대로 말해야지.

은정 솔직하면 안 되는 채로 사는 건 어때? 업무적으로 느껴지기도 하나? 그럼 근무시간이 너무 긴 거 같은데?

소민 그게 싫으면 이 일을 하지 말아야지. 라는 말은 싫어하지. 그렇게 가혹하게 말할 필요는 없잖아.

관리사 얼굴 덮어야 하는데‥

소민, 호기심 어린 눈으로 카메라를 바라보다 일어나 카메라를 은정의 방향으로 돌린다.

은정 왜? 뭐해?

소민 (다시 누우며) 난 이제 말 못 하니까. 너 얘기해봐.

은정 응?

소민 그냥. 너 얘기.

소민의 얼굴에 거즈를 올리고 크림을 바르기 시작하는 관리사. 잠시 뭔가 싶다가 물끄러미 카메라를 바라보는 은정..

26. 혜정의 작업실 / 낮.

회의 테이블에 앉은 혜정과 보조 작가 미영, 수희 사랑, 당혹스런 얼굴. 환동, 그녀들 앞에 두꺼운 분량의 프린트물을 나눠주고 자리에 앉는다.

환동 앞부분은 작가님 기획안과 대본 검토한 제 소견이고 뒷부분부터는 제가 수정 보완한 줄거리입니다.

혜정 내 기획안 수정할 게 있나?

환동 기존의 작가님 작품과 비슷한 지점들이 부정적으로 작용할 만한 지점들, 변화가 필요한 부분들 체크해 봤구요, 그에 대한 방향성. 의견들. 결론을 요약해서.. 50페이지밖에 안 됩니다.

혜정 (이럴 수가 있나 싶은 표정으로 들춰보며) 이걸.. 하루에 다 준비했다고..??

환동 드라마 시간 싸움인데요. 그 정돈 반나절이면 준비 가능합니다. 시간보단 그 의견들이 작가님의 생각과 얼마큼 일치되어서 앞으로의 대본 작업에 적용될 수 있는가가 관건이겠죠. 이번에도 시청률이 대박 날지 장담 못 합니다.

혜정 (슬쩍 불쾌한) 나 정혜정인데.

환동 네. 알죠. 저의 젊은 생각이 작가님과 만나 만들어낼 시너지에 대해 모두의 기대가 큽니다. 우리는 수치로 말할 수밖에 없는 지점이 있죠. 제 새로운 생각이 높은 시청률에 도움이 되길 바라고 많이 관철되었으면 하는 마음으로 정확한 진단을 하고자 진심보단 진실을 담았습니다.

혜정 뭐 진실은 새롭지 않다는 건가? 낡았어?

환동 아니요. 그것은 대중성이라고 생각하고 저는 거기에 참신함을 더하고 싶은 겁니다.

혜정 그러니까 참신하지 않다는‥

환동 저는 정혜정 작가님 작품을 좋아하니까요.

기분 나빠지려다 이상한 데 꽂히고 마는 혜정.
환동의 말이 메아리쳐 자신의 귀에 울리는데‥
"저는 정혜정 작가님을 좋아하니까요~
정혜정을 좋아하니까요~"
내가 왜 이러지 고개를 털어보는 혜정.

27. **한식집 / 밤.**

한주와 소진. 범수와 진주. 한식이 차려진 좌식 테이블에 마주 앉아있다.

소진 한식 괜찮으세요?

범수 아, 네. 좋아합니다.

소진 사실 이 두 분이 점심에 양식을 드셨다고 그래서.

진주 아.. 호호.. (범수에게) 좀 먹었습니다.

범수 잘하셨네요.

소진 약주하시죠?

범수 네 반주 곁들임 좋아합니다.

소진 여기 전통주가 맛있는데.

범수 네.

소진 (직원에게) 선생님~ 주문할게요.

Cut To

한주와 진주, 범수에게 차례로 술을 따라주는 소진.

범수에게 한 잔 받고.

소진 작가님 작품 참 잘 읽었어요. (건배 청하며) 한 번에 읽히던데요?

진주 고맙습니다.

소진 독특한 지점이 있는 거 같아요. 보던 건데도 새롭게 느껴지는 지점도 있고. 못 보던 건데 익숙하게 느껴지는 지점도 있고.

진주 결점이 많죠.

범수 장점이 가려줘요. 괜찮아요.

소진 감독님이 믿음도 있으시고 정확하시네요. 단점을 보완하는 것보다 장점을 부각시키는 게 맞는 작품 같아요.

한주 대사도 재밌고, 캐릭터들이 계속 보고 싶어지더라고요.

소진 이야기보다 캐릭터. 개성 있는 작품이 될 것 같아요. 그래서 욕심이 났던 거고. 저희 같은 젊은 회사가 작가님 작품이 가진 개성을 보존하면서 좋은 아이디어들을 제공할 수 있을 거라고, 그런 생각이 들었거든요. 근데… 저희가 고민을 참 많이 하게 하는 회사인 건 인정할 수밖에 없네요.

범수 아, 아닙니다. 그렇진 않습니다.

소진 제작사도 장단점이 확실해요. 저희 같은 신생은 당장의 물리적인 조건이 좋은 경우도 있죠, 영입하기 위해 던질 수 있는 카드가 많지 않으니까. 대신 대형 제작사가 가지고 있는 경험이 부족하죠. 결과론적으로 절대적인 사실은 아니지만 당장 눈에 보이는 건 없으니 그저 열심히 하겠습니다. 믿어주십시오. 그것밖엔 할 말이 없어요.

범수 고충을 충분히 이해합니다.

소진 고충이야 창작자들만 하겠어요? 호호. 그리고 저는 부하직원이 작가님과 친구라는 이유로 많은 것을 선점했죠. 황실장 덕으로 얻을 수 있는 배려는 오늘 저녁, 이 자리까지만 하겠습니다. 작가님, 감독님이 하는 고민에 '친구니까'라는 생각은 빼주세요. 이미 늦은 감이 있지만 다른 고민이 개입되게 하는 게 죄송한 마음도 들고. 사실 그쪽이 저희도 일하기 좋습니다. 기분 나쁘신 건 아니죠?

진주 아, 아니요. 설마요. 전혀요.

소진 한 잔 더 드릴게요.

한주, 편안한 미소로 술을 따라 주는 소진을 기분 좋게 바라본다.

28. 거리 / 밤.

한산한 거리를 나란히 걷고 있는 진주와 범수.

두 사람 서로 같은 생각에 잠긴 모습.

범수 음…. 어땠어요?

29. 몰트위스키 바 / 밤.

바에 나란히 앉아 위스키를 마시는 한주와 소진.

한주 위스키를.. 드셨어요?

소진 가끔.. 쓰디쓴 액체가 목을 타고 넘어가는 걸 느끼고 싶을 때가 있어. 그걸 견디고 나면.. 내가 조금 강한 사람처럼 느껴지기도 하거든..

한주 …..

소진 그게 되레 약해 보이나?

한주 .... 아니요. (생각에 잠기는) 대표님 처음 뵀을 때 조금 무서웠지만.. 참 강해 보이셨어요.

30. 인서트 / 플래시백.

- 한주 첫 출근 때의 소진.
- 소진의 일하는 모습들.
- 하윤이 망치고 간 사무실을 함께 정리하는 소진의 모습.
- 진주와 범수 앞에서의 당당한 모습.

한주 (V.O) 아이 낳고 의무처럼 읊조리던 말이 강해져야 돼 강해져야 돼. 그거였는데.. 눈앞에 대표님을 보니까 무작정 따르고 싶었어요. 그리고 일을 배우면서 무서움으로 느껴졌던 대표님의 정확함이.. 그 정확함이 결국 나를 강하게 만들어 주는 거구나.. 배웠죠.

31. 몰트위스키 바 / 밤.

기분 좋은 회상에 잠긴 한주의 표정.

한주 전 참 운이 좋아요. 지금까지 흔들림 없는 대표님한테 여전히 흔들림 없이 배우고 싶거든요. 그런 사수를 만난다는 거 정말 어려운 거잖아요. 입사했을 때 대표님 나이가 지금의 제 나이보다 다섯 살 많으셨어요. 이제 저한테 5년 남았는데.. 5년 후에 나는 대표님처럼 이렇게 강하고 정확한 사람이 되어 있을까? 그 기대감만으로도 사실 저.. (소진을 보며) 너무 설레고 행..

괴로운 듯한 손으로 머리를 싸매고 있는 소진.

한주　괘.. 괜찮으세요?

자세히 들여다보면 급 취한 시뻘건 울상의 소진.

소진　후... 나 안 정확해.. 안 강해... 야.. (완전 취해 울기 시작하는) 야.. (핸드폰 열고) 야 임 작가 뭐 좋아하냐? 손 감독 뭐 좋아해? 한우 살까? 한우? 한우 세트!

한주　......

소진　크헉.... (세상 서러워지는) 윽...

한주　왜.. 왜요?

소진　한우가 너무 비싸!! 으엉~~ 한우가 너무 비싸~~~~ 으앙~

사람들 시선 아랑곳없이 아이처럼 울기 시작하는 소진.
그런 소진을 안고 같이 울기 시작하는

한주 (토닥토닥) 미국산 해요.. 미국산.. 흑흑..

소진 (일어서 가는)

한주 어디 가세요?

소진 화장실. 그래도 쏟은 거보다 넘긴 게 더 많다..
와~ 행복하다..

소진의 뒷모습을 짠하게 바라보는 한주.

32. 거리 / 밤.

한산한 거리를 나란히 걷고 있는 진주와 범수.
잠시 말없이.. 그런 진주를 살피는 범수.

진주 좋은 사람 같아요.

범수 네. 맞아요.

진주 식당 직원을 선생님~ 하고 부르잖아요.

범수 술 따를 때 자기 직원부터 따라주고.

진주 작품 분석도 정확하고.

범수 자신을 객관적으로 바라볼 줄도 알고.

진주 한주가 오래 다니는 이유를 알겠네. 괜찮네.

범수 (슬쩍 눈치 보고) … 판단은 작가님이 하세요. 난 어느 쪽도 상관없으니까. 뭐.. 어느 쪽을 선택할지 알 것 같기도 하지만.

아무 말하지 않는 진주. 무언의 긍정.

진주 아.. 비싼 레스토랑에서 밥 사 먹인다고 엄카 찬스를 써버렸는데..

범수 엄카?

진주 엄마카드.

범수 아.. 앞으로 법카 찬스 많이 쓰실 수 있을 거예요.

진주 법카?

범수 법인카드.

진주 아..

말없이 걷는 두 사람의 표정이 밝다.

33. 혜정의 작업실 / 밤.

대본 회의가 한창이다. 환동의 지치지 않는 열정에 혜정을 비롯한 보조 작가들은 얼굴의 색을 잃어간다.

환동 (대본 읽으면서) 여기서 이러면 트루기에 안 맞죠. 살아온 환경이 극과 극이라 어울리지 않는 남녀가 우연히 만났고, 남주 때문에 여주의 목표달성에 차질이 생겼습니다. 그렇담 남녀는 운명적인 관계가 성립된 거죠. 이젠 이 온갖 위기를 함께 겪어야죠.

보조 작가들 (아… 끄덕끄덕… 열심히 타이핑하는)

혜정　아니 남녀가 만났으면 사랑을 해야지.

보조 작가들 (혜정에게서 시선 돌림)

혜정　요즘 시청자들은 연애할 시간이 없어서 드라마로 대리만족해. 가뜩이나 살기 어려운데 드라마 속 주인공까지 힘든 거 보고 싶겠어? 안 봐. tmi 난무하는 예능 보지. 복잡한 거 요즘 안 먹혀.

보조 작가들 (것도 맞는 말. 끄덕끄덕. 타이핑)

환동　6·25 전쟁통에도 사랑은 있었습니다. 절박하고 애절한 사랑, 아련하고 애틋한 사랑. 예능에도 카타르시스가 있는데, 여기에는 카타르시스가 없습니다.

혜정　아니 뭐 구체적으로 그럼‥

환동　현실성 있게 그리는 것도 좋지만 남주가 너무 못난이야‥ 플롯 자체를 다르게 가보죠.

혜정　아니 뭐 남주 얘기하다 플롯을‥

환동　더 재밌는 것들을 만들어서 선택하고 싶습니다.

혜정　그러니까‥

환동　저는 정혜정 작가님 작품을 좋아하니까요.

다시 이상한 데 꽂히는 혜정. 환동의 목소리가 맘껏 각색되어 메아리친다. "저는 정혜정 작가님을 좋아하니까요~ 저는 정혜정을 좋아하니까요~" 그저 눈만 끔뻑이는 혜정.

33-1. 혜정의 방 / 밤.

작업 중이던 혜정. 문득 어떤 생각에 타이핑을 멈추고··

거울 앞에 가 앉는다. 자신을 둘러본다···· 괜찮다·· 맘에 든다··

34. 도로 / 소민의 차 안 / 밤.

평소와 다른 분위기의 소민. 그저 창밖을 내다보는.

그런 소민을 룸미러로 확인하며 살피는 민준.

35. 소민의 집 앞 / 밤.

소민의 차가 집 앞에 선다.

내리지 않고 가만히 앉아있는 소민.

민준 (눈치 보다가) 그·· 다 왔는데?

소민 너 맘대로 해.

민준 응?

소민 아니다 너 맘대로 하지 마.

민준 뭔 소리야?

소민 그만둬.

민준 응?

소민 내 매니저 그만두라고. 좋은 데서 스카웃 제의 왔다며?

민준 알아서 할게.

소민 뭘 알아서 해? 그만두라는데.

민준 너 이거 노동법 위반이야. 갑질이라고.

소민 을질 같은데? 바보냐? 기회를 왜 버려? 가.

민준 싫어.

소민 가.

민준 싫다고. 내가 거절하는 자리에서 얼마 썼는데. 못 가.

소민 영수증 처리해줄게.

민준, 지갑에서 영수증 두 개를 꺼내 준다. 첫 번째 영수증 이자카야 27만 원. 두 번째 영수증을 보고 놀라는 소민이 눈.

36. 몰트위스키 바 / 플래시백 / 밤.

거하게 취해 카운터로 향하는 황 대표와 소 대표.

황 대표 하하하하. 많이 나왔을 거야. 내가 낼 거야! 돈 백 나왔나? 얼맙니까?

직원 계산하셨는데요.

황 대표, 소 대표, 당황해서 돌아보면,

씨익― 쪼개고 있는 민준.

37. **소민의 집 앞(34씬 이어) / 밤.**

위스키 바 영수증 56만 원!!

소민 이 미친…

영수증을 던지고 차에서 내리는 소민.

민준 영수증 처리해준다며?

소민 술은 안 돼.

그냥 들어가 버리는 소민.

물끄러미 소민의 뒷모습을 바라보는 민준.

38. **민준의 집 / 밤.**

원룸. 그다 살림살이가 없는 남자 자취방. 쓸쓸히 빈집에 서있다가 냉장고를 열어보는 민준. 변변찮은 냉장고 사정. 그 와중에 와인 세 병이 보인다. 와인을 보며 생각..

39. **과거 / 소민의 집 앞 / 밤.**

소민이 타고 있는 차 뒷문이 열린다. 하품하며 내리려던 소민이 옆자리에 있던 와인 꾸러미를 조수석 시트에 옮겨 놓으며 소민　집에서 혼술 할 거면 이거 마셔. 소주 말고.

민준　응? (와인 확인하고) 왜?

소민　궁상맞아 보여.

민준　내가 혼자 술 마시는 게 보여?

소민　(폼 한 번 재고) 확 씨‥ 너한텐 한 병이 딱 맞겠다.

대수롭지 않게 차에서 내려 집으로 향하는 소민.

40.　민준의 집 / 밤.

TV 불빛이 전부인 집안. 유리잔에 와인을 따르고 쿠션에 몸을 기대는 민준.

41.　소민의 집 / 밤.

깔끔한 중형 아파트. 여느 예쁜 집 못지않지만 적막한.

와인셀러를 열어보는 소민. 무엇을 고를까 손을 짚어 보다가‥ 문득 냉장고를 보는 냉장고를 열어보면 다이어트 식단이 정갈하게 채워진 와중에 소주 두 병.

42.　과거 / 소민의 집 앞 / 밤.

소민의 승합차 문이 열린다. 하품을 하며 내리려는 소민에게 소주가 든 봉지를 건네는 민준　　집에서 혼술 할 거면 이거 마셔. 와인 말고.

소민　　뭐야.. 도발하는 거야?

민준　　와인은 한 병 까면 아깝다고 다 마시잖아.
이거 두어 잔만 하고 남은 거 버려 그냥.

귀찮은 듯 받아 들고 가는 소민.

43.　　소민의 집 민준의 집 분할화면 / 밤.

쿠션에 기대 와인을 마시는 민준.
소파에 기대 소주를 마시는 소민.
둘은 어떤 생각에 잠긴 듯. 같은 느낌의 두 사람.
두 사람의 분할화면 아래로 내려가며 과거 영상이 내려온다.

44.　　과거 / 고등학교 복도 / 낮.

대여섯 무리의 남학생들이 걸어온다. 껄렁한 건달쯤으로 보이는 무리의 선두는 고등학생 민준이다. 반대편 대여섯 무리의 여학생들이 걸어온다. 새침한 아가씨들쯤으로 보이는 무리의 선두는 고등학생 소민이다. 소민과 민준이 마주 보고 선다. 마주 섰다라기보다 소민이 막은 느낌이다.

민준　　(뭐… 어쩌라고.. 뭐야?)

소민　(가만히 보다가) 야. 너가 여기 짱이라며?

민준　어. 뭐? 맞짱 뜨게?

소민　그럼 이제부터 니가 날 지켜.

민준　(뭐야 이 병신은…)… 뭐?

소민　이제부터 니가 날 지키라고.

민준　(진짜 뭐지 이 병신은…) 내가? 왜?

소민　내가 여기서 젤 예쁘니까.

민준　…… 뭐야… 또라이야?

소민　니가 짱이라며. 원래 그런 거야.

민준　(벙··)·· 원래 그런 거야?

소민　원래 그런 거야.

민준　아·· 그래?

소민　어.

45.　과거 / 고등학교 식당 / 다른 날 / 낮.

마주 앉아 급식을 먹고 있는 소민과 민준.

민준　그럼 우리 사귀는 거야?

소민　뭔 꿈이 그렇게 야무져? 일진답지 않게.

민준　그치… 너무 야무졌지··?

소민　응. 소박하게 너의 꿈을 말해 봐.

민준　응? 뭐 없는데.

소민　그래? 그럼 내 매니저 해라.

민준　매니저?

소민　응. 나 연예인 할 거거든. 와아.. 그럼 니가 나 평생 지키는 거다. 그치?

민준　아.. 그게 그렇게 되는 거야?

소민　응.

46.　과거 / 일진 아지트 / 밤.

각기 다른 교복이나 불량한 패션의 남녀 일진들 한 무리. 스무 명 남짓한 그 불량 패거리들과 대치하듯 홀로 마주 선 민준.

민준　(천진하게 손 흔들며 작별의) 안녕~

불량　처 돌았냐? 왜 그래?

민준　꿈이 생겼다.

불량　(웃음도 안 나와 당황) 깜짝이야.. 뭔 꿈?

민준　매니저.

불량　어머 씨바..

민준　모두 안녕~ (하고 돌아선다)

불량　스탑. 민준아 너 못 나가. 들어오고 나가는 게 그렇게 맘대로 되면? 여기가 뭐 사회봉사단체게? 너 어디 하나 짤라진다?

민준　(무섭게 돌아보며) 혼난다, 너네.. 나 이민준이야. 감당할 수 있겠어?

47. **과거 / 놀이터 / 밤.**

엉망진창의 민준 얼굴.

마주 앉은 소민. 멀뚱히 바라보다 연고를 발라준다.

소민 … 졌어?

민준 이겼어.

소민 이긴 얼굴이 이래?

민준 이겼으니까 이렇지.

48. **소민의 집 민준의 집 분할화면 / 밤.**

과거 영상이 내려가며 분할화면 내려오고.

두 사람. 잔을 비우고 일어선다.

49. **소민의 집 주방 / 밤.**

남은 소주를 콸콸콸— 개수대에 쏟아버리는 소민.

50. **민준의 집 / 밤.**

와인병 나발 불어 한 방울까지 해치운 뒤 소파에 드러누워 버리는 민준. 페이드아웃.

50-1. 펍 / 밤.

아담하고 은은한 조명의 맥줏집.

간단한 안주를 사이에 두고 생맥주를 마시고 있는

범수 감추고 있는 그 마음 안에 예쁜 보석이 담겨있는데, 너무 명확한데, 들추지 않는 경우는 뭘까? 이유가 뭘까요?

진주 얻는다는 건.. 잃을 게 생긴다는 거니까.

범수 너무 이상하잖아 그건. 잃을 게 생기는 게 두렵다니..

진주 이게 동산이나 부동산의 경우랑 다른 게. 마음이란 건 믿을만한 보안 체계가 없어. 그게 상대 마음이든 내 마음이든.

범수 아 자기가 노력하면 되지. 그게 수단이지.

진주 세상에서 말로는 제일 쉬운 말을 하셨어, 방금.

범수 … 그치. 그래도.. 서로 알면서. 이런저런 계산하면서 다 아는 감정을 감춘다. 그거 너무 바보 같은 짓이야.

진주 당연하… 지…… 만.

자기들 얘기 같은… 피하는, 괜히 말 빨라지는 둘.

진주 근데 뭐. 그럴 수 있지. 감추는 게 뭐 어때서? 그게 욕망이란 것과 상관관계에 있는 거거든..

범수 그치. 욕망이 없으면 감출 이유가 없어지지.

진주 그치. 현재를 지키고자 하는 욕망은 존중해야지. 뭐 부정하게 얻은 현재가 아니라면.

범수 그치. 적당히 감추지 않으면 인류가 존재하질 못 해. 여친이 남친한테, 어? 방금 지나가는 여자를 쳐다보신 거 같은데? 왜 쳐다보셨어요? 그럼 남친이, 아 당신과 너무 상반되는 글래머러스한 몸매에 흠뻑 빠져서 야한 생각을 좀 했어요.

진주　그치. 남친이 여친한테, 카톡을 되게 많이 하네요? 무슨 일 있어요? 하면, 여친이 아 친한 교회 오빤데 워낙 잘생기고 능력 있고 젠틀해서, 답장을 게을리할 수가 없어요. 여차하면 이 오빠한테 갈 거예요.

범수　그치.. 그럴 순 없지..

진주　응…

음.. 딴청.. 딴 데 보다가.. 맥주나 마시는…

진주　근데… 좀 슬프긴 해요..

범수　.. 응?

진주　사랑을 시작하기 전에 들춰서 보이는 건 사랑하는 마음인데..
시작하고 난 후에 들춰서 보이는 건…
미워하는 마음 아닌가..?

51.　간장치킨집 / 밤.

북적북적 많은 사람들. 테이블에 놓이는 먹음직한 간장치킨을 두고 마주 앉은 한주와 재훈.

한주　와아.. 빛깔 좋다..

재훈 곧 알게 되실 테지만.. 여긴 생맥주도 맛있어요.

기분 좋게 웃으며 생맥주 잔을 들어 건배하는 둘.
맥주 한 모금에 이어 치킨 한입 베어 물면 한층 더 화사해지는 두 사람.

한주 음~ 나 최근에 비싼 양식집도 비싼 한식집도 갔었는데, 치킨이 최고라는 건 변하질 않네..

재훈 실장님이랑 먹으면 유독 더 맛있어요. 뭘까요?

한주 내가 좀 식욕을 부르게 생겼나?

재훈 (장난스레) 그런가..

한주 재훈 씨는 살 좀 쪄야 돼. 나 많이 봐요.

재훈 (기분 좋은 미소) .. 좋네요.

하윤 (소리) 좋아?

두 사람 놀라서 돌아보면, 어느새 재훈의 옆자리에 털썩— 앉는 하윤.

하윤 (한주를 빤히 바라보며 웃는) 안녕하세요?

한주 (다소 당황스럽다가 이내 해맑게 반기며) 안녕하세요.. 아.. 하윤 씨구나? 얘기 많이 들었어요.

하윤 그래요? 나 몇 번 보지 않았어요?

한주 아... 그..

재훈 (당황을 감추고 이제야) 아.. 네 여기 하윤이구요.

(하윤에게) 여기··

하윤 알아. 황 실장님. 얘기는 많이 못 들었지만.

한주 맥주 한 잔 드실래요?

재훈 아니요, 괜찮아요.

하윤 (직원에게) 여기요~ 생맥 한 잔 주세요.

재훈 …… 어떻게 여긴…?

하윤 지나는 길에.

재훈 술 마셨니?

하윤 그게 중요해? 취하지도 않았는데.

한주 좋죠 뭐. 반가워요. 두 사람 이렇게 나란히 앉아있는 모습 보니까 예쁘다. 잘 어울려요.

하윤 그런가·· 좋네요. (대뜸) 몇 살이세요?

재훈 하윤아.

하윤 왜? 나이도 못 물어?

한주 괜찮아요. 서른이에요.

하윤 아. 동안이시다.

한주 호호호. 아·· 그래요? 하윤 씨만큼 예쁘진 못하죠. 재밌다. 두 사람 어떻게 만났어요?

하윤 그게 궁금한가…? 별거 없는데.

한주 그래요? 호호·· 아··

하윤의 맥주가 나오고 어색하게 건배하려는 한주.
그냥 혼자 마시는 하윤. 어색하게 건배하는 한주와 재훈.

52. **거리 / 밤.**

살짝 취한 하윤이 재훈의 팔을 꼭 안고 걸어간다. 몇 발치 뒤따라 걸어오는 한주. 슬쩍 뒤에 있는 한주가 신경 쓰이는 재훈. 불편하다. 도롯가에 나와 손을 들어 택시를 잡는 하윤. 이내 택시가 선다.

재훈 실장님. 먼저 타세요.

하윤 나, 취했어.

한주 아녜요, 아녜요 먼저 타요. 난 택시 불렀어요.

재훈 아·· 네··

하윤 안녕히 가세요. (택시에 타는)

재훈 그럼···

끄덕하며 웃어 보이는 한주. 잠시 그런 한주를 바라보다·· 택시에 오르는 재훈. 멀어지는 택시를 물끄러미 바라보던 한주. 반대 방향으로 걷는다.

53. **재훈의 집 / 밤.**

주방으로 가 물을 따라 마시는 재훈.
뒤따라 들어와 식탁에 앉는 하윤.

재훈 너·· 내 핸드폰 봤니?

하윤 그렇게 사진까지 주고받고 금요일 밤에 약속까지 잡을 사이야?

재훈의 깊은 한숨.. 물을 들이켜고 컵을 세게 내려놓는다.
쾅—

하윤 뭐 한 거야?

재훈 물 마신 건데.

하윤 쾅. 내려놨잖아.

재훈 얘기하기 싫은데.

하윤 얘기가 나오게 하지 말든가.

재훈 (그냥 지나치려는)

하윤 어떻게 그렇게 달라?

재훈 (멈칫) ?

하윤 너 여자친구가 누구야? 그 여자 보는 눈빛 참 다정하더라. 옛날에 나 볼 때도 그랬던 거 같은데.

재훈 그때에 넌 내 핸드폰이나 훔쳐보는 애가 아니었으니까.

하윤 아.. 그게 문제야? 여자랑 사진 주고받고 약속 잡고..

재훈 그만해.

뭔가 더 말하려는 하윤을 지나쳐 욕실로 들어가 버리는 재훈.

53-1. (Cut To) 재훈의 집 / 밤.

가내복으로 갈아입고 식탁에 앉아있는 하윤.

식탁엔 맥주 두 캔. 욕실 안쪽에서 드라이기 소리가 시끄럽게 들린다. 이내 욕실에서 가내복 차림의 재훈이 머리를 털고 나온다.

하윤 앉아 봐. 나랑도 맥주 마셔.

재훈 마셨잖아.

하윤 나랑 마신 거 아니잖아.

인내하며 하윤을 바라보는 재훈.

눈을 피하지 않는 하윤.

힘 빠지는 한숨. 체념하듯 마주 앉는 재훈.

하윤 기분 나빠? 내가 오늘 방해해서?

재훈 …. 아니.

하윤 그건 일한 거 아니잖아.

재훈 ·· 그래.

하윤 사진까지 주고받으면서 금요일 밤에 약속 잡고, 술까지 마셨어. 니가 왜 자꾸 화를 내?

재훈 화·· 안 냈어.

하윤 내고 있어.

재훈 그래… 미안하다.

하윤 뭐가 미안한데?

재훈 니가 말했잖아.

하윤 내가 말했으니까 니가 말하라고.

재훈 미안하다고.

하윤 뭐가 미안하냐고.

재훈 후… 싸우고 싶지 않아.

하윤 우리 좋아진 지 얼마나 됐다고 이래?

재훈 …… 좋아진 거였어?

하윤 아.. 좋아진 거 아니었어?

재훈 몰랐네..

하윤 좋아진 거 아니면 그래도 돼?

재훈 뭘… 어쨌다고 그래…

하윤 미안하다며? 근데 어쨌다고 그래? 그 말이 나와?

재훈 알았어.. 그만해.. 싸우고 싶지 않아.

하윤 너 그년 좋아하니?

재훈 (인내하기 힘든..)…… 뭐?

하윤 왜? 또 소리 지르게? 나보다 그년이 중요해?

재훈 (겨우겨우 눌러 참으며) 같이 일하는 사람이야. 아무 잘못 없는 사람이고. 왜.. 욕을 해..? 하지 마.

하윤 왜 잘못이 없어? 여자친구 있는 사람이랑 그 시간에 둘이 술 마신 건 괜찮고, 내 남자친구 걱정돼서 따라간 건 안 돼?

재훈 제발… 그만해.. 싸우기 싫다고 했어.

하윤 너 나랑 헤어지고 싶어서 이러니?

재훈 헤어지고 싶다면 헤어져줄래?

하윤 뭐?

재훈 어차피 다 니 맘이잖아.

하윤 말해. 헤어지고 싶다고?

재훈 …… 하윤아‥ 넌 이게 정말‥ 이게‥ 정상이라고 생각해?

하윤 내 잘못이야?

재훈 내 잘못이야. 다… 내 잘못이야. 다‥ 내가 잘못했어. 다!! 내가!! 내가 잘못한 거야‥ 다 그냥 내가 잘못한 거야. 어떤 상황이든 니가 뭘 했든 내가 잘못한 걸로 해야 니가 끝이 나지‥ 알았어. 내가 잘못했다고. 그만하라고.

고개를 숙인 채 눈을 감는 재훈. 숨을 고르며 인내한다.
노기 가득한 눈으로 그저 노려보는 하윤.

재훈 후…. 도대체… 이게‥ 뭐야….

53-2. 펍 / 밤.

아담하고 은은한 조명의 맥줏집.
간단한 안주를 사이에 두고 생맥주를 마시고 있는

진주 어쩌면 상대를 모르는 것보다, 나를 모르는 게‥ 더 파괴적으로 느껴지기도 해요.

범수 그치‥ 알지만 어쩔 수 없는 감정까지 포함해서.

진주 나한테서 나를 감춰버렸다는 게‥ 그건 정말 어디를 들춰봐야 할지도 모르는 거잖아.

범수 나도 나를 모르겠어서 답답한, 그 흔한 경우 모두 포함해서.

진주 쉬운 일은 아니지만.. 아니, 어쩌면 죽을 때까지 벌어지지 않을 수도 있는 일이지만.. 감춰진 나를 스스로 본다는 건.. 어쩐지 좀.. 아파.

54. 은정의 편집실 / 밤.

어두운 공간. 모니터 불빛 앞에 가만히 앉은 은정.
자신 스스로 찍은 모니터 화면을 보고 있다.
화면 안 은정의 모습. 가만히 카메라를 보다가..

은정 나는.. 음… 난.. 생동감 있어서 좋아했었..나..? 다큐가.. 음.. 흘러가는 것.. 살아있는 것.. 그대로 카메라에 저장하는 걸.. 매력 있다고 생각했었…나..? 다큐가.. 음.. 왜 이전에 내가.. 잘 기억이 안 날까?

소민 (소리) 이전이 언젠데?

관리사 (소리) 말씀하시면 안 돼요.

은정 음…? 응? 이전… 그러게.. 이전이면 언제지… (슬쩍 혼란스러워지는) 이전…?

화면을 보고 있는 은정의 표정도 화면 속 은정의 표정과 비슷하게 변해가는. 화면 속. 잠시 미간을 찡그렸다가 자신의 옆을 보는 은정　　나 자기 만날 때 어떤 사람이었어?

굳어가는 화면 밖 은정.

은정　　내가? (다시 카메라를 보는) 그런가… 모르겠어.. 내가 어땠는지.. 무언가를 선택할 때 어떤 생각을 하고 있었지? 왜 기억이 안 날까.. 무섭네..

무슨 말인지 모를 말을 이어가는 화면 속 은정.
떨리는 손으로 다시 돌려보는 화면 밖 은정.

은정　　나 자기 만날 때 어떤 사람이었어?…. 내가?

급히 화면을 정지하는 은정. 잠시 아무런 표정 없이.. 정적 속에 떨리는 숨.. 천천히 일어나 돌아서 가는 은정..
몇 걸음 옮기지 못하고 쪼그려 앉는. 힘없이 떨리다간 점차 호흡이 어려워지는. 하… 하… 힘겹게 숨을 내쉬다가.. 괴로움.. 두려움.. 온갖 슬픔에 짓눌리는.. 힘겨운 은정의 모습에서..

만든 사람들

극본 이병헌, 김영영
책임프로듀서 함영훈
기획/제작 안제현, 신상윤
제작총괄 김보미
프로듀서 최영중, 박우람
제작프로듀서 백준규, 전아영, 김경민

[삼화네트웍스]

기획프로듀서 김민
기획PD 위지원, 박병희
마케팅총괄 윤은정
마케팅프로듀서 주현실, 오경아
제작관리 유경미, 엄태린
제작행정 이진희, 김동준, 김다혜

촬영감독 노승보, 김대성, 엄시우
포커스풀러
조진우, 김병국, 주병익, 서동기
촬영팀 A 김건용, 신지훈, 이승현, 김다미
촬영팀 B 윤혁, 임규도, 신규민
촬영팀 C 김준희, 박일동, 김우진, 강병걸

테크니컬 슈퍼바이저 [알고리즘] 조희대
포스트 프로덕션 슈퍼바이저
[알고리즘] 김경희
원본 데이터 관리
[알고리즘] 강아름, 김지연, 신영섭

현장 데이터 관리
[BASE Technical Production]
데이터매니저
김태호, 박수진, 오지은, 강유리

조명감독 박성찬
조명퍼스트 윤보현, 양준혁
조명팀
최윤석, 김대환, 김성욱, 이용석, 박경배
발전차 김동환
동시녹음 [Sound204]
붐오퍼레이터 이태형
붐어시스턴트 이규환

그립팀
[퍼펙트그립] 김선환, 이상민, 김건욱, 임현준

미술제작 [삼화네트웍스]
미술감독 원지환
미술팀장 서정아
미술팀 강은지, 김시은, 박소연
세트제작
[라인웍스] 김선환, 유수정, 최한나
세트진행 변성수

소품 [지니어스] 이이진, 주동만, 안초민
푸드스타일리스트 이승은, 김유미
소품차 서창근

의상 [바코드] 김보배, 박민하

의상차 원대연

분장미용
[예랑분장미용] 차지연,
김예린, 전미강, 김민지

특수효과
[디엔디라인] 도광섭, 도광일, 정상성

캐스팅디렉터 [티아이] 정치인, 이상
아역캐스팅 노태민, 김민성, 노태양

엑스트라디렉터
[레오폴드 T&S] 이현우, 유성열

무술감독 박현진
무술지도 김민호

봉고배차 [만차렌탈미디어] 강학구
연출봉고 정찬주, 이제환
제작봉고 이성남
카메라봉고 오천수, 최재근
특수차량 / 렉카 [카해피] 김영동
버스 [비알에스]
스태프 버스 윤은하

편집 남나영(MORI), 하미라, 김서우
편집보조 민주홍

음악감독 김태성
작곡
박상우, 최정인, 임미현, 김연정,
박정은, 신현필, 윤채영
음악효과 이광희, 홍가희
OST제작
[스톤뮤직 엔터테인먼트]

마주희, 김민호, 송예진

사운드 믹싱 [SoundIN]
사운드 슈퍼바이저 조계환
사운드 편집
김형태, 조은영, 김소연, 허대호

특수영상 [매버릭]
VFX 총괄 이경용
VFX 슈퍼바이저 김정희
VFX 아티스트
박진홍, 김희진, 민소정,
김영태, 강수빈, 이윤준

DI [모그커뮤니케이션즈] 김열회

타이틀
[nineconcept] 최준구, 김은진,
장희승, 한기정, 이미래

종합편집 [JTBC 미디어텍] 이용직
기술지원
[JTBC 기술기획팀] 이석호,
박연옥, 김태근, 김보경, 박진우

홍보대행 [블리스미디어] 김호은, 여민아
스틸 [블리스콘텐츠] 김민수, 김호빈
메이킹 선우선
포스터 [그림하는 김씨] 김종호

대본인쇄 [슈퍼북]

JTBC 홍보 정지원, 강정국
JTBC 마케팅
한정은, 이혁주, 강세연, 조정민
JTBC 웹기획 장은영

JTBC 웹운영 강예은

JTBC 웹디자인 김현철

JTBC 메이킹편집 조혜민

JTBC 미디어컴

이종민, 김은란, 오승환, 권수영

JTBC 제작행정

우상희, 김선이, 박민경, 하성범

마케팅총괄대행

[제이와이미디어] 정승욱, 고종일, 김동욱

보조 작가 김지연, 심세미

섭외

[로케니스트] 성상배, 박준수, 이호

SCR 한소이, 조아라

FD

윤혜준, 정의택, 서우성, 김준희,

박시완, 강근민, 최성균

조연출 안영삼, 김민경

연출 이병헌, 김혜영

제공 JTBC

기획/제작 삼화네트웍스

천우희 · 안재홍

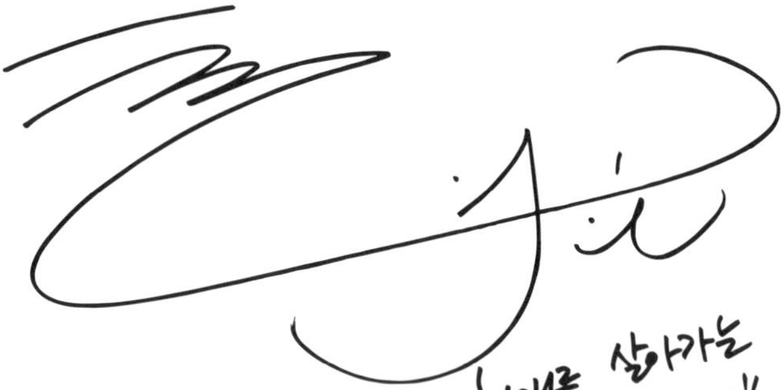

현재를 살아가는
모든이들에게"
삶을 사랑하세요♡"

안재홍

사랑해주셔서
고맙습니다.

전여빈 · 한지은

멜로가체질,
이은정 드림.
우리가 살아가는, 사랑하는
동안에 —

Be Happy!!
사랑해 ♥
멜로가 체질을 사랑해주신 덕분에
소중한 대본집이 나왔습니다.
응원해주셔서 감사하고
기다려주셔서 감사합니다.
늘 건강하세요.
한지은 드림!!

"사랑해" 이 말이 너무 이쁘지 않나요?
멜로가체질을 좋아해주신 모든 팬 분들 너무
사랑합니다.
저희 드라마로 힐링하시고 옆에 있는 소중한 사람에게
"사랑해" 라고 말 할 수 있는 용기 있는 사람이
되었으면 좋겠어요!!!
여러분 모두 사랑해요~

"재훈이가"

– 공명

그대 생각하면 잠이 오지 않아
불을 끄고 가만히 창가에 앉아
마음에 접어놓은 수많은 얘기 속에
그대에게 하고픈 말 사랑해
거기서 만나, 우리.

from. 홍대

멜로가 체질, 평생 사랑해!!!

-소민-

to. 이민준 에게.

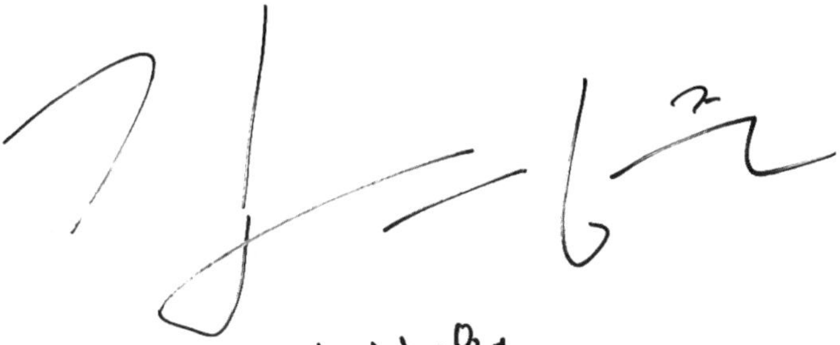

사랑해요.
그리고 잊지못해 멜체?
또 보자 :)

윤지온 · 손석구

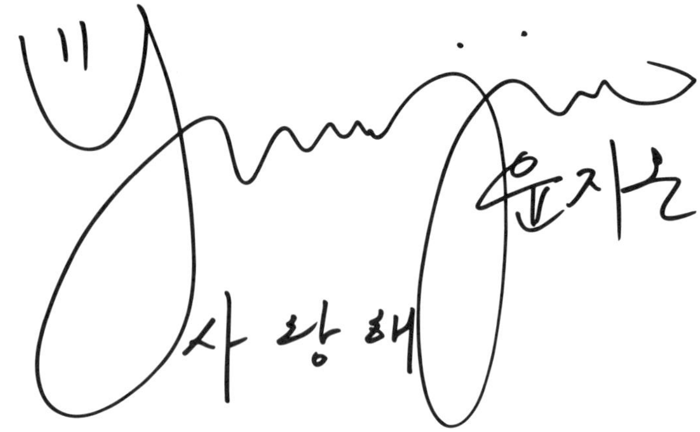

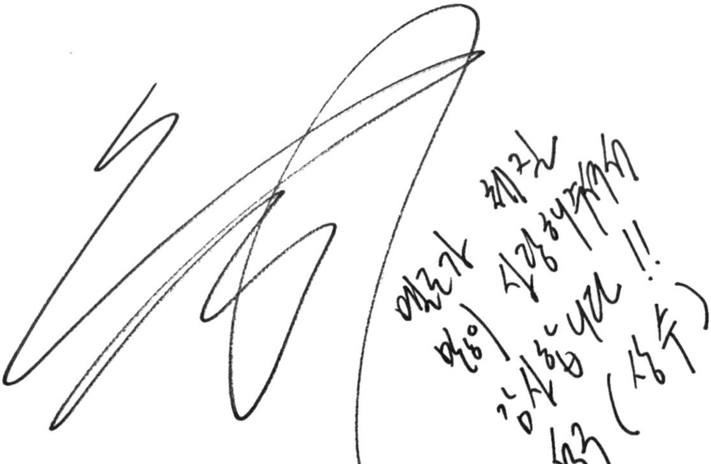

이지민

멜체 영양사 다미 ♥

고마워 "사랑해"

Joonseok!

멜로가 체질 '동기'

허 준 석

처음이자 마지막일수 있었던 저의 첫 멜로!

많은 사람들에게 공감과 위로가 되었던 작품!

또 한번 행복을 느끼는 시간이 될것 같아요 :)

축하합니다 — !

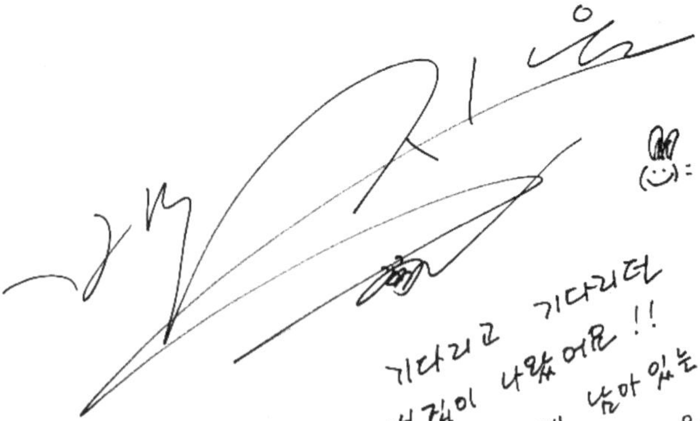

(토끼 그림) : 야호 전해져 드림

기다리고 기다리던
대본집이 나왔어요 !!
오래도록 마음에 남아있는 <멜로가 체질>
늘 건강하시고 행복하세요! 감사합니다.

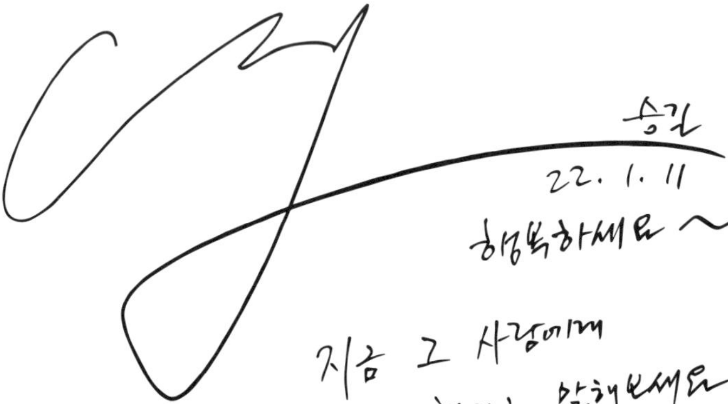

승길
22. 1. 11
행복하세요~ ^^

지금 그 사람에게
사랑해라고 말해보세요.

이유진

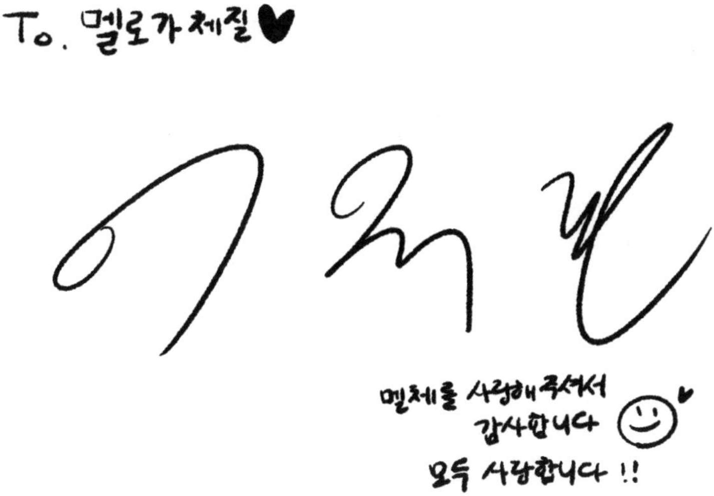
To. 멜로가 체질
멜체를 사랑해주셔서
감사합니다
모두 사랑합니다 !!

멜로가체질 1